Developing Chinese

Elementary Comprehensive Course

初级综合

（I）

荣继华　编著

Developing Chinese

第二版
2nd Edition

编写委员会

主 编：李 泉

副主编：么书君 张 健

编 委：李 泉 么书君 张 健 王淑红 傅 由 蔡永强

《发展汉语》（第二版）

基本使用信息

教材	适用对象	每册课数	每课建议课时	每册建议总课时
初级综合（Ⅰ）	零起点及初学者	30课	5课时	150-160
初级综合（Ⅱ）		25课	6课时	150-160
中级综合（Ⅰ）	已掌握2000-2500词汇量	15课	6课时	90-100
中级综合（Ⅱ）		15课	6课时	90-100
高级综合（Ⅰ）	已掌握3500-4000词汇量	15课	6课时	90-100
高级综合（Ⅱ）		15课	6课时	90-100
初级口语（Ⅰ）	零起点及初学者	23课	4课时	92-100
初级口语（Ⅱ）		23课	4课时	92-100
中级口语（Ⅰ）	已掌握2000-2500词汇量	15课	6课时	90-100
中级口语（Ⅱ）		15课	6课时	90-100
高级口语（Ⅰ）	已掌握3500-4000词汇量	15课	4课时	60-70
高级口语（Ⅱ）		15课	4课时	60-70
初级听力（Ⅰ）	零起点及初学者	30课	2课时	60-70
初级听力（Ⅱ）		30课	2课时	60-70
中级听力（Ⅰ）	已掌握2000-2500词汇量	30课	2课时	60-70
中级听力（Ⅱ）		30课	2课时	60-70
高级听力（Ⅰ）	已掌握3500-4000词汇量	30课	2课时	60-70
高级听力（Ⅱ）		30课	2课时	60-70
初级读写（Ⅰ）	零起点及初学者	12课	2课时	30-40
初级读写（Ⅱ）		12课	2课时	30-40
中级阅读（Ⅰ）	已掌握2000-2500词汇量	15课	2课时	30-40
中级阅读（Ⅱ）		15课	2课时	30-40
高级阅读（Ⅰ）	已掌握3500-4000词汇量	15课	2课时	30-40
高级阅读（Ⅱ）		15课	2课时	30-40
中级写作（Ⅰ）	已掌握2000-2500词汇量	12课	2课时	30-40
中级写作（Ⅱ）		12课	2课时	30-40
高级写作（Ⅰ）	已掌握3500-4000词汇量	12课	2课时	30-40
高级写作（Ⅱ）		12课	2课时	30-40

总前言

《发展汉语》（第二版）为普通高等教育“十一五”国家级规划教材。为保证本版编修的质量和效率，特成立教材编写委员会和教材编辑委员会。编辑委员会广泛收集全国各地使用者对初版《发展汉语》的使用意见和建议，编写委员会据此并结合近年来海内外第二语言教学新的理论和理念，以及对外汉语教学和教材理论与实践的新发展，制定了全套教材和各系列及各册教材的编写方案。编写委员会组织全体编者，对所有教材进行了全面更新。

适用对象

《发展汉语》（第二版）主要供来华学习汉语的长期进修生使用，可满足初（含零起点）、中、高各层次主干课程的教学需要。其中，初、中、高各层次的教材也可供汉语言专业本科教学选用，亦可供海内外相关的培训课程及汉语自学者选用。

结构规模

《发展汉语》（第二版）采取综合语言能力培养与专项语言技能训练相结合的外语教学及教材编写模式。全套教材分为三个层级、五个系列，即纵向分为初、中、高三个层级，横向分为综合、口语、听力、阅读、写作五个系列。其中，综合系列为主干教材，口语、听力、阅读、写作系列为配套教材。

全套教材共28册，包括：初级综合（Ⅰ、Ⅱ）、中级综合（Ⅰ、Ⅱ）、高级综合（Ⅰ、Ⅱ），初级口语（Ⅰ、Ⅱ）、中级口语（Ⅰ、Ⅱ）、高级口语（Ⅰ、Ⅱ），初级听力（Ⅰ、Ⅱ）、中级听力（Ⅰ、Ⅱ）、高级听力（Ⅰ、Ⅱ），初级读写（Ⅰ、Ⅱ），中级阅读（Ⅰ、Ⅱ）、高级阅读（Ⅰ、Ⅱ），中级写作（Ⅰ、Ⅱ）、高级写作（Ⅰ、Ⅱ）。其中，每一册听力教材均分为“文本与答案”和“练习与活动”两本；初级读写（Ⅰ、Ⅱ）为本版补编，承担初级阅读和初级写话双重功能。

编写理念

“发展”是本套教材的核心理念。发展蕴含由少到多、由简单到复杂、由生疏到熟练、由模仿、创造到自如运用。“发展汉语”寓意发展学习者的汉语知识，发展学习者对汉语的领悟能力，发展学习者的汉语交际能力，发展学习者的汉语学习能力，不断拓展和深化学习者对当代中国社会及历史文化的了解范围和理解能力，不断增强学习者的跨文化交际能力。

“集成、多元、创新”是本套教材的基本理念。集成即对语言要素、语言知识、文化知识以及汉语听、说、读、写能力的系统整合与综合；多元即对教学法、教学理论、教学大纲以及教学材料、训练方式和手段的兼容并包；创新即在遵循汉语作为外语或第二语言教学规律、继承既往成熟的教学经验、汲取新的教学和教材编写研究成果的基础上，对各系列教材进行整体和局部的特色设计。

教材目标

总体目标：全面发展和提高学习者的汉语语言能力、汉语交际能力、汉语综合运用能力和汉语学习兴趣、汉语学习能力。

具体目标：通过规范的汉语、汉字知识及其相关文化知识的教学，以及科学而系统的听、说、读、写等语言技能训练，全面培养和提高学习者对汉语要素（语音、汉字、词汇、语法）形式与意义的辨别和组配能力，在具体文本、语境和社会文化规约中准确接收和输出汉语信息的能力，运用汉语进行适合话语情境和语篇特征的口头和书面表达能力；借助教材内容及其教学实施，不断强化学习者汉语学习动机和自主学习的能力。

编写原则

为实现本套教材的编写理念、总体目标及具体目标，特确定如下编写原则：

（1）课文编选上，遵循第二语言教材编写的针对性、科学性、实用性、趣味性等核心原则，以便更好地提升教材的质量和水平，确保教材的示范性、可学性。

（2）内容编排上，遵循第二语言教材编写由易到难、急用先学、循序渐进、重复再现等通用原则，并特别采取“小步快走”的编写原则，避免长对话、长篇幅的课文，所有课文均有相应的字数限制，以确保教材好教易学，增强学习者的成就感。

（3）结构模式上，教材内容的编写、范文的选择和练习的设计等，总体上注重“语言结构、语言功能、交际情境、文化因素、活动任务”的融合、组配与照应；同时注重话题和场景、范文和语体的丰富性和多样化，以便全面培养学习者语言理解能力和语言交际能力。

（4）语言知识上，遵循汉语规律、汉语教学规律和汉语学习规律，广泛吸收汉语本体研究、汉语教学研究和汉语习得研究的科学成果，以确保知识呈现恰当，诠释准确。

（5）技能训练上，遵循口语、听力、阅读、写作等单项技能和综合技能训练教材的编写规律，充分凸显各自的目标和特点，同时注重听说、读说、读写等语言技能的联合训练，以便更好地发挥“综合语言能力 + 专项语言技能”训练模式的优势。

（6）配套关联上，发挥系列配套教材的优势，注重同一层级不同系列平行或相邻课文之间，在话题内容、谈论角度、语体语域、词汇语法、训练内容与方式等方面的协调、照应、转换、复现、拓展与深化等，以便更好地发挥教材的集成特点，形成“共振”合力，便于学习者综合语言能力的养成。

（7）教学标准上，以现行各类大纲、标准和课程规范等为参照依据，制订各系列教材语言要素、话题内容、功能意念、情景场所、交际任务、文化项目等大纲，以增强教材的科学性、规范性和实用性。

实施重点

为体现本套教材的编写理念和编写原则，实现教材编写的总体目标和具体目标，全套教材突出了以下实施重点：

（1）系统呈现汉语实用语法、汉语基本词汇、汉字知识、常用汉字；凸显汉语语素、语段、语篇教学；重视语言要素的语用教学、语言项目的功能教学；多方面呈现汉语口语语体和书面语体的特点及其层次。

（2）课文内容、文化内容今古兼顾，以今为主，全方位展现当代中国社会生活；有针对性地融入与学习者理解和运用汉语密切相关的知识文化和交际文化，并予以恰当的诠释。

（3）探索不同语言技能的科学训练体系，突出语言技能的单项、双项和综合训练；在语言要素学习、课文读解、语言点讲练、练习活动设计、任务布置等各个环节中，凸显语言能力教学和语言应用能力训练的核心地位。并通过各种练习和活动，将语言学习与语言实践、课内学习与课外习得、课堂教学与目的语环境联系起来、结合起来。

（4）采取语言要素和课文内容消化理解型练习、深化拓展型练习以及自主应用型练习相结合的训练体系。几乎所有练习的篇幅都超过该课总篇幅的一半以上，有的达到了2/3的篇幅；同时，为便于学习者准确地理解、掌握和恰当地输出，许多练习都给出了交际框架、示例、简图、图片、背景材料、任务要求等，以便更好地发挥练习的实际效用。

（5）广泛参考《汉语水平等级标准与语法等级大纲》（1996）、《汉语水平词汇与汉字等级大纲》（2001）、《高等学校外国留学生汉语言专业教学大纲》（2002）、《国际汉语教学通用课程大纲》（2008）、《欧洲语言共同参考框架：学习、教学、评估》（中译本，2008）、《新汉语水平考试大纲（HSK1–6级）》（2009–2010）等各类大纲和标准，借鉴其相关成果和理念，为语言要素层级确定和选择、语言能力要求的确定、教学话题及其内容选择、文化题材及其学习任务建构等提供依据。

（6）依据《高等学校外国留学生汉语教学大纲（长期进修）》（2002），为本套教材编写设计了词汇大纲编写软件，用来筛选、区分和确认各等级词汇，控制每课的词汇总量和超级词、超纲词数量。在实施过程中充分依据但不拘泥于“长期进修”大纲，而是参考其他各类大纲并结合语言生活实际，广泛吸收了诸如“手机、短信、邮件、上网、自助餐、超市、矿泉水、物业、春运、打工、打折、打包、酒吧、客户、密码、刷卡”等当代中国社会生活中已然十分常见的词语，以体现教材的时代性和实用性。

基本定性

《发展汉语》（第二版）是一个按照语言技能综合训练与分技能训练相结合的教学模式编写而成的大型汉语教学和学习平台。整套教材在语体和语域的多样性、语言要素和语言知识及语言技能训练的系统性和针对性，在反映当代中国丰富多彩的社会生活、展现中国文化的多元与包容等方面，都做出了新的努力和尝试。

《发展汉语》（第二版）是一套听、说、读、写与综合横向配套，初、中、高纵向延伸的、完整的大型汉语系列配套教材。全套教材在共同的编写理念、编写目标和编写原则指导下，按照统一而又有区别的要求同步编写而成。不同系列和同一系列不同层级分工合作、相互协调、纵横照应。其体制和规模在目前已出版的国际汉语教材中尚不多见。

特别感谢

感谢国家教育部将《发展汉语》（第二版）列入国家级规划教材，为我们教材编写增添了动力和责任感。感谢编写委员会、编辑委员会和所有编者高度的敬业精神、精益求精的编写态度，以及所投入的热情和精力、付出的心血与智慧。其中，编写委员会负责整套教材及各系列教材的规划、设计与编写协调，并先后召开几十次讨论会，对每册教材的课文编写、范文遴选、体例安排、注释说明、练习设计等，进行全方位的评估、讨论和审定。

感谢中国人民大学么书君教授和北京语言大学出版社张健副社长为整套教材编写作出的特别而重要的贡献。感谢北京语言大学出版社戚德祥社长对教材编写和编辑工作的有力支持。感谢关注本套教材并贡献宝贵意见的对外汉语教学界专家和全国各地的同行。

特别期待

○ 把汉语当做交际工具而不是知识体系来教、来学。坚信语言技能的训练和获得才是最根本、最重要的。

○ 鼓励自己喜欢每一本教材及每一课书。教师肯于花时间剖析教材，谋划教法。学习者肯于花时间体认、记忆并积极主动运用所学教材的内容。坚信满怀激情地教和饶有兴趣地学会带来丰厚的回馈。

○ 教师既能认真“教教材”，也能发挥才智弥补教材的局限与不足，创造性地“用教材教语言”，而不是“死教教材”、“只教教材”，并坚信教材不过是教语言的材料和工具。

○ 学习者既能认真“学教材”，也能积极主动“用教材学语言”，而不是“死学教材”、“只学教材”，并坚信掌握一种语言既需要通过课本来学习语言，也需要在社会中体验和习得语言，语言学习乃终生之大事。

李　泉

编写说明

适用对象

《发展汉语·初级综合》（Ⅰ）适合零起点或只能用汉语进行最简单而有限交际的汉语初学者使用。

教材目标

传授最基本的汉语和汉字知识，使学习者具备初步的汉语交际能力，能用汉语解决日常生活和学习中最基本的问题。具体而言，学完本教材，学习者应达到以下目标：

（1）掌握最基本的汉语语音知识和发音技能、初级阶段常用词汇、汉语的基本句型。

（2）掌握汉字的基本笔画、笔顺和基本结构，能够书写所学汉字。

（3）具备初步的汉语交际能力，能用汉语解决日常生活和汉语学习中的简单问题。

（4）具备简单的学习策略、交际策略，初步了解与汉语交际相关的中国文化知识，具有初步的跨文化意识。

特色追求

（1）注重科学性与实用性的结合

本教材的语法点以《高等学校外国留学生汉语教学大纲》（长期进修）的“初等阶段语法项目”为依据，结合系统的语言学习需要以及学习者当前的生活和学习需求，遴选、整合而成。同时，课文内容紧密联系学习者日常生活和学习的实际需求，以利于学以致用。

（2）综合能力培养与听说优先相结合

把培养听、说、读、写综合语言能力与突出初级阶段“听说优先”的教学理念结合起来，全面而有重点地培养学习者的语言能力。练习兼顾语言形式与交际功能、交际需求的结合，口语练习重视交际性、实用性；书面练习包括语音、词汇、语法、阅读、汉字等，以体现综合传授语言知识和综合训练语言技能的特点。

（3）设计与实施以学习者为中心

以更好地服务于初学者为教材编写的核心理念，以是否有利于初学者的汉语学习作为体例设计和内容编排的标准。比如：教材1—20课课文、综合练习标注了拼音，以降低学习难度；教材语音练习、生词、课文、补充词语等配有录音，在方便教师授课的同时，也方便初学者自学；每课选有最常用的课堂用语、日常用语两句，全书合为60句，不仅可以帮助学习者掌握语言学习和在华生活最有交际价值的语句，也能较好地扩展和深化本书的教学内容；每五课设有一个语言点小结，对学习过的语法内容进行归纳、整理；语言点小结以例句形式呈现，例句力求典型、常用、上口，便于学习者认知与记忆，也便于教师通过语言点小结对相关语法作进一步的扩展与深化训练，等等。

使用建议

（1）本教材共30课，每课建议用5课时完成。

（2）注释和说明着力于简明、扼要，教师可视情况予以细化和补充。

（3）“课堂活动”可以在课文和语言点学完之后作为课堂练习使用。

（4）“说一说，写一写”可作为课后练习任务。但如果采取学习者课前准备、课上交流讨论、课后请学习者把所说内容写下来的方式，效果一定更为理想。

（5）教师上课时充分利用教材所设计的练习，多听多练，听说结合。

（6）带着学习者熟练诵读课文，要求学习者把每课的课堂用语、日常用语背诵下来。

特别期待

◎ 课前认真预习你将学习的每一课。

◎ 反复大声朗读你正在学习的课文。

◎ 喜欢每一篇课文，并学在其中、乐在其中。

◎ 课后经常复习学过的课文，积极寻找机会使用课文所学内容。

◇ 及时批改和讲评学习者的课内外作业。

◇ 真诚而恰当地肯定学习者的每一次进步。

◇ 课下深度备课，课上激情投入。

◇ 适时而恰当地传授学习策略，发展学习者的汉语学习能力。

《发展汉语》（第二版）编写委员会及本册教材编者

目录 Contents

学习指南 Guide

课号 No.	语音知识 Phonetic Notes	综合注释 Comprehensive Notes	汉字知识 About Chinese Characters
1	1. 音节 2. 声母(1)和韵母(1) 3. 声调	代词：您	汉字的基本笔画(1) 汉字的基本笔顺(1)
2	1. 声母(2)和韵母(2) 2. 轻声	助词：呢(1)	汉字的基本笔画(2) 汉字的基本笔顺(2)
3	1. 声母(3) 2. 韵母(3)	礼貌表达："贵姓"	汉字的基本笔画(3) 汉字的基本笔顺(3)
4	1. 拼写规则(1) 2. 三声变调 3."不"的变调	1. 动词谓语句 2. 用"吗"的疑问句	汉字的基本笔画(4) 汉字的基本笔顺(4)
5	拼写规则(2)	1. 量词：口 2."几"和"多少" 3. 量词和常用量词"个" 4. 数字的表达(1)：1~100的称数法 5. "二"和"两"	汉字的基本笔画(5) 汉字结构(1)
6	1. 拼写规则(3) 2."一"的变调	1. 助动词：想 2. 数字的表达(2)：100以上的称数法 3. 人民币表示法 4. ……多少钱+一+量词	汉字的基本笔画(6) 汉字结构(2)
7	1. 拼写规则(4) 2. 儿化	1. 存在句(1) 2. 方位词 3. 副词：还(1) 4."哪儿"和"……在什么地方" 5. 助词：吧(1)	汉字的基本笔画(7) 汉字结构(3)
8	拼写规则(5)	1. 名词谓语句 2. 日期表示法 3. 用"对吗？"的疑问句 4. 怎么样(1) 5. 定语(1)	汉字的基本笔画(8) 汉字结构(4)
9	声调的标写	1. 先……，然后…… 2. 来/去+(O_1)+V+ O_2 3. 时间状语 4. 时间称说法	汉字偏旁(1) 汉字组合(1)

10		1. 形容词谓语句 2. 正反疑问句(1)(2) 3. 一下 4. 一点儿(1)	汉字偏旁(2) 汉字组合(2)
11		1. 地点状语：在+地方 2. 从……到…… 3. 时间状语和地点状语的顺序 4. 号码表示法 5. 不用谢	汉字偏旁(3) 汉字组合(3)
12		1. 对…… +V / Adj. 2. 助词：呢(2) 3. 选择疑问句：A 还是B?	汉字偏旁(4) 汉字组合(4)
13		1. 副词：又 2. 了(1) 3. 怎么样(2) 4. 怎么(1)	汉字偏旁(5) 汉字组合(5)
14		1. 了(2) 2. 一……就 …… 3. 副词：就 4. 代词：这么 5. 副词：还(2)	汉字偏旁(6) 汉字组合(6)
15		1. 助动词：要(1) 2. 助动词：可以(1)(2) 3. 助动词：能 4. 助动词：会	汉字偏旁(7) 汉字组合(7)
16		1. 双宾语 2. 助动词：要(2) 3. 副词：还是 4. 助动词：可以(3)	汉字偏旁(8) 汉字组合(8)
17		1. 副词：才(1) 2. 主谓谓语句 3. 形容词做状语 4. 怎么(2) 5. 好	汉字偏旁(9) 汉字组合(9)

18		1. 时段表示法 2. 时量补语 3. 动词重叠 4. 用“是不是”提问的句子 5. 形容词重叠	汉字偏旁(10) 汉字组合(10)
19		1. 副词：只好 2. 给……+V 3. 结果补语(1)：V+好、V+上、V+见、V+开、V+完、V+给 4. 动量词：遍	汉字偏旁(11) 汉字组合(11)
20		1. 结果补语(2)：V+到、V+在、V+走、V+满 2. 又……又…… 3. “概数(1) 4. 对了 5. 吧(2)	汉字偏旁(12) 汉字组合(12)
21		1. A跟(和)B不一样/A跟(和)B一样 2. 用“好吗”的疑问句 3. “把”字句(1)	汉字偏旁(13) 汉字组合(13)
22		1. “的”字短语 2. 副词：有点儿 3. 一点儿 (2) 4. 副词：才(2) 5. 算了	汉字偏旁(14) 汉字组合(14)
23		1. 概数(2) 2. 副词：才(3) 3. 副词：差不多 4. 了(3) 5. 还可以	汉字偏旁(15) 汉字组合(15)
24		1. 为了 2. 如果 3. 存在句(2) 4. 简单趋向补语 5. “把”字句(2)	汉字偏旁(16) 汉字组合(16)

25		1. 定语(2) 2. 听不懂 3. 虽然……,但是/可是/还是…… 4. 副词:好好儿	汉字偏旁(17) 汉字组合(17)
26		1. 快要……了、要……了、快……了、就要……了 2. 特别是 3. 离合词 4. 要是	汉字偏旁(18) 汉字组合(18)
27		1. 一边……,一边…… 2. 正在……(呢)、在……(呢)、正……(呢)、……呢 3. “人称代词/名词+那儿/这儿”表示处所	汉字偏旁(19) 汉字组合(19)
28		1. 概数(3) 2. 介词:通过 3. 疑问代词:多 4. 副词:原来	汉字偏旁(20) 汉字组合(20)
29		1. 情态补语 2. 动词:爱 3. 副词:可能	汉字偏旁(21) 汉字组合(21)
30		1. Adj / V + 极了 2. V + 过 3. 当……的时候	汉字偏旁(22) 汉字组合(22)

人物介绍

Introduction to the Main Characters in the Book

阿明：男，泰国留学生

A’ming：male, a student from Thailand

山田：男，日本留学生

Yamada：male, a student from Japan

马丁：男，美国留学生

Martin：male, a student from the United States

崔浩：男，韩国留学生

Cui Hao：male, a student from South Korea

朱云：女，中国大学生

Zhu Yun：female, a Chinese university student

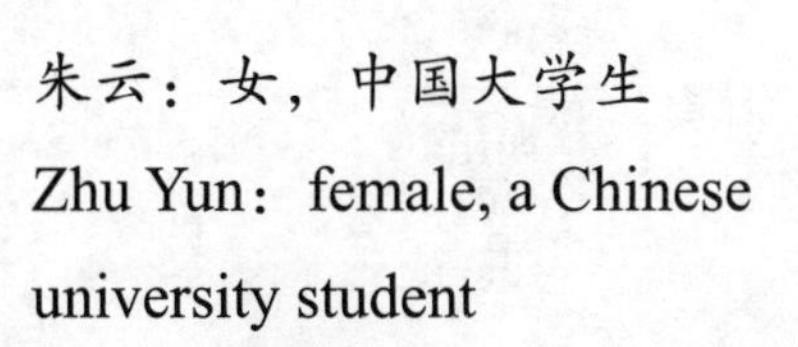

林娜：女，法国留学生

Linna：female, a student from France

李一民：男，汉语老师

Li Yimin：male, a teacher of Chinese language

语法术语及缩略形式参照表
Abbreviations of Grammar Terms

Grammar Terms in Chinese	Grammar Terms in *pinyin*	Grammar Terms in English	Abbreviations
名词	míngcí	noun	n. / 名
代词	dàicí	pronoun	pron. / 代
数词	shùcí	numeral	num. / 数
量词	liàngcí	measure word	m. / 量
数量词	shùliàngcí	quantifier	q. / 数量
动词	dòngcí	verb	v. / 动
助动词	zhùdòngcí	auxiliary	aux. / 助动
形容词	xíngróngcí	adjective	adj. / 形
副词	fùcí	adverb	adv. / 副
介词	jiècí	preposition	prep. / 介
连词	liáncí	conjunction	conj. / 连
助词	zhùcí	particle	part. / 助
拟声词	nǐshēngcí	onomatopoeia	onom. / 拟声
叹词	tàncí	interjection	int. / 叹
前缀	qiánzhuì	prefix	pref. / 前缀
后缀	hòuzhuì	suffix	suf. / 后缀
成语	chéngyǔ	idiom	idm. / 成
主语	zhǔyǔ	subject	S
谓语	wèiyǔ	predicate	P
宾语	bīnyǔ	object	O
补语	bǔyǔ	complement	C
动宾结构	dòngbīn jiégòu	verb-object	VO
动补结构	dòngbǔ jiégòu	verb-complement	VC
动词短语	dòngcí duǎnyǔ	verbal phrase	VP
形容词短语	xíngróngcí duǎnyǔ	adjectival phrase	AP

1 你好 Hello

第一部分 学习语音
Part One Phonetics

语音练习 *Phonetic Exercises*

1. 听读辨音 ***Listen, read and discriminate the sounds.*** 1-1

b — p	d — t	g — k
bo — po	da — ta	ge — ke
bu — pu	dan — tan	gu — ku
bei — pei	dou — tou	gai — kai
bao — pao	ding — ting	geng — keng
ban — pan	dong — tong	gang — kang

f — h	n — l	o — e
fa — ha	ni — li	mo — me
fu — hu	nu — lu	bo — ge
fei — hei	nei — lei	fo — he
fan — han	nin — lin	po — ke
fou — hou	nang — lang	

o — u	an — ang	en — eng
bo — bu	pan — pang	ben — beng
po — pu	tan — tang	men — meng
mo — mu	gan — gang	nen — neng
fo — fu	kan — kang	ken — keng

2. 唱读四声 *Practice the four tones.* 1-2

nī	ní	nǐ	nì	lī	lí	lǐ	lì
hāo	háo	hǎo	hào	gē	gé	gě	gè
mā	má	mǎ	mà	lōu	lóu	lǒu	lòu
mō	mó	mǒ	mò	fēn	fén	fěn	fèn
pū	pú	pǔ	pù	pēng	péng	pěng	pèng
bāi	bái	bǎi	bài	hōng	hóng	hǒng	hòng

3. 听读辨调 *Listen, read and discriminate the tones.* 1-3

ní — nǐ	mǐn — mín	míng — mìng	ké — kè
lǐ — lí	háo — hǎo	dīng — dǐng	tǎ — tā
nǎ — nà	yī — yì	mā — mǎ	bù — bú
līn — lín	ěr — èr	lǚ — lǜ	mò — mó

4. 听后标上声调 *Listen and add the tone marks.* 1-4

ma	tong	lü	bai	po	feng
gu	ni	ka	pei	han	ding

语音知识 *Phonetic Notes*

1. 音节 *Syllables*

汉语的音节一般由声母、韵母和声调组成，音节开头的辅音是声母，声母后面的部分是韵母。在音节“lǐ”中，“l”是声母，“i”是韵母，“ˇ”是声调。音节也可以没有声母，只有韵母和声调，例如“é”。

A *pinyin* syllable is usually composed of an initial, a final and a tone. The consonant that starts a syllable is called the initial, and the part after the initial is the final. For example, in “lǐ”, “l” is the initial, “i” is the final, and “ˇ” is the tone mark. Some syllables do not have initials. A final and a tone can also make a syllable, such as “é”.

声母 Initial	韵母 Final	声调 Tone	音节 Syllable
l	i	ˇ	lǐ
b	a	ˉ	bā
n	in	ˊ	nín
h	ao	ˇ	hǎo
f	u	ˋ	fù
	e	ˊ	é

2. 声母和韵母 *Initials and finals*

声母（1） Initials (1)

b [p] p [p‘] m [m] f [f]
d [t] t [t‘] n [n] l [l]
g [k] k [k‘] h [x]

韵母（1） Finals (1)

ɑ [a] o [o] e [ɤ] i [i] u [u] ü [y]
er [ər]
ɑi [ai] ei [ei] ɑo [ɑu] ou [ou] ɑn [an] en [ən]
in [in]
ɑng [ɑŋ] eng [əŋ] ing [iŋ] ong [uŋ]

3. 声调 *Tones*

汉语是有声调的语言，声调不同，意义就可能不一样。

汉语普通话有四个基本声调。表示声调的符号有四个：“ˉ”表示第一声，“ˊ”表示第二声，“ˇ”表示第三声，“ˋ”表示第四声。如：mā，má，mǎ，mà。调号标在主要元音的上边。

Chinese is a tone language. Different tones may result in different meanings.

There are four basic tones in Chinese. They are marked as “ˉ” (the 1st tone), “ˊ” (the 2nd tone), “ˇ” (the 3rd tone) and “ˋ” (the 4th tone) respectively. For example, mā, má, mǎ, mà.Tones are marked above the main vowel of the *pinyin* syllable.

声调图 Figure of the tones

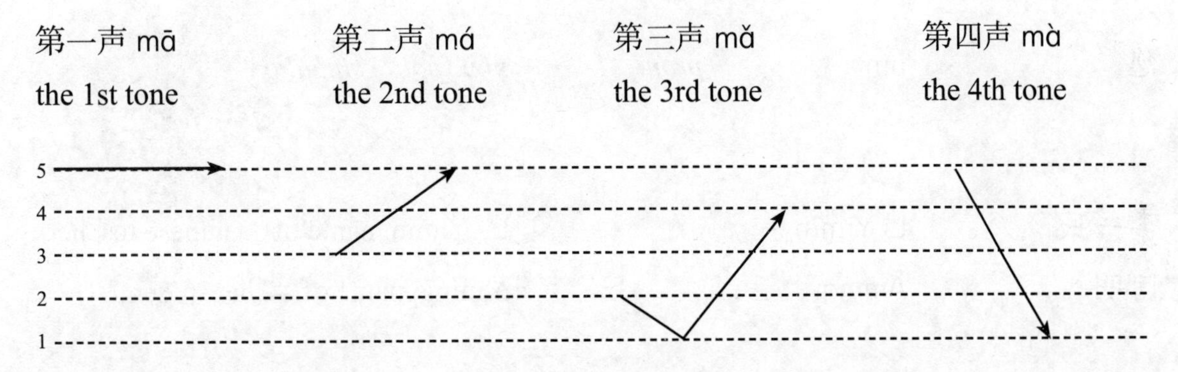

第二部分 学习课文
Part Two Texts

课文一 Kèwén yī Text One

生词 New Words and Expressions 1-7

1	你	nǐ	*pron.*	you (*singular*)
2	好	hǎo	*adj.*	good, fine, nice

专名 Proper Names

1	马丁	Mǎdīng	Martin, name of an American student
2	林娜	Línnà	Linna, name of a French student

课文 Text 1-8

马丁：你 好！
Mǎdīng: Nǐ hǎo!

林娜：你 好！
Línnà: Nǐ hǎo!

课文二 Kèwén èr Text Two

生词 New Words and Expressions 1-9

您	nín	*pron.*	you (*polite singular*)

专名 Proper Names

1	李一民	Lǐ Yīmín	Li Yimin, name of a Chinese teacher
2	阿明	Āmíng	A'ming, name of a Thai student

课文 Text 1-10

李一民：你 好！
Lǐ Yīmín: Nǐ hǎo!

阿明：您 好！
Āmíng: Nín hǎo!

课文 三 Kèwén sān Text Three

生词 New Words and Expressions 1-11

1	零	líng	*num.*	zero
2	一	yī	*num.*	one
3	二	èr	*num.*	two
4	五	wǔ	*num.*	five
5	八	bā	*num.*	eight

课文 Text 1-12

（学数字 Numbers）

零	一	二	五	八
líng	yī	èr	wǔ	bā

综合注释 Comprehensive Notes

您好！

“您”是“你”的尊称，一般用来称长辈、年长的人、上级，也可以用来称同辈的人，表示礼貌。

“您” is a more polite form of “你”. It is usually used for seniors or people of an older generation or a higher rank. It can also be used for people of the same age in order to sound more formal and polite.

补充词语 Supplementary Vocabulary

1	你们	nǐmen	*pron.*	you (*plural*)
2	老师	lǎoshī	*n.*	teacher

课堂活动 *In-Class Activity*

两人一组进行声母和韵母拼读练习：一个人说一个声母和一个韵母，另一个人拼读出来

Work in pairs to practice spelling the syllables with the initials and finals. One student provides an initial and a final, and the other spells out the complete syllable and reads it aloud.

例如：E.g.

b ao →bao

b	p	m	f
d	t	n	l
g	k	h	

a	o	e	i	u	ü	
ai	ei	ao	ou	an	en	in
ang	eng	ing	ong			

综合练习 *Comprehensive Exercises*

怎样跟他们打招呼 ***How do you greet them?***

1. A：你好！

Nǐ hǎo!

B：__________！

2. A：老师好！

Lǎoshī hǎo!

B：__________！

3\. A：您好！
Nín hǎo!
B：__________！

4\. A：__________！
B：你好！
Nǐ hǎo!

第三部分　学写汉字
Part Three　Writing Chinese Characters

汉字知识 *About Chinese Characters*

汉字的基本笔画（1） ***Basic strokes (1)***

笔形 Strokes	名称 Names	例字 Examples
一	横 héng	一
		二
丨	竖 shù	十 shí ten
丿	撇 piě	人 rén person
㇏	捺 nà	八

汉字的基本笔顺（1） *Stroke order (1)*

规则 Rules	例字 Examples	笔顺 Stroke order
先横后竖 "héng" precedes "shù"	十	一 十
先撇后捺 "piě" precedes "nà"	人 八	丿 人 丿 八

写汉字 *Character Writing*

请在汉字练习本上书写下列汉字 

Write the following Chinese characters in the workbook.

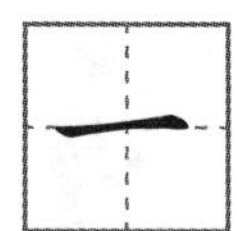 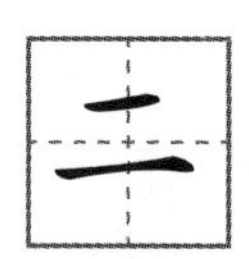  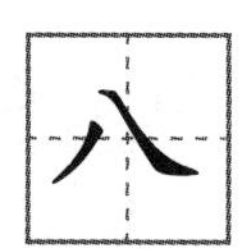

课堂用语 *Classroom Expressions* 

1. 上课！ Class begins.
   Shàng kè!

2. 下课！ Class is over.
   Xià kè!

2 你是哪国人

Which Country Are You from

第一部分　学习语音

Part One　Phonetics

语音练习 *Phonetic Exercises*

1. 听读辨音 ***Listen, read and discriminate the sounds.*** 2-1

zh — ch	z — c	z — zh
zhe — che	zu — cu	ze — zhe
zhui — chui	zai — cai	zu — zhu
zhuo — chuo	zui — cui	zai — zhai
zhun — chun	zun — cun	zao — zhao
zhong — chong	zuan — cuan	zeng — zheng

c — ch	s — sh	l — r
ca — cha	si — shi	le — re
cui — chui	se — she	li — ri
cai — chai	sai — shai	lu — ru
cao — chao	san — shan	lao — rao
cun — chun	sen — shen	long — rong

2. 唱读四声 ***Practice the four tones.*** 2-2

zhā	zhá	zhǎ	zhà	chū	chú	chǔ	chù
zhē	zhé	zhě	zhè	chōu	chóu	chǒu	chòu
zhāi	zhái	zhǎi	zhài	chuān	chuán	chuǎn	chuàn
zhī	zhí	zhǐ	zhì	chī	chí	chǐ	chì

shū	shú	shǔ	shù	zāo	záo	zǎo	zào
shāo	sháo	shǎo	shào	zuō	zuó	zuǒ	zuò
shēn	shén	shěn	shèn	zān	zán	zǎn	zàn
shī	shí	shǐ	shì	zī		zǐ	zì

cāi	cái	cǎi	cài	sā		sǎ	sà
cān	cán	cǎn	càn	sū	sú		sù
cuī		cuǐ	cuì	suī	suí	suǐ	suì
cī	cí	cǐ	cì	sī		sǐ	sì

	rú	rǔ	rù
	rén	rěn	rèn
	ráo	rǎo	rào
rāng	ráng	rǎng	ràng

3. 听读辨调 ***Listen, read and discriminate the tones.*** 2-3

wǒ — wò	rù — rú	méi — měi	chī —chǐ
zǒu — zòu	guò — guó	hàn — hán	zhī — zhí
shí — shì	cuī — cuì	sān — sǎn	shàng — shāng
rěn — rén	sī — sì	lèi — léi	tā — tà

4. 听后标上声调 ***Listen and add the tone marks.*** 2-4

cha	cou	shi	zu
zhao	sun	cai	zao
zi	chang	chen	reng
chui	sheng	zhuan	cun
shang	re	sui	shou

语音知识 *Phonetic Notes*

1. 声母和韵母 ***Initials and finals***

声母（2） Initials (2) 2-5

zh [tʂ]	ch [tʂʻ]	sh [ʂ]	r [ʐ]
z [ts]	c [tsʻ]	s [s]	

韵母（2） Finals (2) 2-6

ua [ua]	uo [uo]	uai [uai]	uei(ui) [uei]
uan [uan]	uen(un) [uən]	uang [uaŋ]	ueng [uəŋ]

2. 轻声 *The neutral tone*

汉语里有些音节不带声调，念得很轻、很短，拼写时不标调号，这样的音节叫轻声。例如：爸爸（bàba，dad）、妈妈（māma，mom）。

The neutral tone is pronounced lightly and briefly without any stress, and is indicated in *pinyin* by the absence of any tone mark above the syllable. For example, bàba, māma.

第二部分 学习课文
Part Two Texts

课文一 Kèwén yī Text One

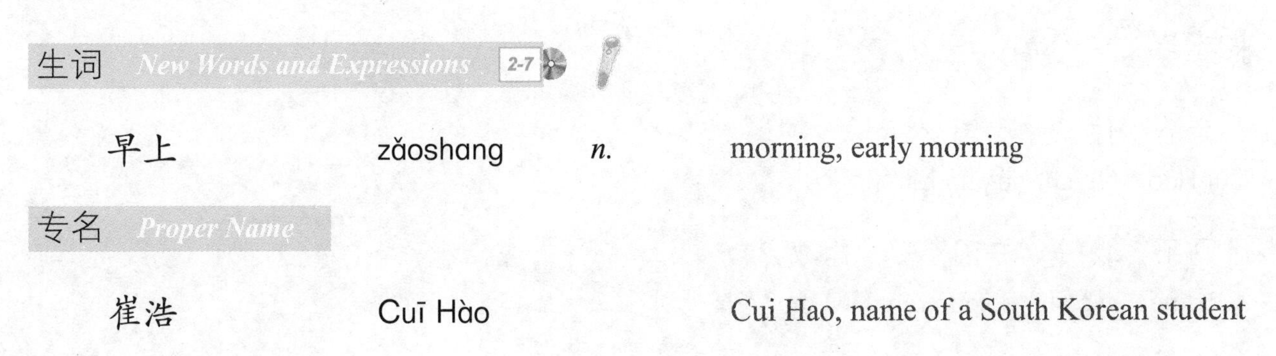

生词 *New Words and Expressions* 2-7

早上	zǎoshang	*n.*	morning, early morning

专名 *Proper Name*

崔浩	Cuī Hào	Cui Hao, name of a South Korean student

课文 *Text* 2-8

崔浩：早上 好！
Cuī Hào: Zǎoshang hǎo!

马丁：早上 好！
Mǎdīng: Zǎoshang hǎo!

课文二 Kèwén èr Text Two

生词 *New Words and Expressions* 2-9

1	是	shì	*v.*	be
2	哪	nǎ	*pron.*	which, what
3	国	guó	*n.*	country, state, nation

4	人	rén	*n.*	people, human being
5	我	wǒ	*pron.*	I, me
6	呢	ne	*part.*	*used at the end of an interrogative sentence*
7	他	tā	*pron.*	he, him

专名 Proper Names

1	美国	Měiguó	the United States (U.S.A.)
2	韩国	Hánguó	South Korea
3	日本	Rìběn	Japan

课文 Text 2-10

崔浩：你是哪国人？
Cuī Hào: Nǐ shì nǎ guó rén?

马丁：我是美国人。你呢？
Mǎdīng: Wǒ shì Měiguó rén. Nǐ ne?

崔浩：我是韩国人。
Wǒ shì Hánguó rén.

马丁：他呢？
Tā ne?

崔浩：他是日本人。
Tā shì Rìběn rén.

课文三 Kèwén sān Text Three

生词 New Words and Expressions 2-11

1	三	sān	*num.*	three
2	四	sì	*num.*	four
3	十	shí	*num.*	ten

（学数字 Numbers）

三	四	十
sān	sì	shí

综合注释 Comprehensive Notes

你呢？

这里的“呢”（呢（1））用在省略疑问句中，疑问的内容可以根据上下文来判断。例如：

“呢（1）” is here used in an abbreviated interrogative sentence where the question can be deduced from the context. For example,

我是韩国人，你呢？（＝我是韩国人，你是哪国人？）

I'm from South Korea. What about you?

补充词语 Supplementary Vocabulary

2-13

中国	Zhōngguó	China	中国人	Zhōngguó rén	Chinese (people)
德国	Déguó	Germany	德国人	Déguó rén	German (people)
英国	Yīngguó	Britain	英国人	Yīngguó rén	British (people)
印度	Yìndù	India	印度人	Yìndù rén	Indian (people)
意大利	Yìdàlì	Italy	意大利人	Yìdàlì rén	Italian (people)
法国	Fǎguó	France	法国人	Fǎguó rén	French (people)
泰国	Tàiguó	Thailand	泰国人	Tàiguó rén	Thai (people)

课堂活动　*In-Class Activities*

一　两人一组进行声母和韵母拼读练习：一个人说一个声母和一个韵母，另一个人拼读出来

Work in pairs to practice spelling the syllables with the initials and finals. One student provides an initial and a final, and the other spells out the complete syllable and reads it aloud.

例如：E.g.

zh　ong → zhong

zh ch sh r z c s	ua uo uai uei(ui) uan uen(un) uang ueng a e i u ai ei ao ou an en ang eng ong

二　互相提问　*Ask each other questions.*

A：你是哪国人？
Nǐ shì nǎ guó rén?

B：我是______人。
Wǒ shì______rén.

A：他是哪国人？
Tā shì nǎ guó rén?

B：他是______人。
Tā shì______rén.

综合练习　*Comprehensive Exercises*

一　给下列汉字找到对应的拼音　*Match the characters with the correct pinyin syllables.*

běn　nǎ　rì　tā　nǐ　měi　guó　hán　nín

美　您　国　韩　哪　日　你　他　本

二　看图回答问题　*Answer the question according to the pictures.*

他是哪国人？　Tā shì nǎ guó rén?
他是……　Tā shì ……

1

法国Fǎguó

2

英国Yīngguó

3

印度 Yìndù

4

泰国Tàiguó

5

日本Rìběn

6

德国Déguó

三 完成对话 ***Complete the following dialogues.***

1. A：你是__________？（哪）
   Nǐ shì__________? (nǎ)

   B：我是日本人。
   Wǒ shì Rìběn rén.

   A：__________？（呢）
   __________? (ne)

   B：他是韩国人。
   Tā shì Hánguó rén.

2. A：我是美国人，__________？（呢）
   Wǒ shì Měiguó rén, __________? (ne)

   B：我是法国人。
   Wǒ shì Fǎguó rén.

3. A：__________！
   B：早上好！
   Zǎoshang hǎo!

四 根据实际情况进行问答练习 ***Do the question-and-answer drills according to the actual situation.***

1. 你的同学是哪国人？What's the nationality of your classmate?

2. 你朋友是哪国人？What's your friend's nationality?

第三部分　学写汉字
Part Three　Writing Chinese Characters

汉字知识　About Chinese Characters

汉字的基本笔画（2）　*Basic strokes (2)*

笔形 Strokes	名称 Names	例字 Examples
丶	点 diǎn	六　liù　six
𠃍	横折 héngzhé	口　kǒu　mouth 日　rì　sun 五
𠃊	竖折 shùzhé	山　shān　mountain
𠃋	撇折 piězhé	么　me　suffix

汉字的基本笔顺（2）　*Stroke order (2)*

规则 Rules	例字 Examples	笔顺 Stroke order
先上后下 from top to bottom	三	一　二　三
先左后右 from left to right	人	丿　人

写汉字　Character Writing

请在汉字练习本上书写下列汉字 

Write the following Chinese characters in the workbook.

 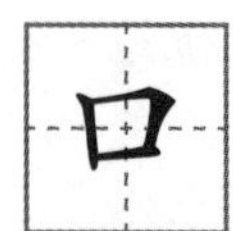 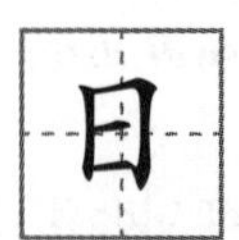    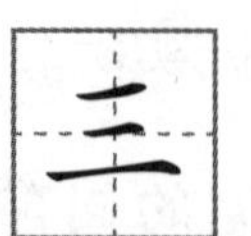

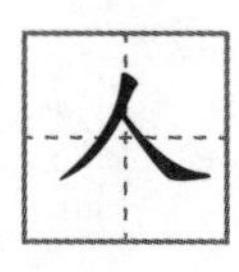

课堂用语 *Classroom Expressions*

1. 跟我读。 Follow me. / Read after me.
   Gēn wǒ dú.

2. 念课文。 Read the text aloud.
   Niàn kèwén.

3 你叫什么名字

What's Your Name

第一部分　学习语音

Part One　Phonetics

语音练习　*Phonetic Exercises*

1. 听读辨音　***Listen, read and discriminate the sounds.*** 3-1

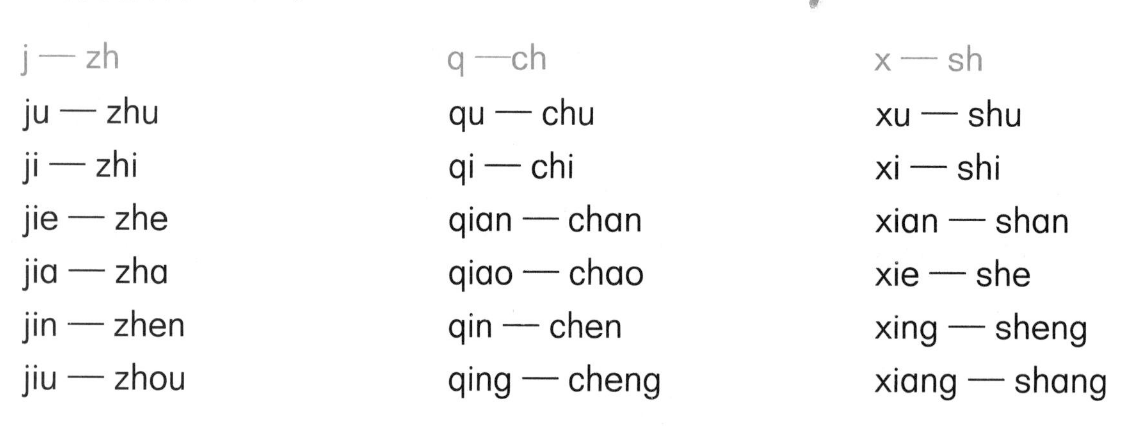

j — zh	q — ch	x — sh
ju — zhu	qu — chu	xu — shu
ji — zhi	qi — chi	xi — shi
jie — zhe	qian — chan	xian — shan
jia — zha	qiao — chao	xie — she
jin — zhen	qin — chen	xing — sheng
jiu — zhou	qing — cheng	xiang — shang

2. 唱读四声　***Practice the four tones.*** 3-2

jī	jí	jǐ	jì	qī	qí	qǐ	qì	xī	xí	xǐ	xì
jū	jú	jǔ	jù	qū	qú	qǔ	qù	xū	xú	xǔ	xù
jiāo	jiáo	jiǎo	jiào	qiū	qiú	qiǔ		xīng	xíng	xǐng	xìng
jiā	jiá	jiǎ	jià	qiān	qián	qiǎn	qiàn	xiē	xié	xiě	xiè
jiū		jiǔ	jiù	qiāng	qiáng	qiǎng	qiàng	xiāo	xiáo	xiǎo	xiào
jiē	jié	jiě	jiè	qīng	qíng	qǐng	qìng	xuē	xué	xuě	xuè

3. 听读辨调　***Listen, read and discriminate the tones.*** 3-3

yuè — yuē	jiā — jià	qī — qǐ	xué — xuè
yǔ — yú	jiǔ — jiù	qián — qiǎn	xī — xǐ
yīng — yǐng	jīn — jǐn	qù — qǔ	xiè — xiě
yòu — yǒu	jìng — jīng	qǐng — qīng	xíng — xìng
yān — yán	jiāng — jiàng	qiū — qiú	xiǎo — xiào

4. 听后写出声母 *Listen and write down the missing initials.* 3-4

____ uǐ	____ iè	____ āo
____ iǔ	____ uān	____ ǐng
____ ī	____ iào	____ èn

5. 听后标上声调 *Listen and add the tone marks.* 3-5

ji	jian	xing
xia	qing	jun
qu	jiu	jiong
xue	jiao	xuan

语音知识 *Phonetic Notes*

1. 声母（3） Initials (3) 3-6

j [tɕ]　　q [tɕʻ]　　x [ɕ]

2. 韵母（3） Finals (3) 3-7

ia [ia]　　ie [iɛ]　　iao [iɑu]　　iou(iu) [iou]　　ian [iæn]
iang [iɑŋ]　　iong [iuŋ]
üe [yɛ]　　üan [yæn]　　ün [yn]

第二部分　学习课文
Part Two　Texts

课文一　Kèwén yī　Text One

生词 *New Words and Expressions* 3-8

1	请问	qǐngwèn	*v.*	excuse me, may I ask
	请	qǐng	*v.*	please
	问	wèn	*v.*	ask
2	叫	jiào	*v.*	call, name
3	什么	shénme	*pron.*	what

4	名字	míngzi	*n.*	name, given or personal name
5	姓	xìng	*v.*	be surnamed
6	认识	rènshi	*v.*	know, recognize
7	很	hěn	*adv.*	very, very much
8	高兴	gāoxìng	*adj.*	glad, happy
9	也	yě	*adv.*	also, too, as well

专名 *Proper Name*

山田佑　Shāntián Yòu　Yamada Yu, name of a Japanese student

课文 *Text* 3-9

山田：你好！请问，你叫什么名字？
Shāntián: Nǐ hǎo! Qǐngwèn, nǐ jiào shénme míngzi?

林娜：我叫林娜。你呢？
Línnà: Wǒ jiào Línnà. Nǐ ne?

山田：我姓山田，叫山田佑。
Wǒ xìng Shāntián, jiào Shāntián Yòu.

认识你很高兴。
Rènshi nǐ hěn gāoxìng.

林娜：认识你我也很高兴。
Rènshi nǐ wǒ yě hěn gāoxìng.

课文二 Kèwén èr Text Two

生词 *New Words and Expressions* 3-10

1	老师	lǎoshī	*n.*	teacher
2	贵姓	guìxìng	*n.*	your (honourable) surname

专名 *Proper Name*

李　Lǐ　Li, a Chinese surname

课文 Text 3-11

马丁：老师，您贵姓？
Mǎdīng: Lǎoshī, nín guìxìng?

李一民：我姓李。
Lǐ Yīmín: Wǒ xìng Lǐ.

马丁：李老师，您好！
Lǐ lǎoshī, nín hǎo!

李一民：你好！你叫什么名字？
Nǐ hǎo! Nǐ jiào shénme míngzi?

马丁：我叫马丁。
Wǒ jiào Mǎdīng.

课文三 Kèwén sān Text Three

生词 New Words and Expressions 3-12

1	六	liù	*num.*	six
2	七	qī	*num.*	seven
3	九	jiǔ	*num.*	nine

课文 Text 3-13

（学数字 Numbers）

六 liù　　七 qī　　九 jiǔ

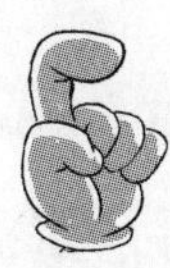

综合注释 Comprehensive Notes

您贵姓?

"贵姓"是问对方姓的礼貌表达方式。例如:

"贵姓" is used to ask a person's surname in a polite way. For example,

您贵姓?

他贵姓?

注意 NOTE: (1) 回答时不能说"我贵姓……"。

To answer this question, you can NOT say "我贵姓……".

(2) 问对方姓名还可以这样问:你姓什么?

You may also ask someone's surname by saying "你姓什么?".

补充词语 *Supplementary Vocabulary*

中国人常用的姓 Common Chinese surnames

李	Lǐ	王	Wáng	张	Zhāng	刘	Liú	赵	Zhào
马	Mǎ	陈	Chén	孙	Sūn	黄	Huáng	高	Gāo

课堂活动 In-Class Activities

一 两人一组进行声母和韵母拼读练习:一个人说一个声母和一个韵母,另一个人拼读出来

Work in pairs to practice spelling the syllables with the initials and finals. One student provides an initial and a final, and the other spells out the complete syllable and reads it aloud.

例如:E.g.

j ia → jia

j q x

i ia ie iao iou(iu) ian in iang ing iong
ü üe üan ün

二 同学之间互相询问姓和名字 *Ask each other's surnames and given names.*

A：你姓什么？
Nǐ xìng shénme?

B：我姓……。
Wǒ xìng…….

A：你叫什么名字？
Nǐ jiào shénme míngzi?

B：我叫……。
Wǒ jiào…….

三 请说出他们的姓和名字 *Speak out their surnames and given names.*

成龙	Chéng Lóng	赵小兰	Zhào Xiǎolán
姚明	Yáo Míng	陈香梅	Chén Xiāngméi
李宁	Lǐ Níng	巩俐	Gǒng Lì
张艺谋	Zhāng Yìmóu	邓丽君	Dèng Lìjūn

他姓______，叫__________。
Tā xìng ______, jiào __________.

她（she）姓______，叫__________。
Tā xìng ______, jiào __________.

综合练习 *Comprehensive Exercises*

一 写出下列汉字的拼音 *Write down the pinyin syllables of the following characters.*

请________ 什________ 名________ 哪________
您________ 问________ 姓________ 国________
认________ 兴________ 很________ 也________

二 完成对话 *Complete the following dialogues.*

1. A：你好！
Nǐ hǎo!

B：______！请问，______？（贵姓）
______! Qǐngwèn, ______? (guìxìng)

A：我姓王。
Wǒ xìng Wáng.

2. A：你__________？（什么）
Nǐ__________? (shénme)

B：我叫阿明。__________？（呢）
Wǒ jiào Āmíng. __________? (ne)

A：我叫马丁。认识你很高兴。
Wǒ jiào Mǎdīng. Rènshi nǐ hěn gāoxìng.

B：认识你__________。（也）
Rènshi nǐ __________. (yě)

三 你还知道哪些中国人？请说出他们的姓和名字

Do you know any Chinese people? Tell the class their surnames and given names.

四 数字游戏 *Fill in the grid with numbers.*

在下面的方格内填入数字1、2、3、4、5、6、7、8、9，使每一行每一列都包含这九个数字，而且每一个正方形的九个方框内也是九个数字。请你说出每处填什么数字。

Pick a number from 1 to 9 to fill in each box. Make sure each horizontal or vertical line contains all of the nine numbers and each nine-box grid also contains the nine numbers. Share your answer with the class.

	6		2		4			
							1	
			6					
5				1				3
	2					6		
				3				
			7			2		
3	4							
8				5				

第三部分　学写汉字
Part Three　Writing Chinese Characters

汉字知识 *About Chinese Characters*

汉字的基本笔画（3） ***Basic strokes (3)***

笔形 Strokes	名称 Names	例字 Examples
㇖	横钩 hénggōu	买　mǎi　buy
亅	竖钩 shùgōu	小　xiǎo　small
㇁	弯钩 wāngōu	子　zǐ　son
㇟	竖弯钩 shùwāngōu	七

汉字的基本笔顺（3） ***Stroke order (3)***

规则 Rules	例字 Examples	笔顺 Stroke order
先中间后两边 first middle, then two sides	小	亅　小　小
从外到内 from outside to inside	月　yuè　moon, month	丿　⺆　月　月

写汉字 *Character Writing*

请在汉字练习本上书写下列汉字 

Write the following Chinese characters in the workbook.

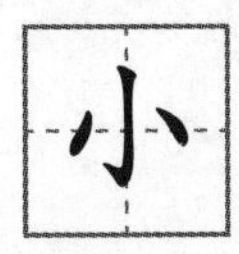

课堂用语 *Classroom Expressions*

1. 有问题吗？
   Yǒu wèntí ma?
   Do you have any questions?

2. 请再说 / 念一遍。
   Qǐng zài shuō / niàn yí biàn.
   Please say / read it again.

4 你学习法语吗

Do You Study French

第一部分 学习语音
Part One Phonetics

语音练习 *Phonetic Exercises*

1. 听读下面的音节 ***Listen and read the following syllables.*** 4-1

b — p	d — t	g — k
biānpào	dàitì	guānkàn
pǔbiàn	tàidù	gōngkè
péibàn	tèdiǎn	kǎogǔ
pǎobù	tiàodòng	kèguān

2. 在听到的音节后面画“√” ***Put a “√” after each syllable you hear.*** 4-2

xī ( ) xué ( ) yǔ ( ) yě ( ) bù ( )
xǐ ( ) xuě ( ) yú ( ) yé ( ) bú ( )

hán ( ) fǎ ( ) tài ( ) tóng ( ) yíng ( )
hàn ( ) fá ( ) tái ( ) tǒng ( ) yīng ( )

3. 朗读下面的词语 ***Read the following words aloud.*** 4-3

lǎoshī Fǎguó Měiguó Fǎyǔ
nǐ hǎo nǐmen zǎoshang

语音知识 *Phonetic Notes*

1. 拼写规则（1） ***Spelling rules (1)***

i、u、ü 单独构成音节时，在“i”“ü”的前面分别加上“y”，在“u”的前面加上“w”，写做：

When "i", "u" or "ü" makes a syllable by itself, "y" is added in front of "i" and "ü", and "w" is added in front of "u". The syllables are written as follows:

i → yi　　　　ü → yu　　　　u → wu

2. 三声变调 *Third-tone sandhi*

两个三声音节连读时，前一个三声变调读二声。例如：

When a third-tone syllable is followed by another third-tone syllable, the third tone in the first syllable is pronounced as the second tone. For example,

nǐ hǎo 读做 ní hǎo　　　　Fǎyǔ 读做 Fáyǔ

3. "不"的变调 *Tone sandhi of "不"*

"不"（bù）本调是第四声。"不"在第一声、第二声、第三声前面时，声调不变；在第四声前面时，读第二声。例如：

"不（bù）" is a fourth-tone syllable by itself. The tone doesn't change when "不（bù）" is followed by a first-tone, second-tone or third-tone syllable, but it becomes the second tone when "不（bù）" is followed by a fourth-tone syllable. For example,

不 bù	吃 chī	不+吃	bù chī
	来 lái	不+来	bù lái
	好 hǎo	不+好	bù hǎo
	是 shì	不+是	bú shì

第二部分　学习课文
Part Two　Texts

课文一　Kèwén yī　Text One

生词 New Words and Expressions 4-4

1	留学生	liúxuéshēng	*n.*	student studying abroad
2	她	tā	*pron.*	she, her
3	学习	xuéxí	*v.*	learn, study
4	他们	tāmen	*pron.*	they, them

	们	men	*suf.*	*used to form a plural number when added to a personal pronoun or a noun*
5	一起	yìqǐ	*adv.*	together
6	上课	shàng kè	*v.*	attend class, go to class, have class
7	说	shuō	*v.*	speak, say, talk

专名 *Proper Names*

1	法国	Fǎguó	France
2	汉语	Hànyǔ	Chinese (language)
3	泰国	Tàiguó	Thailand

课文 *Text* 4-5

林娜 是 法国 留学生，她 学习 汉语。阿明 是 泰国 留学生，他 也 学习 汉语。他们 一起 上课， 一起 说 汉语。
Línnà shì Fǎguó liúxuéshēng, tā xuéxí Hànyǔ. Āmíng shì Tàiguó liúxuéshēng, tā yě xuéxí Hànyǔ. Tāmen yìqǐ shàng kè, yìqǐ shuō Hànyǔ.

问题 Wèntí

1. 林娜是哪国人？
   Línnà shì nǎ guó rén?
2. 林娜学习什么？
   Línnà xuéxí shénme?
3. 阿明是哪国人？
   Āmíng shì nǎ guó rén?
4. 阿明学习什么？
   Āmíng xuéxí shénme?

课文 二 Kèwén èr Text Two

生词 *New Words and Expressions* 4-6

1	吗	ma	*part.*	*used at the end of a question*
2	不	bù	*adv.*	not, no

专名 *Proper Names*

1	中国	Zhōngguó	China
2	朱云	Zhū Yún	Zhu Yun, name of a Chinese college student

3	英语	Yīngyǔ	English (language)
4	法语	Fǎyǔ	French (language)

课文 Text 4-7

问题 Wèntí

1. 朱云是哪国人?
   Zhū Yún shì nǎ guó rén?
2. 朱云学习什么?
   Zhū Yún xuéxí shénme?
3. 朱云学习法语吗?
   Zhū Yún xuéxí Fǎyǔ ma?

朱云：你好！我是中国人，我叫朱云，你叫什么名字?
Zhū Yún: Nǐ hǎo! Wǒ shì Zhōngguó rén, wǒ jiào Zhū Yún, nǐ jiào shénme míngzi?

林娜：我叫林娜。
Línnà: Wǒ jiào Línnà.

朱云：你是哪国人?
Nǐ shì nǎ guó rén?

林娜：我是法国人。
Wǒ shì Fǎguó rén.

朱云：你学习什么?
Nǐ xuéxí shénme?

林娜：我学习汉语。你呢?
Wǒ xuéxí Hànyǔ. Nǐ ne?

朱云：我学习英语。
Wǒ xuéxí Yīngyǔ.

林娜：你学习法语吗?
Nǐ xuéxí Fǎyǔ ma?

朱云：我不学习法语。
Wǒ bù xuéxí Fǎyǔ.

课文 三 Kèwén sān Text Three

生词 New Words and Expressions 4-8

1	谁	shéi（shuí）	*pron.*	who, whom
2	同学	tóngxué	*n.*	fellow student, schoolmate, classmate

课文 Text 4-9

问题 Wèntí

1. 林娜的同学是哪国人？
Línnà de tóngxué shì nǎ guó rén?
2. 他也学习汉语吗？
Tā yě xuéxí Hànyǔ ma？

朱云：林娜，他是谁？
Zhū Yún：Línnà， tā shì shéi?

林娜：他是我同学。
Línnà：Tā shì wǒ tóngxué.

朱云：他是哪国人？
Tā shì nǎ guó rén?

林娜：他是泰国人。
Tā shì Tàiguó rén.

朱云：他也学习汉语吗？
Tā yě xuéxí Hànyǔ ma?

林娜：他也学习汉语。
Tā yě xuéxí Hànyǔ.

综合注释 Comprehensive Notes

1. 林娜是法国留学生。

动词谓语句的一般语序是：S+V+O 。

The word order of a sentence with a verbal predicate is mostly S+V+O.

S	P	
	V	O
林娜	是	法国留学生。
你	叫	什么名字？
我	学习	英语。

在动词谓语句中，副词一般放在动词前边。

In a sentence with a verbal predicate, the adverb is usually put in front of the verb.

S	P		
	Adv	V	O
我	不	学习	法语。
他	也	是	中国人。
他们	一起	说	汉语。

2. 你学习法语吗？

“你学习法语吗？”是一般疑问句。一般疑问句由陈述句在句尾加上语气助词“吗”构成。例如：

“你学习法语吗？” is a “yes-no” question. It is formed by adding the modal particle “吗” to the end of a statement. For example,

Statements	吗
他是李老师	吗？
你叫林娜	吗？
你是日本人	吗？

补充词语 *Supplementary Vocabulary*

4-10

日语	Rìyǔ	Japanese (language)
韩语	Hányǔ	Korean (language)
德语	Déyǔ	German (language)
意大利语	Yìdàlìyǔ	Italian (language)
西班牙语	Xībānyáyǔ	Spanish (language)

课堂活动 *In-Class Activity*

问答练习 ***Question-and-answer drills***

1. 例如：E.g.

A：你学习英语吗？
Nǐ xuéxí Yīngyǔ ma?

B：我学习英语。/我不学习英语。
Wǒ xuéxí Yīngyǔ. / Wǒ bù xuéxí Yīngyǔ.

A：你学习……语吗？
Nǐ xuéxí …… yǔ ma?

B：我学习……语。/我不学习……语。
Wǒ xuéxí…… yǔ. / Wǒ bù xuéxí…… yǔ.

2. 例如：E.g.

A：你说英语吗？
Nǐ shuō Yīngyǔ ma?

B：我说英语。/我不说英语。
Wǒ shuō Yīngyǔ. / Wǒ bù shuō Yīngyǔ.

A：你说……语吗？
Nǐ shuō……yǔ ma?

B：我说……语。/我不说……语。
Wǒ shuō……yǔ. / Wǒ bù shuō……yǔ.

A：他说……语吗？
Tā shuō……yǔ ma?

B：他说……语。/他不说……语。
Tā shuō……yǔ. / Tā bù shuō…… yǔ.

3. 例如：E.g.

A：你认识王老师吗？
Nǐ rènshi Wáng lǎoshī ma?

B：我认识王老师。/我不认识王老师。
Wǒ rènshi Wáng lǎoshī. / Wǒ bú rènshi Wáng lǎoshī.

A：你认识……吗？
Nǐ rènshi ……ma?

B：我认识……。/我不认识……。
Wǒ rènshi……. / Wǒ bú rènshi…….

A：他呢？
Tā ne?

B：他也不认识。
Tā yě bú rènshi.

A：他呢？
Tā ne?

B：他也认识……。/他也不认识……。
Tā yě rènshi……. / Tā yě bú rènshi…….

4. 例如：E.g.

我是中国人，他也是中国人。
Wǒ shì Zhōngguó rén, tā yě shì Zhōngguó rén.

我是……人，他也是……人。
Wǒ shì…… rén, tā yě shì……rén.

综合练习 *Comprehensive Exercises*

一 填表 *Fill in the form.*

中国 Zhōngguó	中国人 Zhōngguó rén	汉语 Hànyǔ
	韩国人 Hánguó rén	
		法语 Fǎyǔ
	泰国人 Tàiguó rén	
美国 Měiguó		

二 选择适当的词语填空 *Choose the proper words to fill in the blanks.*

吗 ma　呢 ne　什么 shénme　哪 nǎ　谁 shéi

1. 我学习汉语，你（　　）？
   Wǒ xuéxí Hànyǔ, nǐ (　　)?
2. 你学习法语（　　）？
   Nǐ xuéxí Fǎyǔ (　　)?
3. 他是（　　）？
   Tā shì (　　)?
4. 你是（　　）国人？
   Nǐ shì (　　) guó rén?
5. 她叫（　　）名字？
   Tā jiào (　　) míngzi?
6. 你是日本人（　　）？
   Nǐ shì Rìběn rén (　　)?
7. （　　）是韩国人？
   (　　) shì Hánguó rén?
8. 你学习（　　）？
   Nǐ xuéxí (　　)?

三 模仿例句，把下列句子改成否定句

Rewrite the following statements into negative sentences after the example.

例如：E.g. 我是中国人。
Wǒ shì Zhōngguó rén.
→ 我不是中国人。
Wǒ bú shì Zhōngguó rén.

1. 我学习英语。
Wǒ xuéxí Yīngyǔ.
2. 她是我同学。
Tā shì wǒ tóngxué .
3. 他是韩国人。
Tā shì Hánguó rén.
4. 他叫马丁。
Tā jiào Mǎdīng.
5. 我说法语。
Wǒ shuō Fǎyǔ.

四 用“也”改写下面的句子 ***Rewrite the following sentences with “也”.***

例如：E.g. 我是中国人，她是中国人。
Wǒ shì Zhōngguó rén, tā shì Zhōngguó rén.
→ 我是中国人，她也是中国人。
Wǒ shì Zhōngguó rén, tā yě shì Zhōngguó rén.

1. 林娜学习英语，朱云学习英语。
Línnà xuéxí Yīngyǔ, Zhū Yún xuéxí Yīngyǔ.
2. 我是泰国人，他是泰国人。
Wǒ shì Tàiguó rén, tā shì Tàiguó rén.
3. 我叫林娜，她叫林娜。
Wǒ jiào Línnà, tā jiào Línnà.
4. 我说汉语，他说汉语。
Wǒ shuō Hànyǔ, tā shuō Hànyǔ.
5. 我认识林娜，我认识朱云。
Wǒ rènshi Línnà, wǒ rènshi Zhū Yún.

五 用“吗”提问并回答 ***Make questions with “吗” and then answer the questions.***

例如：E.g. 我是中国人。
Wǒ shì Zhōngguó rén.

A：你是中国人吗？
Nǐ shì Zhōngguó rén ma?

B：我是中国人。/我不是中国人。
Wǒ shì Zhōngguó rén. / Wǒ bú shì Zhōngguó rén.

1. 我学习英语。
Wǒ xuéxí Yīngyǔ.

2. 我叫朱云。
Wǒ jiào Zhū Yún.

3. 我是日本人。
Wǒ shì Rìběn rén.

4. 我是他同学。
Wǒ shì tā tóngxué.

5. 我说汉语。
Wǒ shuō Hànyǔ.

六 完成对话 *Complete the following dialogues.*

1. A：你 ________？（吗）
Nǐ ________?（ma）

B：我学习英语。
Wǒ xuéxí Yīngyǔ.

A：你学习法语吗？
Nǐ xuéxí Fǎyǔ ma?

B：我也 ________。
Wǒ yě ________.

2. A：你学习什么？
Nǐ xuéxí shénme?

B：我 ________。
Wǒ ________.

A：________？（呢）
________?（ne）

B：他学习日语。
Tā xuéxí Rìyǔ.

3. A：你是美国人吗？
Nǐ shì Měiguó rén ma?

B：我 ________。（不）
Wǒ ________.（bù）

A：你是 ________？
Nǐ shì ________?

B：我是法国人。
Wǒ shì Fǎguó rén.

4. A：他 ________？（谁）
Tā ________?（shéi）

B：他是我同学。
Tā shì wǒ tóngxué.

我们 ________。（一起）
Wǒmen ________.（yìqǐ）

七 对话练习 *Dialogue practice*

1. 相互询问国籍 ***Ask each other the nationality.***

例如：E.g.

A：你是哪国人？
Nǐ shì nǎ guó rén?

B：我是 ________ 人。
Wǒ shì ________ rén.

A：他呢？
Tā ne?

B：他是 ________ 人。
Tā shì ________ rén.

2. 相互询问学习什么语言 ***Ask your classmate if he/she studies a certain language.***

例如：E.g.

A：你学习 ________ 语吗？
Nǐ xuéxí ________ yǔ ma?

B：我学习 ________。/ 我不学习 ________。
Wǒ xuéxí ________. / Wǒ bù xuéxí ________.

八 查词典，找出你知道的语言的名称，并用汉语拼音写下来

Look up in the dictionary for the Chinese names of all the languages you know, and then write down the names in pinyin.

例如：E.g. Rìyǔ

第三部分 学写汉字
Part Three Writing Chinese Characters

汉字知识 *About Chinese Characters*

汉字的基本笔画（4） ***Basic strokes (4)***

笔形 Strokes	名称 Names	例字 Examples
㇀	提 tí	习
𠄌	竖提 shùtí	衣 yī clothes
㇊	横折提 héngzhétí	语
𡿨	撇点 piědiǎn	女 nǚ female

汉字的基本笔顺（4） *Stroke order (4)*

规则 Rule	例字 Examples	笔顺 Stroke order
先里头，后封口 the stroke inside precedes the sealing stroke	国 日	丨 冂 冂 冃 冃 冃 国 国 丨 冂 冃 日

写汉字 *Character Writing*

请在汉字练习本上书写下列汉字 

Write the following Chinese characters in the workbook.

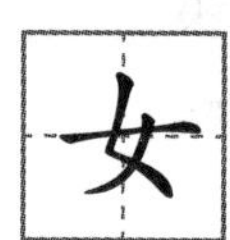

课堂用语 *Classroom Expressions*

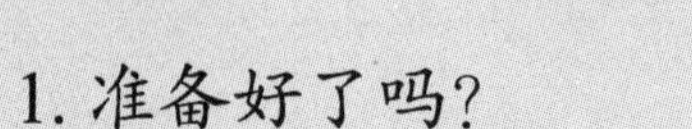

1. 准备好了吗？ Are you ready?
   Zhǔnbèi hǎo le ma?

2. 请打开书，翻到第十页。 Open your book and turn to Page 10.
   Qǐng dǎkāi shū, fāndào dì shí yè.

你家有几口人

How Many People Are There in Your Family

第一部分　学习语音
Part One　Phonetics

语音练习 *Phonetic Exercises*

1. 听读下面的音节 ***Listen and read the syllables.*** 5-1

z — zh	c — ch	s — sh	l — r
zànzhù	cáichǎn	sùshè	rìlì
zuòzhě	cíchéng	sìshí	rénlèi
zōngzhǐ	chācuò	shānsè	lěng rè
zhùzuò	chǎo cài	shōusuō	lìrú

2. 朗读下面的词语 ***Read the words and phrases aloud.*** 5-2

老师 lǎoshī	律师 lǜshī	职员 zhíyuán	都是 dōu shì
留学生 liúxuéshēng	大学生 dàxuéshēng	几口人 jǐ kǒu rén	我们班 wǒmen bān
你们家 nǐmen jiā	做什么 zuò shénme	多少个 duōshao ge	

3. 读下面带轻声的词语 ***Read the words with the neutral tone.*** 5-3

nǐmen	wǒmen	bàba	māma
gēge	xuésheng	duōshao	shénme

语音知识 *Phonetic Notes*

拼写规则（2）***Spelling rules (2)***

以 i 开头的韵母自成音节时，除“in”“ing”前加“y”外，其他则是把“i”写做“y”。

When "i" starts a syllable, it is written as "y", except in "in" and "ing", where "y" is added at the beginning.

ia → ya　　ian → yan　　iang → yang
iao → yao　　iou → you　　iong → yong
ie → ye

in → yin　　ing → ying

以"u"开头的韵母自成音节时，"u"写做"w"。
When "u" starts a syllable, it is written as "w".

ua → wa　　uai → wai　　uei → wei
uan → wan　　uang → wang　　uen → wen
uo → wo

以"ü"开头的韵母自成音节时，"ü"前面加"y"，去掉"ü"上两点。
When "ü" starts a syllable, "y" is added in front of it and "ü" is written as "u".

üe → yue　　ün → yun　　üan → yuan

第二部分　学习课文
Part Two　Texts

课文一　Kèwén yī　Text One

生词　New Words and Expressions　5-4

1	家	jiā	*n.*	family, home
2	有	yǒu	*v.*	have, possess, there be
3	口	kǒu	*m.*	*a measure word*
4	爸爸	bàba	*n.*	father, dad
5	妈妈	māma	*n.*	mother, mom
6	哥哥	gēge	*n.*	elder brother
7	和	hé	*conj.*	and
8	职员	zhíyuán	*n.*	office worker, staff member
9	都	dōu	*adv.*	all, both
10	大学生	dàxuéshēng	*n.*	college or university student

课文 Text 5-5

问题 Wèntí

1. 林娜家有几口人?
   Línnà jiā yǒu jǐ kǒu rén?
2. 林娜家有什么人?
   Línnà jiā yǒu shénme rén?
3. 林娜的爸爸做什么工作? 妈妈呢?
   Línnà de bàba zuò shénme gōngzuò? Māma ne?

我 叫 林娜，我 是 法国 留学生。我 家 有 四 口 人：爸爸、妈妈、哥哥 和 我。我 爸爸 是 职员，妈妈 是 老师，哥哥 和 我 都 是 大学生。
Wǒ jiào Línnà, wǒ shì Fǎguó liúxuéshēng. Wǒ jiā yǒu sì kǒu rén: bàba、māma、gēge hé wǒ. Wǒ bàba shì zhíyuán, māma shì lǎoshī, gēge hé wǒ dōu shì dàxuéshēng.

课文 二 Kèwén èr Text Two

生词 New Words and Expressions 5-6

1	几	jǐ	*pron.*	how many
2	做	zuò	*v.*	do, engage in
3	工作	gōngzuò	*n.*	job, work, task
4	律师	lǜshī	*n.*	lawyer, attorney
5	医生	yīshēng	*n.*	doctor, medical practitioner

课文 Text 5-7

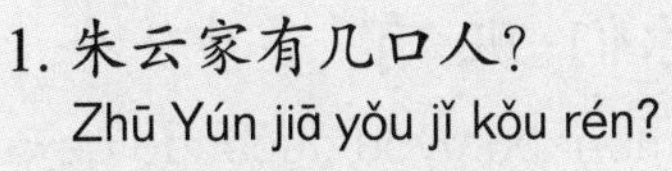

问题 Wèntí

1. 朱云家有几口人?
   Zhū Yún jiā yǒu jǐ kǒu rén?
2. 朱云家有什么人?
   Zhū Yún jiā yǒu shénme rén?
3. 朱云的爸爸做什么工作? 妈妈呢?
   Zhū Yún de bàba zuò shénme gōngzuò? Māma ne?

林娜：你 家 有 几 口 人?
Línnà: Nǐ jiā yǒu jǐ kǒu rén?

朱云：我 家 有 三 口 人。
Zhū Yún: Wǒ jiā yǒu sān kǒu rén.

林娜：你 家 有 什么 人？
Nǐ jiā yǒu shénme rén?

朱云：我 家 有 爸爸、妈妈 和 我。
Wǒ jiā yǒu bàba、māma hé wǒ.

林娜：你 爸爸、妈妈 做 什么 工作？
Nǐ bàba、māma zuò shénme gōngzuò?

朱云：我 爸爸 是 律师，妈妈 是 医生。
Wǒ bàba shì lǜshī, māma shì yīshēng.

课文三 Kèwén sān Text Three

生词 New Words and Expressions 5-8

1	你们	nǐmen	*pron.*	you (*plural*)
2	班	bān	*n.*	class, group, team
3	多少	duōshao	*pron.*	how much, how many
4	个	gè	*m.*	*used before nouns without a special classifier of their own*
5	学生	xuésheng	*n.*	student
6	我们	wǒmen	*pron.*	we, us
7	两	liǎng	*num.*	two

课文 Text 5-9

问题 Wèntí 

1. 林娜的班有多少学生？
Línnà de bān yǒu duōshao xuésheng?
2. 林娜的班有几个法国人？
Línnà de bān yǒu jǐ ge Fǎguó rén?

朱云：林娜，你们 班 有 多少 个 学生？
Zhū Yún: Línnà, nǐmen bān yǒu duōshao ge xuésheng?

林娜：十六个。
Línnà: Shíliù ge.

朱云：你们 班 有 几 个 法国 人？
Nǐmen bān yǒu jǐ ge Fǎguó rén?

林娜：我们 班 有 两个 法国 人。
Wǒmen bān yǒu liǎng ge Fǎguó rén.

朱云：你们 班 有 韩国 人吗？
Nǐmen bān yǒu Hánguó rén ma?

林娜：有。
Yǒu.

朱云：有 几 个 韩国 人？
Yǒu jǐ ge Hánguó rén?

林娜：有 四 个 韩国 人。
Yǒu sì ge Hánguó rén.

综合注释 *Comprehensive Notes*

1. 我家有四口人。

“口”，量词，用于家庭人口数量。

“口” here is a measure word used for the number of people in a family.

2. 你家有几口人？
你们班有多少个学生？

“几”和“多少”用来询问数量。“几”一般用来询问十以下的数量，十以上的数量用“多少”来询问。例如：

“几” and “多少” are used to ask about a quantity or an amount. “几” is used when the number is expected to be less than 10, while “多少” is used if the expected number is above 10. For example,

① 你家有几口人？ ——→ 我家有五口人。
② 你有几个哥哥？ ——→ 我有一个哥哥。
③ 你们班有多少个学生？ ——→ 我们班有二十个学生。

3. 我们班有两个法国人。

汉语中数词和名词之间，指示代词和名词之间一般都有量词。“个”是最常用的量词。例如：

In modern Chinese, there is usually a measure word between a numeral and a noun or between a demonstrative pronoun and a noun. “个” is the most commonly used measure word. For example,

数词（代词）*num. or pron.*	量词 *m.*	名词 *n.*
一	个	哥哥
几	口	人
这（zhè）	个	学生

4. 数字的表达（1）*Expressing numbers (1)*

1～100称数法 Numbers 1-100

11 shíyī	12 shí'èr	13 shísān	14 shísì	15 shíwǔ	16 shíliù
17 shíqī	18 shíbā	19 shíjiǔ	20 èrshí	21 èrshíyī	22 èrshí'èr
23 èrshísān	24 èrshísì	25 èrshíwǔ	……	30 sānshí	31 sānshíyī
32 sānshí'èr	33 sānshísān	34 sānshísì	……	40 sìshí	50 wǔshí
……	90 jiǔshí	……	100 yìbǎi		

5. “二”和“两”

数字“2”在使用中有时读做“二”，有时读做“两”。数数或者读数字时说“二”，“两”用在量词前边。例如：

The number “2” can be pronounced as “二 (èr)” or “两 (liǎng)”. “二” is used when counting or reading a number, while “两” is used in front of a measure word. For example,

2	èr	两口人	liǎng kǒu rén
22	èrshí'èr	两个老师	liǎng ge lǎoshī

补充词语 *Supplementary Vocabulary*

5-10

姐姐	jiějie	*n.*	elder sister
妹妹	mèimei	*n.*	younger sister
弟弟	dìdi	*n.*	younger brother
工人	gōngrén	*n.*	worker, labourer
农民	nóngmín	*n.*	farmer, peasant
护士	hùshi	*n.*	nurse
警察	jǐngchá	*n.*	police, policeman, policewoman

课堂活动 *In-Class Activities*

一 练习说数字 *Practice saying numbers.*

准备10张卡片，上面分别写上0、1、2、3、4、5、6、7、8、9。两个学生一组，一个人随意抽出两张卡片组合在一起，请另一个人念出数字。

Prepare 10 cards numbered from 0 to 9. Work in pairs. One student chooses two cards at random, and the other student reads out the number combination.

二 分组练习会话：互相询问家庭情况 *Work in small groups. Ask about each other's families.*

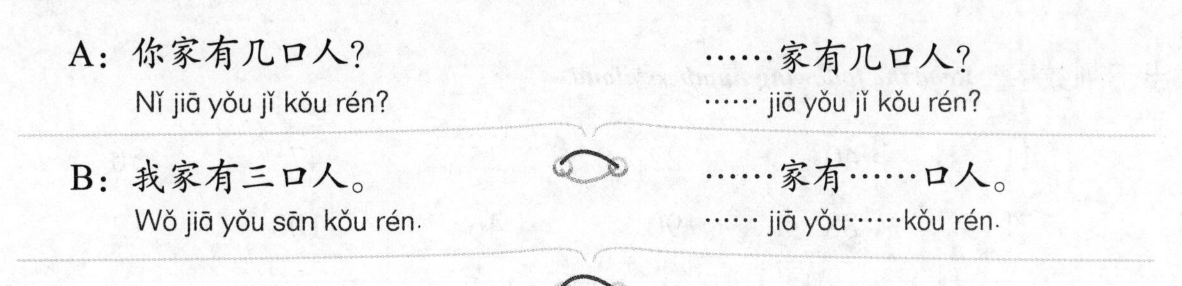

A：你家有几口人？ ……家有几口人？
Nǐ jiā yǒu jǐ kǒu rén? …… jiā yǒu jǐ kǒu rén?

B：我家有三口人。 ……家有……口人。
Wǒ jiā yǒu sān kǒu rén. …… jiā yǒu……kǒu rén.

A：你家有什么人？ Nǐ jiā yǒu shénme rén?	……家有什么人？ …… jiā yǒu shénme rén?
B：我家有爸爸、妈妈和我。 Wǒ jiā yǒu bàba、māma hé wǒ.	……有……。 …… yǒu…….
A：你爸爸做什么工作？ Nǐ bàba zuò shénme gōngzuò?	……做什么工作？ …… zuò shénme gōngzuò?
B：我爸爸是律师。 Wǒ bàba shì lǜshī.	……是……。 …… shì…….

三 看图回答问题 *Answer the question according to the pictures.*

他们做什么工作？

Tāmen zuò shénme gōngzuò?

1

2

3

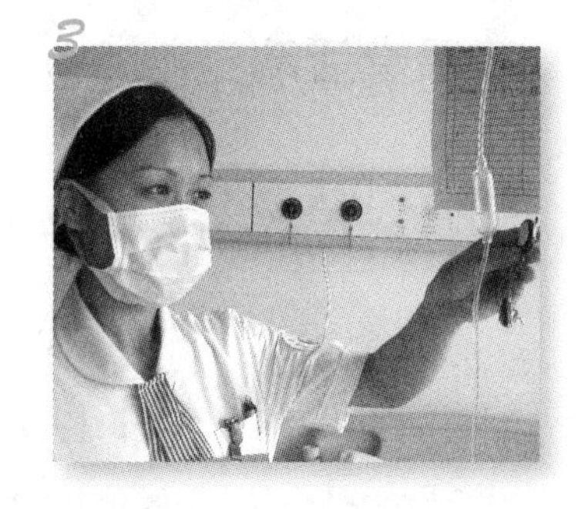

4

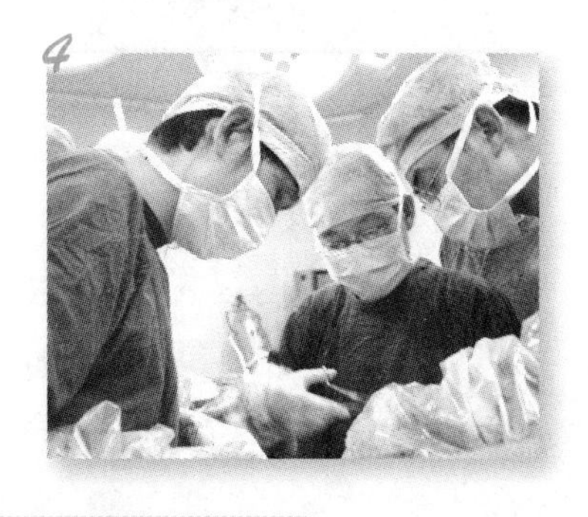

5

6

综合练习 Comprehensive Exercises

一 读出下列数字 *Read the following numbers aloud.*

9	11	40	22	35	47	56
69	71	88	90	46	100	12

二 选词填空 *Choose the proper words to fill in the blanks.*

个 ge　　口 kǒu

1. 我们班有三________法国人。
Wǒmen bān yǒu sān ________Fǎguó rén.

2. 他家有几________人？
Tā jiā yǒu jǐ ________ rén?

3. 我有一________美国同学。
Wǒ yǒu yí ________ Měiguó tóngxué.

4. 我们班有三________汉语老师。
Wǒmen bān yǒu sān ________Hànyǔ lǎoshī.

三 用"几"和"多少"提问 *Make questions with "几" or "多少".*

1. A：____________________？
B：我有一个哥哥。
Wǒ yǒu yí ge gēge.

2. A：____________________？
B：我家有四口人。
Wǒ jiā yǒu sì kǒu rén.

3. A：____________________？
B：我有十三个同学。
Wǒ yǒu shísān ge tóngxué.

4. A：____________________？
B：我们班有二十个学生。
Wǒmen bān yǒu èrshí ge xuésheng.

四 完成对话 *Complete the following dialogues.*

1. A：____________________？（几 jǐ）
B：我家有三口人，爸爸、妈妈和我。
Wǒ jiā yǒu sān kǒu rén, bàba、 māma hé wǒ.

A：____________________？（什么 shénme）
B：我爸爸是老师。
Wǒ bàba shì lǎoshī.

A：____________________？（呢 ne）
B：我妈妈________________。（也 yě）
Wǒ māma________________.

2. A：____________________？（吗 ma）
B：我有哥哥。
Wǒ yǒu gēge.
A：你哥哥做什么工作？
Nǐ gēge zuò shénme gōngzuò?

B：____________________。

3. A：你是哪国人？
Nǐ shì nǎ guó rén?

B：________________。
A：她呢？
Tā ne?

B：________________。（也 yě）
A：你们都是学生吗？
Nǐmen dōu shì xuésheng ma?

B：________________。（都 dōu）

五 填写汉字，组词 ***Fill in each blank with a character to make a word.***

（ ）师　　（ ）作　　学（ ）

（ ）国　　汉（ ）

第三部分　学写汉字
Part Three　Writing Chinese Characters

汉字知识 *About Chinese Characters*

1. 汉字的基本笔画（5） ***Basic strokes (5)***

笔形 Strokes	名称 Names	例字 Examples
㇂	斜钩 xiégōu	我
㇃	卧钩 wògōu	心 xīn heart
㇆	横折钩 héngzhégōu	问
㇈	横折弯钩 héngzhéwāngōu	几

2. 汉字结构（1） ***Character structures (1)***

结构类型 Types of structures	例字 Examples	结构图示 Illustrations
独体结构 Single-element	生 不	
品字形结构 品-shaped	品　pǐn　article, goods	

写汉字 *Character Writing*

请在汉字练习本上书写下列汉字 

Write the following Chinese characters in the workbook.

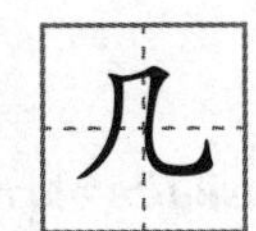

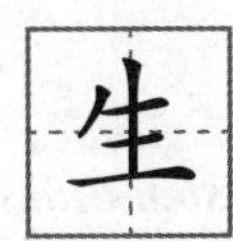

课堂用语 *Classroom Expressions*

1. 我明白了。　I see / understand.
   Wǒ míngbai le.

2. 我不懂。　I don't understand.
   Wǒ bù dǒng.

香蕉多少钱一斤

How Much Is Half a Kilogram of Bananas

第一部分 学习语音
Part One Phonetics

语音练习 *Phonetic Exercises*

1. 听读下面的音节 ***Listen and read the following syllables.*** 6-1 

j — zh	q — ch	x — sh	s — x
jiǎnzhí	qiúchǎng	xiāngshí	sànxīn
zhǎng jià	qìchē	xiāoshòu	sīxià
zhěngjié	cháoqì	xīnshǎng	suōxiǎo
zhēnjiǔ	chúqù	shāngxīn	xísú

2. 听后选择正确的拼音 ***Listen and choose the correct pinyin syllables.*** 6-2 

(1)	A. xiāngjiáo	B. xiāngjiāo	(5)	A. miànbǎo	B. miànbāo
(2)	A. píngguǒ	B. pīngguǒ	(6)	A. yǐngyèyuán	B. yíngyèyuán
(3)	A. xūyǎo	B. xūyào	(7)	A. zhè zhǒng	B. zhē zhǒng
(4)	A. cīdiǎn	B. cídiǎn	(8)	A. nà zhǒng	B. nǎ zhǒng

3. 给下面的"yi"标上声调 ***Add tone marks to the following "yi".*** 6-3 

yi bēi kāfēi	yi bù shǒujī	yi ge lǎoshī
yi běn cídiǎn	yi tái diànnǎo	yi píng píjiǔ
yi jīn píngguǒ	yi zhāng guāngpán	yi jīn cǎoméi

语音知识 *Phonetic Notes*

1. 拼写规则（3）***Spelling rules (3)***

ü 或者以 ü 开头的韵母跟 j、q、x 相拼的时候，省略 ü 上边的两点，写成 ju、qu、xu、jue、que、xue、juan、quan、xuan、jun、qun、xun。跟 n、l 相拼的时候，ü 上边的两点不

能省略，写成nü、lü、lüe、nüe。

When "ü" or a final beginning with "ü" spells with "j", "q" or "x", "ü" is written as "u" like in "ju, qu, xu, jue, que, xue, juan, quan, xuan, jun, qun, xun". When spelling with "n" or "l", "ü" does not change. For example, nü, lü, lüe, nüe.

2. "一"的变调 *Tone sandhi of* "一"

数词"一（yī）"本调是第一声。"一"后边的音节是第一声、第二声、第三声时，"一"读做"yì"；"一"后边的音节是第四声时，"一"读做"yí"。例如：

The numeral "一" is pronounced as "yī" when it stands by itself. "一" is pronounced as "yì" when it precedes a first-tone, second-tone or third-tone syllable. It is read as "yí" when it precedes a fourth-tone syllable. For example,

一 yī	斤 jīn	一斤 yì jīn
	台 tái	一台 yì tái
	种 zhǒng	一种 yì zhǒng
	个 gè	一个 yí gè

第二部分 学习课文
Part Two Texts

课文一 Kèwén yī Text One

生词 New Words and Expressions 6-4

1	想	xiǎng	*aux.*	want to, would like to, be going to
2	买	mǎi	*v.*	buy, purchase
3	电子词典	diànzǐ cídiǎn		electronic dictionary
	电子	diànzǐ	*n.*	electron
	词典	cídiǎn	*n.*	dictionary
4	电脑	diànnǎo	*n.*	computer
5	部	bù	*m.*	*used for books, films, machines, vehicles, etc.*
6	百	bǎi	*num.*	hundred

7	块	kuài	*m.*	unit of money (equivalent to *yuan*)
8	钱	qián	*n.*	money
9	台	tái	*m.*	*used for certain machinery or apparatus*
10	千	qiān	*num.*	thousand
11	一共	yígòng	*adv.*	altogether, in all
12	需要	xūyào	*v.*	need

课文 Text 6-5

问题 Wèntí

1. 马丁想买什么?
   Mǎdīng xiǎng mǎi shénme?
2. 电子词典多少钱?
   Diànzǐ cídiǎn duōshao qián?
3. 电脑多少钱?
   Diànnǎo duōshao qián?

（马丁在商店买东西。Martin is shopping in a store.）

马丁 想 买 电子 词典 和 电脑。
Mǎdīng xiǎng mǎi diànzǐ cídiǎn hé diànnǎo.

一 部 电子 词典 七百 八十 块 钱，一 台 电脑 五千 九百 块 钱，一共 需要 六千 六百 八十 块 钱。
Yí bù diànzǐ cídiǎn qībǎi bāshí kuài qián, yì tái diànnǎo wǔqiān jiǔbǎi kuài qián, yígòng xūyào liùqiān liùbǎi bāshí kuài qián.

课文 二　Kèwén èr　Text Two

生词 New Words and Expressions 6-6

1	营业员	yíngyèyuán	*n.*	attendant, shop assistant
2	要	yào	*v.*	want, need
3	面包	miànbāo	*n.*	bread
4	种	zhǒng	*m.*	kind, sort, type, variety
5	这	zhè	*pron.*	this
6	谢谢	xièxie	*v.*	thank, be grateful
7	不客气	bú kèqi		you're welcome
	客气	kèqi	*adj.*	polite, courteous

课文 Text 6-7

问题 Wèntí

1. 马丁买什么？
   Mǎdīng mǎi shénme？
2. 面包多少钱一个？
   Miànbāo duōshao qián yí ge？

（马丁在面包店。Martin is in a bakery.）

营业员：你好！请问，你要什么？
Yíngyèyuán: Nǐ hǎo! Qǐngwèn, nǐ yào shénme?

马丁：我要面包。
Mǎdīng: Wǒ yào miànbāo.

营业员：你要哪种？
Nǐ yào nǎ zhǒng?

马丁：我要这种，这种多少钱一个？
Wǒ yào zhè zhǒng, zhè zhǒng duōshao qián yí ge?

营业员：这种四块五一个。
Zhè zhǒng sì kuài wǔ yí ge.

马丁：我要两个。
Wǒ yào liǎng ge.

营业员：一共九块。
Yígòng jiǔ kuài.

马丁：谢谢！
Xièxie!

营业员：不客气！
Bú kèqi!

课文三 Kèwén sān Text Three

生词 New Words and Expressions 6-8

1	香蕉	xiāngjiāo	*n.*	banana
2	斤	jīn	*m.*	unit of weight (= 1/2 kilogram)
3	苹果	píngguǒ	*n.*	apple

4	再	zài	*adv.*	once more, again, one more time
5	毛	máo	*m.*	a fractional money unit in China (= 1/10 *yuan*)

课文 Text 6-9

问题 Wèntí

1. 香蕉多少钱一斤？苹果呢？
   Xiāngjiāo duōshao qián yì jīn? Píngguǒ ne?
2. 马丁想买几斤香蕉，几斤苹果？
   Mǎdīng xiǎng mǎi jǐ jīn xiāngjiāo, jǐ jīn píngguǒ?
3. 香蕉和苹果一共多少钱？
   Xiāngjiāo hé píngguǒ yígòng duōshao qián?

（马丁在市场。Martin is at the market.）

马丁：请问，香蕉多少钱一斤？
Mǎdīng: Qǐngwèn, xiāngjiāo duōshao qián yì jīn?

营业员：一块八一斤。
Yíngyèyuán: Yí kuài bā yì jīn.

马丁：苹果呢？
Píngguǒ ne?

营业员：三块五一斤。您买多少？
Sān kuài wǔ yì jīn. Nín mǎi duōshao?

马丁：我买四斤香蕉，再买三斤苹果。一共多少钱？
Wǒ mǎi sì jīn xiāngjiāo, zài mǎi sān jīn píngguǒ. Yígòng duōshao qián?

营业员：一共十七块七（毛）。
Yígòng shíqī kuài qī (máo).

综合注释 Comprehensive Notes

1. 马丁想买电子词典和电脑。

"想"表示希望、打算，用在其他动词前边。例如：

"想" indicates a hope or a plan and is used in front of a verb. For example,

S	P			
	Adv	想	V	O
我		想	学习	汉语。
马丁	也	想	认识	她。
我	不	想	买	苹果。
你		想	买	什么？

2. 数字的表达（2） *Expressing numbers (2)*

100以上的数字读法如下：

Numbers above 100 are pronounced as follows:

101 一百零一 yìbǎi líng yī	202 二百零二 èrbǎi líng èr	309 三百零九 sānbǎi líng jiǔ
110 一百一十 yìbǎi yīshí	515 五百一十五 wǔbǎi yīshíwǔ	818 八百一十八 bābǎi yīshíbā
1001 一千零一 yìqiān líng yī	2015 两千零一十五 liǎngqiān líng yīshíwǔ	6220 六千二百二十 liùqiān èrbǎi èrshí
10000 一万 yíwàn	10001 一万零一 yíwàn líng yī	20300 二万零三百 èrwàn líng sānbǎi

3. 人民币表示法 *RMB, the Chinese currency*

人民币有三个单位："元（yuán）""角（jiǎo）""分（fēn）"，口语中分别读做："块（kuài）""毛（máo）""分"。

There are three monetary units of RMB, namely "元（yuán）", "角（jiǎo）" and "分（fēn）". In spoken Chinese, they are respectively "块（kuài）", "毛（máo）" and "分".

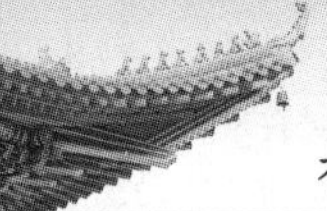

下面是人民币的读法：

Learn how to read a monetary amount:

0.02元	二分	èr fēn
0.20元	两毛	liǎng máo
0.22元	两毛二	liǎng máo èr
2.20元	两块二	liǎng kuài èr
2.22元	两块二毛二	liǎng kuài èr máo èr
5.02元	五块零二分	wǔ kuài líng èr fēn
100. 08元	一百块零八分	yìbǎi kuài líng bā fēn
181.09元	一百八十一块零九分	yìbǎi bāshíyī kuài líng jiǔ fēn
1000.20元	一千块零二毛	yìqiān kuài líng èr máo

4. 香蕉多少钱一斤？

"……多少钱＋一＋量词"，这是买东西时问价钱的说法，其他的问法还有：

"……多少钱 (how much money)＋一＋M" is used to inquire a price while shopping. You can also use:

☆ 一+量词……多少钱？
☆ ……怎么卖（zěnme mài）？
例如：E.g.
① 苹果多少钱一斤？
② 一斤香蕉多少钱？
③ 西瓜（xīguā, watermelon）怎么卖？

补充词语 *Supplementary Vocabulary*

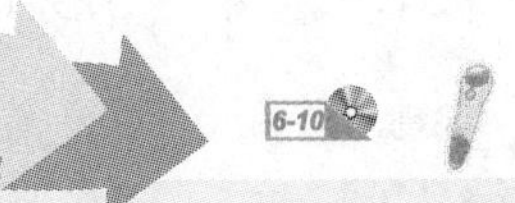

名词 Nouns			常用搭配量词 Measure words to be collocated with	
书	shū	book	本	běn
手机	shǒujī	cell phone	个 部	gè bù
咖啡	kāfēi	coffee	杯	bēi
牛奶	niúnǎi	milk	袋 盒	dài hé
啤酒	píjiǔ	beer	瓶	píng
矿泉水	kuàngquánshuǐ	mineral water	瓶	píng
可乐	kělè	cola, coke	瓶	píng
草莓	cǎoméi	strawberry	斤 公斤	jīn gōngjīn
西瓜	xīguā	watermelon	斤 公斤	jīn gōngjīn
橘子	júzi	orange, tangerine	斤 公斤	jīn gōngjīn

课堂活动 *In-Class Activity*

问答练习 *Question-and-answer drills*

A：苹果多少钱一斤？
Píngguǒ duōshao qián yì jīn?

……多少钱 一……？
……duōshao qián yī……?

B：三块五一斤。
Sān kuài wǔ yì jīn.

……一……。
…… yī …….

咖啡kāfēi
16元yuán / 杯bēi

牛奶niúnǎi
3.5元yuán /袋dài

啤酒píjiǔ
5.5元yuán / 瓶píng

矿泉水kuàngquánshuǐ
1.2元yuán / 瓶píng

汉语书Hànyǔ shū
30元yuán / 本běn

草莓cǎoméi
5.50元yuán / 斤jīn

橘子júzi
2.8元yuán / 斤jīn

西瓜xīguā
1.5元yuán / 斤jīn

综合练习 *Comprehensive Exercises*

一 读出下面的数字 *Read the following numbers aloud.*

897　115　201　3012　2009
5879　25600　75023　56210

二 读出下面的钱数 *Read the following monetary amounts aloud.*

50.20元　22.22元　0.78元　18303元　0.02元
116.26元　2001.20元　305.80元　252.61元

三 根据实际情况进行问答练习 *Do the question-and-answer drills according to the actual situation.*

1. 你的手机多少钱？
   Nǐ de shǒujī duōshao qián?
2. 你的汉语书多少钱？
   Nǐ de Hànyǔ shū duōshao qián?
3. 你的电脑多少钱？
   Nǐ de diànnǎo duōshao qián?
4. 你的……多少钱？
   Nǐ de …… duōshao qián?

四 完成对话 *Complete the following dialogues.*

1\. A：__________？（想买……）
__________? (xiǎng mǎi)

B：我想买手机。
Wǒ xiǎng mǎi shǒujī.

2\. A：请问，__________？（多少钱）
Qǐngwèn, __________? (duōshao qián)

B：四块五一斤。
Sì kuài wǔ yì jīn.

A：__________？（呢）
__________? (ne)

B：三块二一斤。
Sān kuài èr yì jīn .

A：我买两斤__________，一斤__________。
Wǒ mǎi liǎng jīn__________, yì jīn__________.

3\. A：这本词典多少钱？
Zhè běn cídiǎn duōshao qián?

B：__________。

A：我要两本。
Wǒ yào liǎng běn.

B：__________。（一共）
__________. (yígòng)

4\. A：你好！我买苹果。
Nǐ hǎo! Wǒ mǎi píngguǒ.

B：__________？（哪种）
__________? (nǎ zhǒng)

A：我要这种。
Wǒ yào zhè zhǒng.

多少钱一斤？
Duōshao qián yì jīn?

B：三块一斤。
Sān kuài yì jīn.

__________？（多少）
__________? (duōshao)

A：我__________五个。
Wǒ __________ wǔ ge.

B：四块五。
Sì kuài wǔ.

五 把下面的词语整理成句子 *Rearrange the following words and phrases to make sentences.*

1\. 台 tái　多少钱 duōshao qián　这 zhè　电脑 diànnǎo

2\. 我 wǒ　香蕉 xiāngjiāo　不 bù　买 mǎi

3\. 我 wǒ　再 zài　一 yì　买 mǎi　汉语书 Hànyǔ shū　本 běn　想 xiǎng

4. 要 哪 面包 种 你
yào nǎ miànbāo zhǒng nǐ

5. 这 电子词典 部 一千二百九十块钱
zhè diànzǐ cídiǎn bù yìqiān èrbǎi jiǔshí kuài qián

六 到市场和商店去调查一下下面这些东西的价格，下次告诉大家

Find out the prices of the following items in a market or store. Report to your class next time.

NOKIA手机 shǒujī ______ 元 yuán	面包 miànbāo ______ 元 yuán	牛奶 niúnǎi ______ 元 yuán
矿泉水 kuàngquánshuǐ ______ 元 yuán	啤酒 píjiǔ ______ 元 yuán	可乐 kělè ______ 元 yuán
香蕉 xiāngjiāo ______ 元 yuán	橘子 júzi ______ 元 yuán	咖啡 kāfēi ______ 元 yuán

第三部分 学写汉字
Part Three Writing Chinese Characters

汉字知识 *About Chinese Characters*

汉字的基本笔画（6） *Basic strokes (6)*

笔形 Strokes	名称 Names	例字 Examples
㇌	横撇弯钩 héngpiěwāngōu	部

续表

笔形 Strokes	名称 Names	例字 Examples
㇌	横折折折钩 héngzhézhézhégōu	奶 nǎi grandmother
㇉	竖折折钩 shùzhézhégōu	马 mǎ horse
⺄	横折斜钩 héngzhéxiégōu	风 fēng wind

汉字结构（2） *Character structures (2)*

结构类型 Types of structures	例字 Examples	图示 Illustrations
上下结构 top-bottom	爸 学	
上中下结构 top-middle-bottom	意 yì meaning	

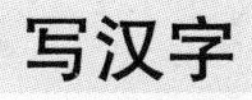

写汉字 *Character Writing*

请在汉字练习本上书写下列汉字 

Write the following Chinese characters in the workbook.

课堂用语 *Classroom Expressions* 6-11

1. 现在听写。 Now it's time for dictation.
   Xiànzài tīngxiě.
2. 现在做练习。 Now it's time for exercises.
   Xiànzài zuò liànxí.

7 中国银行在哪儿

Where Is the Bank of China

第一部分　学习语音

Part One　Phonetics

语音练习　*Phonetic Exercises*

1. 听读辨音　***Listen, read and discriminate the sounds.*** 7-1

xīshēng（牺牲）— shīshēng（师生）
xī qì（吸气）— shīqì（湿气）
jídù（嫉妒）— zhìdù（制度）
qízi（旗子）— chízi（池子）
xīfàn（稀饭）— chī fàn（吃饭）
jī xīn（鸡心）— zhīxīn（知心）

zájì（杂技）— zázhì（杂志）
yùxí（预习）— yùshí（玉石）
zǔjī（阻击）— zǔzhī（组织）
bái qī（白漆）— báichī（白痴）
bù jí（不急）— bù zhí（不直）
dàxǐ（大喜）— dàshǐ（大使）

2. 听读辨调　***Listen, read and discriminate the tones.*** 7-2

jiàoshī（教师）— jiàoshì（教室）
mǎi huā（买花）— mài huā（卖花）
Hànyǔ（汉语）— Hányǔ（韩语）
dàrén（大人）— dǎ rén（打人）
chāoshì（超市）— chāoshí（超时）

běi fēng（北风）— bèifēng（背风）
chīlì（吃力）— chī lí（吃梨）
tǔdì（土地）— túdì（徒弟）
jiǎnzhí（简直）— jiānzhí（兼职）
shíjiān（时间）— shíjiàn（实践）

3. 读下面的儿化词语　***Read the following words with retroflex finals.*** 7-3

nǎ — nǎr	zài nǎr	nà — nàr	zài nàr
zhè — zhèr	zài zhèr	huā — huār	kāi huār
diǎn — diǎnr	yìdiǎnr	huì — huìr	yíhuìr

语音知识 Phonetic Notes

1. 拼写规则（4） *Spelling rules (4)*

iou、uei、uen前面有声母时，写成 iu、ui、un。例如：niu, gui, lun。

"iou", "uei" and "uen" are written as "iu", "ui" and "un" after initials, as in the examples "niu", "gui" and "lun".

2. 儿化

卷舌元音er与其他韵母结合成儿化韵，这种现象称为"儿化"。"儿化"具有区别词义、区分词性和表示感情色彩的作用。儿化时，"儿"与前面的音节读成一个音节。拼写时在前一音节末尾加上"r"，汉字写法是在原来的汉字后边加"儿"。例如：哪儿nǎr、这儿zhèr。

The combination of a retroflex vowel "er" with a final is called "儿化". "儿化" is used to discriminate word meanings and parts of speech, and can be used to express different emotions. The "儿" at the end is pronounced together with the syllable before it. In spelling, an "r" is added to the end of the syllable before it. For example, "哪儿(nǎr)", "这儿(zhèr)".

第二部分　学习课文
Part Two　Texts

课文一　Kèwén yī　Text One

生词 *New Words and Expressions* 7-4

1	教学楼	jiàoxuélóu	*n.*	classroom building
	教学	jiàoxué	*n.*	teaching
	楼	lóu	*n.*	storeyed building
2	在	zài	*v.*	*indicating where a person or thing is*
3	这儿	zhèr	*pron.*	here
4	图书馆	túshūguǎn	*n.*	library
5	……边	biān	*suf.*	side
	北边	běibian	*n.*	north
	西边	xībian	*n.*	west

	南边	nánbian	*n.*	south
6	运动场	yùndòngchǎng	*n.*	sports ground, sports venue
7	体育馆	tǐyùguǎn	*n.*	gymnasium, gym
8	饭馆	fànguǎn	*n.*	restaurant
9	还	hái	*adv.*	also, too, as well, in addition
10	超市	chāoshì	*n.*	supermarket

课文 Text 7-5

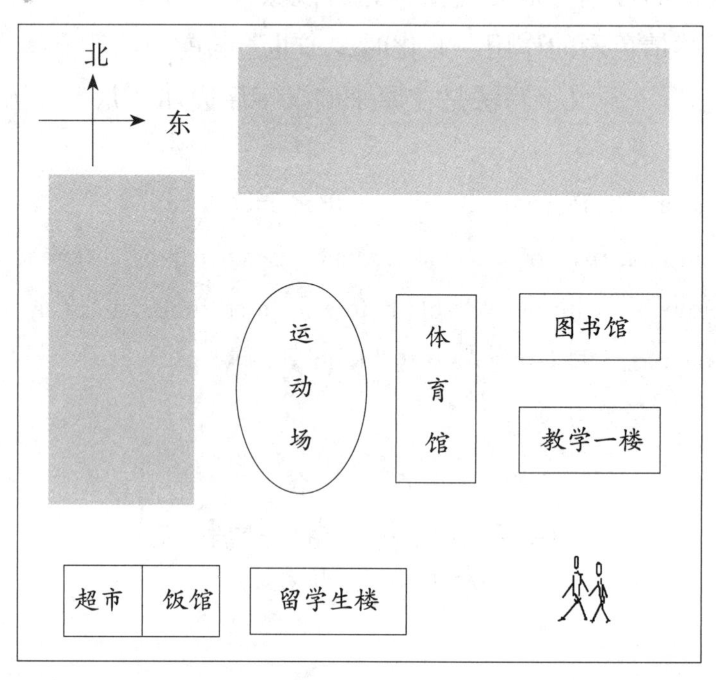

问题 Wèntí

1. 图书馆在哪儿？
   Túshūguǎn zài nǎr ?
2. 体育馆在哪儿？
   Tǐyùguǎn zài nǎr ?
3. 留学生楼在哪儿？
   Liúxuéshēng lóu zài nǎr ?

这 是 教学 一 楼，我们 在 这儿。
Zhè shì jiàoxué yī lóu, wǒmen zài zhèr.

图书馆 在 教学 一 楼 北边，运动场
Túshūguǎn zài jiàoxué yī lóu běibian, yùndòngchǎng

和 体育馆 在 教学 一 楼 西边。这 是 留学生 楼，留学生 楼 在 运动
hé tǐyùguǎn zài jiàoxué yī lóu xībian. Zhè shì liúxuéshēng lóu, liúxuéshēng lóu zài yùndòng-

场 南边，留学生 楼 西边 有 一 个 饭馆，还 有 一 个 超市。
chǎng nánbian, liúxuéshēng lóu xībian yǒu yí ge fànguǎn, hái yǒu yí ge chāoshì.

课文 二 Kèwén èr Text Two

生词 New Words and Expressions 7-6

1	去	qù	*v.*	go, leave, depart
2	哪儿	nǎr	*pron.*	where
3	银行	yínháng	*n.*	bank, banking house
4	知道	zhīdào	*v.*	know
5	东边	dōngbian	*n.*	east
6	跟	gēn	*prep.*	with
7	吧	ba	*part.*	*used at the end of a sentence to indicate a mild suggestion*
8	太	tài	*adv.*	too, much too
9	了	le	*part.*	*a modal particle*

专名 Proper Name

中国银行	Zhōngguó Yínháng	Bank of China

课文 Text 7-7

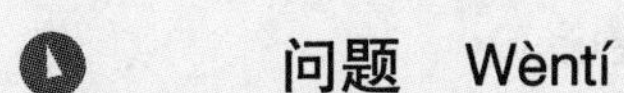

问题 Wèntí

1. 山田去哪儿？
   Shāntián qù nǎr?
2. 马丁去哪儿？
   Mǎdīng qù nǎr?
3. 中国银行在哪儿？
   Zhōngguó Yínháng zài nǎr?

马丁：山田，你 去 哪儿？
Mǎdīng: Shāntián, nǐ qù nǎr?

山田：我 去 超市。
Shāntián: Wǒ qù chāoshì.

马丁：中国 银行 在 哪儿？你 知道 吗？
Zhōngguó Yínháng zài nǎr? Nǐ zhīdào ma?

山田：知道，在 超市 东边。我 跟 你 一起 去 吧。
Zhīdào, zài chāoshì dōngbian. Wǒ gēn nǐ yìqǐ qù ba.

马丁：太 好 了！
Tài hǎo le!

课文三 Kèwén sān Text Three

生词 New Words and Expressions 7-8

1	卫生间	wèishēngjiān	*n.*	toilet, washroom
2	对不起	duìbuqǐ	*v.*	I'm sorry, sorry, excuse me
3	没关系	méi guānxi		it doesn't matter, never mind, that's all right
4	商店	shāngdiàn	*n.*	shop, store
5	里边	lǐbian	*n.*	inside, interior
6	地方	dìfang	*n.*	place, location
7	前边	qiánbian	*n.*	in front, ahead, before
8	看	kàn	*v.*	see, look, watch
9	那儿	nàr	*pron.*	there
10	就	jiù	*adv.*	exactly, precisely

课文 Text 7-9

问题 Wèntí

1. 哪儿有卫生间？
   Nǎr yǒu wèishēngjiān?
2. 商店在什么地方？
   Shāngdiàn zài shénme dìfang?

（阿明在路上找卫生间。A'ming is looking for a toilet in the street.）

阿明：请问，哪儿 有 卫生间？
Āmíng: Qǐngwèn, nǎr yǒu wèishēngjiān?

学生A：对不起，我 不 知道。
Xuésheng A: Duìbuqǐ, wǒ bù zhīdào.

阿明：没 关系。请问，你 知道 哪儿 有 卫生间 吗？
Méi guānxi. Qǐngwèn, nǐ zhīdào nǎr yǒu wèishēngjiān ma?

学生B：商店 里边 有。
Xuésheng B: Shāngdiàn lǐbian yǒu.

阿明：商店 在 什么 地方？
Shāngdiàn zài shénme dìfang?

学生B：在 前边。你 看，那儿 就 是。
Zài qiánbian. Nǐ kàn, nàr jiù shì.

阿明：谢谢！
Xièxie!

学生B：不 客气。
Bú kèqi.

综合注释 Comprehensive Notes

1. 图书馆在教学一楼北边。

存在句（1）：

Existential sentences (1):

Sb. / Sth.	在	Positions
饭馆	在	超市东边。
体育馆	在	教学一楼西边。
卫生间	在	商店里边。

Positions	有	Sb. / Sth.
前边	有	一个学生。
留学生楼西边	有	一个饭馆。
银行北边	有	一个超市。

2. 方位词 *Position words*

下表中的词是最常用的方位词。

The following table shows the most common position words.

	东	西	南	北	shàng 上	xià 下	
+边	东边	西边	南边	北边	上边	下边	
	前	hòu 后	里	wài 外	zuǒ 左	yòu 右	páng 旁
+边	前边	后边	里边	外边	左边	右边	旁边

除此之外，还有“中间（zhōngjiān，middle）”“两边（liǎngbiān，both sides）”“对面（duìmiàn，opposite side）”等方位词。

Besides, there are some other position words like “中间（zhōngjiān, middle）”, “两边（liǎngbiān, both sides）” and “对面（duìmiàn, opposite side）”, etc.

方位词可以做主语、宾语、定语等。例如：

Position words can be used as the subject, object or attributive, etc. For example,

① 西边有一个饭馆。
② 日本在中国东边。
③ 前边的人是山田。

3. 留学生楼西边有一个饭馆，还有一个超市。

“还（1）”，副词，表示数量的增加和范围的扩大。例如：

“还（1）” is an adverb indicating the increase in the amount or the extension of the range. For example,

① 我有一个哥哥，还有一个姐姐。
② 我买香蕉，还买苹果。
③ 这儿有一个超市，东边还有一个超市。
④ 我学习英语，还学习汉语。

4. 你去哪儿？

“哪儿”用来询问处所。也可用“……在什么地方”来询问处所。例如：

“哪儿” or “……在什么地方” is used to ask for location. For example,

① 商店在哪儿？
② 银行在哪儿？

③ 超市在什么地方？
④ 体育馆在什么地方？

5. 我跟你一起去吧。

“吧（1）”，用在句末，表示商量，建议。例如：
“吧（1）” is used at the end of a sentence to indicate a tone of suggestion or negotiation. For example,

① 我们一起去银行吧。
② 香蕉好，你买香蕉吧。

补充词语 Supplementary Vocabulary

7-10

上边	shàngbian	above, over, on the surface of
后边	hòubian	behind
旁边	pángbiān	beside
书店	shūdiàn	bookstore
邮局	yóujú	post office
桌子	zhuōzi	table, desk
书包	shūbāo	schoolbag, satchel
宿舍	sùshè	dormitory

课堂活动 In-Class Activity

同学互相问答 **Answer each other's questions.**

1. A：你去哪儿？
Nǐ qù nǎr?
B：我去……。
Wǒ qù…….

书店 shūdiàn

饭馆 fànguǎn

超市 chāoshì

银行 yínháng

运动场 yùndòngchǎng

邮局 yóujú

2. ……在哪儿？
…… zài nǎr?

（1）A：你在哪儿？
Nǐ zài nǎr?
B：我在……。
Wǒ zài …….

（2）A：你同学×××在哪儿？
Nǐ tóngxué ××× zài nǎr?
B：他在……。
Tā zài …….

3. ……有……。
……yǒu…….

（1）我的桌子上边有______、______、______。
Wǒ de zhuōzi shàngbian yǒu ______、______、______.

（2）我的书包里边有______、______、______。
Wǒ de shūbāo lǐbian yǒu ______、______、______.

综合练习 Comprehensive Exercises

一 熟读下面的词语，并写出拼音

Read the following words and phrases repeatedly and write down their pinyin syllables.

图书馆______ 体育馆______ 对不起______ 去银行______
运动场______ 卫生间______ 没关系______ 不知道______

二 看图说一说 *Answer the questions according to the pictures.*

1. 桌子上边有什么？
Zhuōzi shàngbian yǒu shénme?

2.（1）书包旁边有什么？
Shūbāo pángbiān yǒu shénme?

（2）书在哪儿？
Shū zài nǎr?

（3）苹果在哪儿？
Píngguǒ zài nǎr?

三 看图完成句子 *Complete the sentences according to the following map.*

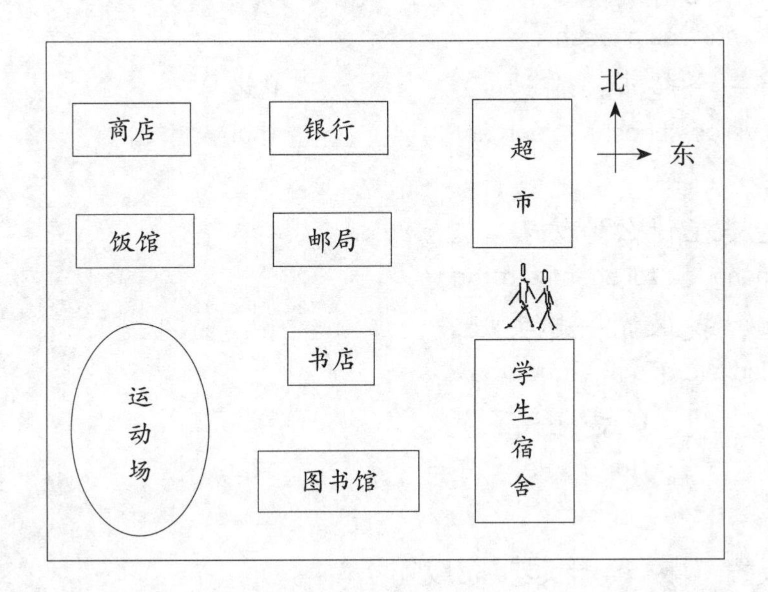

1. 饭馆在商店________。
Fànguǎn zài shāngdiàn________.

2. 超市在________和________东边。
Chāoshì zài ________ hé ________dōngbian.

3. 银行在____________。
Yínháng zài ____________.

4. 邮局在________东边。
Yóujú zài ________ dōngbian.

5. 图书馆在书店________。
Túshūguǎn zài shūdiàn ________.

6. ________有一个运动场。
________ yǒu yí ge yùndòngchǎng.

7. 学生宿舍______书店东边。
Xuésheng sùshè ______shūdiàn dōngbian.

四 用所给的词语完成对话 *Complete the following dialogues with the given words or phrases.*

1\. A：请问，卫生间在哪儿？
Qǐngwèn, wèishēngjiān zài nǎr?
B：________。（前边）
________. (qiánbian)

2\. A：________在哪儿吗？（银行）
________zài nǎr ma? (yínháng)
B：我不知道。
Wǒ bù zhīdào.

3\. A：请问，哪儿有超市？
Qǐngwèn, nǎr yǒu chāoshì?
B：那儿有一个超市，前边________。（还）
Nàr yǒu yí ge chāoshì, qiánbian ________. (hái)

4\. A：留学生楼在什么地方？
Liúxuéshēng lóu zài shénme dìfang?
B：我知道，我跟你一起去吧。
Wǒ zhīdào, wǒ gēn nǐ yìqǐ qù ba.
A：________！（太……了）
________! (tài ……le)

五 用"一起"或者"跟……一起"完成句子

Complete the following sentences with "一起" or "跟……一起".

1\. 我们________去图书馆。
Wǒmen ________ qù túshūguǎn.

2\. 他们________去银行。
Tāmen ________ qù yínháng.

3\. 我________去法国。
Wǒ ________ qù Fǎguó.

4\. 我________买面包。
Wǒ ________ mǎi miànbāo.

5\. 他________学习汉语。
Tā ________ xuéxí Hànyǔ.

六 画出你家或者你的宿舍的方位图，然后请用“……在……”“……有……”说说你家或者宿舍周围的环境

Draw a map of your home or dormitory, and then talk about its surroundings using “……在……” and “……有……”.

七 在括号里填上合适的汉字 ***Fill in the blanks with proper Chinese characters.***

1. 我有一（　　）电脑。
Wǒ yǒu yì (　　) diànnǎo.

2. 我去图（　　）馆。
Wǒ qù tú (　　) guǎn.

3. 银行在什么地（　　）？
Yínháng zài shénme dì (　　)?

4. 超（　　）在前边。
Chāo (　　) zài qiánbian.

5. 体育馆西边有一个教（　　）楼。
Tǐyùguǎn xībian yǒu yí ge jiào (　　) lóu.

第三部分　学写汉字
Part Three　Writing Chinese Characters

汉字知识 *About Chinese Characters*

汉字的基本笔画（7）　***Basic strokes (7)***

笔形 Strokes	名称 Names	例字 Examples
㇄	竖弯 shùwān	四
㇅	横折弯 héngzhéwān	没

汉字结构（3）　*Character structures (3)*

结构类型 Types of structures	例字 Examples	图示 Illustrations
左右结构 left-right	银 饭	
左中右结构 left-middle-right	谢 谁	

写汉字　*Character Writing*

请在汉字练习本上书写下列汉字 

Write the following Chinese characters in the workbook.

课堂用语　*Classroom Expressions*

1. 周一交作业。　Hand in your homework on Monday.
   Zhōuyī jiāo zuòyè.
2. 做课后练习三。　Do Exercise No. 3 after the texts.
   Zuò kè hòu liànxí sān.

今天几号
What's the Date Today

第一部分　学习语音
Part One　Phonetics

语音练习　Phonetic Exercises

1. 听读辨音　***Listen, read and discriminate the sounds.*** 8-1

shàng kè（上课）　　xià chē（下车）　　bù hē（不喝）
bózi（脖子）　　kělè（可乐）　　zhùhè（祝贺）
zhōumò（周末）　　guǎngbō（广播）

2. 听读辨调　***Listen, read and discriminate the tones.*** 8-2

第一声＋第一声

xīyī　　xīngqī　　yīshēng
jīntiān　　xiāngjiāo　　fēijī

第一声＋第二声

Zhōngguó　　shēnghuó　　gōngyuán
tī qiú　　jīnnián　　huānyíng

语音知识　Phonetic Notes

拼写规则（5）：***Spelling rules (5)***

隔音符号 The syllable-dividing mark

以ɑ、o、e开头的音节，连接在其他音节后边的时候，如果音节的界限发生混淆，要使用隔音符号“’”隔开。如dì’èr（第二）、Xī’ān（西安）、pí’ǎo（皮袄）。

When a syllable beginning with “ɑ”, “o” or “e” comes after another syllable and causes ambiguity, the syllable-dividing mark “’” is used to distinguish the syllables. For example, “dì’èr（第二）”, “Xī’ān（西安）”, “pí’ǎo（皮袄）”.

第二部分 学习课文
Part Two Texts

课文一 Kèwén yī Text One

生词 New Words and Expressions 8-3

1	今天	jīntiān	*n.*	this day, today
2	月	yuè	*n.*	month
3	日	rì	*n.*	day
4	星期	xīngqī	*n.*	week
	星期一	xīngqīyī	*n.*	Monday
	星期二	xīngqī'èr	*n.*	Tuesday
	星期三	xīngqīsān	*n.*	Wednesday
	星期四	xīngqīsì	*n.*	Thursday
	星期五	xīngqīwǔ	*n.*	Friday
	星期六	xīngqīliù	*n.*	Saturday
	星期日/天	xīngqīrì/tiān	*n.*	Sunday
5	的	de	*part.*	(*used after an attributive word or phrase*) of
6	生日	shēngrì	*n.*	birthday
7	下课	xià kè	*v.*	finish class, class is over
8	以后	yǐhòu	*n.*	after, afterwards, later
9	准备	zhǔnbèi	*v.*	intend, plan
10	请	qǐng	*v.*	invite
11	吃	chī	*v.*	eat
12	饭	fàn	*n.*	meal, cooked rice or other cereals

课文 Text 8-4

问题 Wèntí

1. 林娜的生日是几号？
   Línnà de shēngrì shì jǐ hào？
2. 林娜的同学下课以后准备做什么？
   Línnà de tóngxué xià kè yǐhòu zhǔnbèi zuò shénme?

今天 九 月 二十八日，
Jīntiān jiǔ yuè èrshíbā rì,

星期二，是林娜 的 生日。
xīngqī'èr, shì Línnà de shēngrì.

下课 以后，同学们 准备 一起 请 她 吃饭。
Xià kè yǐhòu, tóngxuémen zhǔnbèi yìqǐ qǐng tā chī fàn.

课文 二 Kèwén èr Text Two

生词 New Words and Expressions 8-5

1	对	duì	*adj.*	right, correct, true
2	号	hào	*n.*	(*used mostly after numerals*) ordinal number
3	怎么样	zěnmeyàng	*pron.*	how about

课文 Text 8-6

问题 Wèntí

1. 今天是林娜的生日吗？
   Jīntiān shì Línnà de shēngrì ma?
2. 林娜知道今天是她的生日吗？
   Línnà zhīdào jīntiān shì tā de shēngrì ma?

马丁：林娜，今天 是 你 的 生日，
Mǎdīng: Línnà, jīntiān shì nǐ de shēngrì,

对 吗？
duì ma?

林娜：我 的 生日？今天 几 号？
Línnà: Wǒ de shēngrì? Jīntiān jǐ hào?

马丁：今天 九 月 二十八 号。
Jīntiān jiǔ yuè èrshíbā hào.

林娜：对，对，今天是我的生日。
Duì, duì, jīntiān shì wǒ de shēngrì.

马丁：我们 请你吃饭，怎么样？
Wǒmen qǐng nǐ chī fàn, zěnmeyàng?

林娜：太好了！谢谢你们！
Tài hǎo le! Xièxie nǐmen!

课文三 Kèwén sān Text Three

生词 *New Words and Expressions* 8-7

1	祝	zhù	*v.*	express good wishes, wish
2	快乐	kuàilè	*adj.*	happy, joyful
3	礼物	lǐwù	*n.*	gift, present
4	本	běn	*m.*	*used for books, dictionaries, magazines, etc.*
5	书	shū	*n.*	book
6	支	zhī	*m.*	*used for long, slender and inflexible objects*
7	笔	bǐ	*n.*	pen, pencil, writing brush
8	啊	a	*int.*	*expressing agreement or compliance*
9	时间	shíjiān	*n.*	time, (the duration of) time, (a point in) time
10	没问题	méi wèntí		no problem
	没（有）	méi（yǒu）	*v.*	not have, be without
	问题	wèntí	*n.*	question, problem

专名 *Proper Name*

中文	Zhōngwén	Chinese (written) language

课文 Text 8-8

问题 Wèntí

1. 林娜的同学送林娜什么礼物？
   Línnà de tóngxué sòng Línnà shénme lǐwù?
2. 谁的生日是十月十号？
   Shéi de shēngrì shì shí yuè shí hào?
3. 十月十号星期几？
   Shí yuè shí hào xīngqī jǐ?

马丁：林娜，祝你生日快乐！这是我们的礼物。
Mǎdīng: Línnà, zhù nǐ shēngrì kuàilè! Zhè shì wǒmen de lǐwù.

林娜：谢谢。是什么礼物？
Línnà: Xièxie. Shì shénme lǐwù?

马丁：一本中文书和一支笔。
Yì běn Zhōngwén shū hé yì zhī bǐ.

崔浩：十月十号是我的生日，你们都去我家，怎么样？
Cuī Hào: Shí yuè shí hào shì wǒ de shēngrì, nǐmen dōu qù wǒ jiā, zěnmeyàng?

马丁：好啊！十月十号星期几？
Hǎo a! Shí yuè shí hào xīngqī jǐ?

崔浩：星期日。
Xīngqīrì.

林娜：有时间，没问题。
Yǒu shíjiān, méi wèntí.

综合注释 Comprehensive Notes

1. 今天九月二十八日。

"今天九月二十八日"是名词谓语句。名词谓语句的谓语由名词、名词短语、数词、数量短语充当。名词谓语句的主语和谓语之间不用“是”。例如：

“今天九月二十八日” is a sentence with a noun predicate. The predicate of such a sentence is a noun, noun phrase, numeral, or numeral-classifier compound. “是” is not used between the subject and the predicate in such a sentence. For example,

S	P
今天	星期五。
我妈妈	四十岁。

名词谓语句的否定式是在谓语前用“不是”。例如：

The negative form of a sentence with a noun predicate uses “不是” in front of the predicate. For example,

S	不是	P
今天	不是	星期五。
我妈妈	不是	四十岁。

2. 汉语日期表示法

（1）汉语里日期是按照“年（nián, year）→月→日→星期”的顺序排列的。口语里“日”常说“号”。

In Chinese, a date is read in the order of “年 (year), 月 (month), 日 (day) and 星期 (day of the week)”. “日” is often replaced by “号” in spoken language.

写法：	四月二十三日	十月一日星期三	二〇一〇年四月六日星期二
读法：	sì yuè èrshísān rì	shí yuè yī rì xīngqīsān	èr líng yī líng nián sì yuè liù rì xīngqī'èr
口语：	sì yuè èrshísān hào	shí yuè yī hào xīngqīsān	èr líng yī líng nián sì yuè liù hào xīngqī'èr

（2）对日期的询问和回答 Inquiring about and telling the date

①A：今天几号？

B：（今天）三月八号。

②A：你的生日是几月几号？

B：（我的生日是）九月十七号。

（3）对星期的询问和回答　Inquiring and telling what day it is

①A：今天星期几？
　B：（今天）星期六。

②A：十月十号星期几？
　B：（十月十号）星期一。

3. 今天是你的生日，对吗？

"……，对吗？"这种问句表示问话人对某事已经有了自己的看法，提问的目的是想得到对方的验证。回答时说"对，……"或者"不（是），……"。例如：

"……，对吗" is a question showing that the questioner actually has already formed an opinion, and the purpose of asking is to confirm his/her opinion. The answer is supposed to be "对，……"or "不(是),……". For example,

①A：你是泰国人，对吗？
　B：对，我是泰国人。

②A：今天是5月15号，对吗？
　B：不，今天是5月14号。

4. 我们请你吃饭，怎么样？

"怎么样（1）"，用在句尾，可以用逗号与前面句子隔开。表示征求别人的意见。表示同意可以说"好""好啊""行（xíng，OK）"等。例如：

"怎么样（1）", used at the end of a sentence, can be separated from the previous sentence by a comma. It indicates the questioner is asking for an opinion. To give a positive answer, one can say "好", "好啊" or "行（xíng, OK）", etc. For example,

①A：我们请你吃饭，怎么样？
　B：太好了！

②A：我们一起去，怎么样？
　B：行。

③A：你们都去我家，怎么样？
　B：好啊。

5. 这是我们的礼物。

定语（1）：Attributives (1)

表示所属关系的定语，定语的后面常常用"的"。

When an attributive indicates a possessive relation, it is often followed by "的".

	Attributives	的	Sth.
这是	我们	的	礼物。
今天是	林娜	的	生日。
这是	图书馆	的	书。

提问时，通常用“谁”来问。

“谁” is commonly used to ask a question about the attributive.

	谁	的	Sth.
这是	谁	的	礼物？
今天是	谁	的	生日？
这是	谁	的	书？

补充词语 *Supplementary Vocabulary*

8-9

明天	míngtiān	*n.*	tomorrow
后天	hòutiān	*n.*	the day after tomorrow
昨天	zuótiān	*n.*	yesterday
前天	qiántiān	*n.*	the day before yesterday
报纸	bàozhǐ	*n.*	newspaper
杂志	zázhì	*n.*	magazine
衣服	yīfu	*n.*	clothes

课堂活动 *In-Class Activities*

一 同学互相问答 *Answer each other's questions.*

A：你的生日是几月几号？

Nǐ de shēngrì shì jǐ yuè jǐ hào?

B：我的生日是……。

Wǒ de shēngrì shì …….

A：你爸爸、妈妈的生日是几月几号？
Nǐ bàba、māma de shēngrì shì jǐ yuè jǐ hào?

B：我爸爸的生日是……，妈妈的生日是……。
Wǒ bàba de shēngrì shì ……， māma de shēngrì shì …….

二 把同学们的东西放在一起，然后随意拿出某件东西作问答练习

Place your classmates' belongings together, then pick out one item at random and ask about its ownership.

书	笔	词典	手机	书包	衣服	水	咖啡
shū	bǐ	cídiǎn	shǒujī	shūbāo	yīfu	shuǐ	kāfēi

A：这是谁的……？
Zhè shì shéi de ……?

B：这是……的……。
Zhè shì …… de …….

综合练习 Comprehensive Exercises

一 熟读下面的词语，并写出拼音

Read the following words and phrases repeatedly and write down their pinyin syllables.

快乐________ 礼物________ 星期日________
下课________ 生日________ 一支笔________
以后________ 时间________ 没问题________

二 选择合适的量词填空 *Choose the proper measure words to fill in the blanks.*

口	台	部	个	斤	块	毛	本	支	种
kǒu	tái	bù	ge	jīn	kuài	máo	běn	zhī	zhǒng

1. 你买几（　　）中文书？
Nǐ mǎi jǐ（　　）Zhōngwén shū?

2. 我要三（　　）苹果。
Wǒ yào sān（　　）píngguǒ.

3. 我有两（　　）哥哥。
Wǒ yǒu liǎng（　　）gēge.

4. 东边有一（　　）商店。
Dōngbian yǒu yí（　　）shāngdiàn.

5. 我想买一（　　）电脑。
Wǒ xiǎng mǎi yì（　　）diànnǎo.

6. 一共五十（　　）七（　　）钱。
Yígòng wǔshí（　　）qī（　　）qián.

7. 我有十（　　）笔。
Wǒ yǒu shí（　　）bǐ.

8. 你家有几（　　）人？
Nǐ jiā yǒu jǐ（　　）rén?

9. 这（　　）手机多少钱？
Zhè（　　）shǒujī duōshao qián?

10. 这（　　）苹果五块一（　　）。
Zhè（　　）píngguǒ wǔ kuài yì（　　）.

三 说出日期 *Say the dates.*

四月 25 星期日

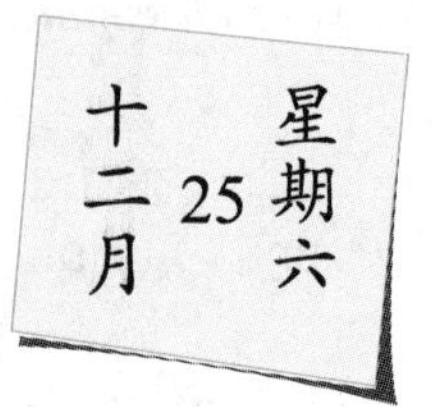

十月 13 星期三

八月 12 星期四

一月 18 星期一

四 看图说话，并写下来 *Say something about each picture and write down what you say.*

例如：E.g. 马丁
Mǎdīng

这是马丁的书。
Zhè shì Mǎdīng de shū.

1

我
wǒ

____

2

李老师
Lǐ lǎoshī

____

3

他爸爸
tā bàba

____

4

图书馆
túshūguǎn

____

五 完成对话 *Complete the following dialogues.*

1. A：______________？（几）
 ______________？（jǐ）
 B：今天4月28号。
 Jīntiān sì yuè èrshíbā hào.

2. A：昨天星期几？
 Zuótiān xīngqī jǐ?
 B：______________。
 ______________.

3. A：______________，
 ______________，
 ______________？（对吗）
 ______________？（duì ma）
 B：不，我不是法国人，
 Bù, wǒ bú shì Fǎguó rén,
 我是英国人。
 wǒ shì Yīngguó rén.

4. A：这是你的电子词典吗？
 Zhè shì nǐ de diànzǐ cídiǎn ma?
 B：______________。（对）
 ______________.

5. A：你跟我一起去超市，怎么样？
 Nǐ gēn wǒ yìqǐ qù chāoshì, zěnmeyàng?
 B：______________。
 ______________.

6. A：______________？（谁的）
 ______________？(shéi de)
 B：这是我的汉语书。
 Zhè shì wǒ de Hànyǔ shū.

六 把下面的词语整理成句子 *Rearrange the following words and phrases to make sentences.*

1. 今天 生日 是 妈妈的
 jīntiān shēngrì shì māma de

2. 你 什么礼物 准备 买
 nǐ shénme lǐwù zhǔnbèi mǎi

3. 我们 一起 吧 下课以后 吃饭
 wǒmen yìqǐ ba xià kè yǐhòu chī fàn

4. 今天　　二日　　九月
jīntiān　　èr rì　　jiǔ yuè

5. 时间　　你　　吗　　有
shíjiān　　nǐ　　ma　　yǒu

七 把下面的句子改写成疑问句 *Rewrite the following sentences into questions.*

例如：E.g. 我叫朱云。
Wǒ jiào Zhū Yún.
→ 你叫什么名字？
Nǐ jiào shénme míngzi?

1. 这是我的词典。
Zhè shì wǒ de cídiǎn.

2. 今天星期五。
Jīntiān xīngqīwǔ.

3. 我买这种笔。
Wǒ mǎi zhè zhǒng bǐ.

4. 商店在银行东边。
Shāngdiàn zài yínháng dōngbian.

5. 这个大学有三万个学生。
Zhège dàxué yǒu sānwàn ge xuésheng.

6. 我的电脑7800块钱。
Wǒ de diànnǎo qīqiān bābǎi kuài qián.

7. 我有八本中文书。
Wǒ yǒu bā běn Zhōngwén shū.

8. 我是泰国人。
Wǒ shì Tàiguó rén.

9. 他是我哥哥。
Tā shì wǒ gēge.

10. 我爸爸是医生。
Wǒ bàba shì yīshēng.

第三部分　学写汉字
Part Three　Writing Chinese Characters

汉字知识 *About Chinese Characters*

汉字的基本笔画（8） *Basic strokes (8)*

笔形 Strokes	名称 Names	例字 Examples
㇇	横撇 héngpiě	又 yòu again

续表

笔形 Strokes	名称 Names	例字 Examples
㇋	横折折撇 héngzhézhépiě	运 这 道
㇜	竖折撇 shùzhépiě	专 zhuān special

汉字结构（4） *Character structures (4)*

结构类型 Types of structures	例字 Examples	图示 Illustrations
全包围结构 fully-enclosed	四	
半包围结构 semi-enclosed	医 边 问	

写汉字 *Character Writing*

请在汉字练习本上书写下列汉字 

Write the following Chinese characters in the workbook.

课堂用语 *Classroom Expressions* 8-10

1. 你昨天怎么没来上课？ Why were you absent from class yesterday?
   Nǐ zuótiān zěnme méi lái shàng kè?
2. 我期中考试没考好 / 不及格。 I didn't do well in / pass the mid-term exam.
   Wǒ qīzhōng kǎoshì méi kǎohǎo / bù jígé.

你今天有什么安排
What's Your Plan for Today

第一部分　学习语音
Part One　Phonetics

语音练习 *Phonetic Exercises*

1. 听后写出韵母和声调 ***Listen and write down the finals and tones.*** 9-1

w____ sh____	k____ m____	sh____ w____
x____ z____	x____ k____	j____ m____
d____ sh____	z____ j____	

2. 听读辨调 ***Listen, read and discriminate the tones.*** 9-2

第一声+第三声

kāishǐ	shēntǐ	shāngchǎng
tīngxiě	Yīngyǔ	jīchǎng

第一声+第四声

chī fàn	chāoshì	shēngrì
xūyào	gōngzuò	kōngqì

语音知识 *Phonetic Notes*

声调的标写

声调标写在主要元音上。按照a、o、e、i、u、ü 的先后顺序，越靠前的越优先标调。只有韵母iu、ui的声调标在后一个元音上。例如：

The tone mark is written above the main vowel of a syllable. The main vowels are listed in order of precedence as follows: a, o, e, i, u, ü. The exception is in the cases of "iu" and "ui" where the tone mark is written above the latter vowel. For example,

dà　mén　duō　lèi　xué　shuǐ　niú

第二部分 学习课文
Part Two Texts

课文一 Kèwén yī Text One

生词 New Words and Expressions 9-3

1	每天	měi tiān		every day
2	点	diǎn	*m.*	o'clock
3	半	bàn	*num.*	half
4	起床	qǐ chuáng		get up, get out of bed
	起	qǐ	*v.*	stand up, get up, rise
	床	chuáng	*n.*	bed
5	先	xiān	*adv.*	before, earlier, first, in advance
6	洗澡	xǐ zǎo	*v.*	have or take a bath, take a shower
	洗	xǐ	*v.*	wash
7	然后	ránhòu	*conj.*	and then, after that
8	早饭	zǎofàn	*n.*	breakfast
9	差	chà	*v.*	be less than, fall short of
10	刻	kè	*m.*	quarter (of an hour)
11	教室	jiàoshì	*n.*	classroom, schoolroom
12	开始	kāishǐ	*v.*	begin, start
13	下午	xiàwǔ	*n.*	afternoon, p.m.
14	常常	chángcháng	*adv.*	frequently, usually, often
15	晚上	wǎnshang	*n.*	evening, night
16	有时候	yǒu shíhou		sometimes
17	电视	diànshì	*n.*	television, TV
18	上网	shàng wǎng		be on the Internet, surf the Internet

课文 Text 9-4

问题 Wèntí

1. “我”每天几点起床？
“Wǒ” měi tiān jǐ diǎn qǐ chuáng?
2. “我”几点开始上课？
“Wǒ” jǐ diǎn kāishǐ shàng kè?
3. 下午“我”常常做什么？
Xiàwǔ "wǒ" chángcháng zuò shénme?
4. “我”晚上做什么？
“Wǒ” wǎnshang zuò shénme?

我是留学生。我每天六点半起床，起床以后先洗澡，然后吃早饭。我差一刻八点去教室上课。我们每天八点开始上课，十一点半下课。下午我常常去图书馆看书。晚上我学习汉语，有时候看电视、上网。

Wǒ shì liúxuéshēng. Wǒ měi tiān liù diǎn bàn qǐ chuáng, qǐ chuáng yǐhòu xiān xǐ zǎo, ránhòu chī zǎofàn. Wǒ chà yí kè bā diǎn qù jiàoshì shàng kè. Wǒmen měi tiān bā diǎn kāishǐ shàng kè, shíyī diǎn bàn xià kè. Xiàwǔ wǒ chángcháng qù túshūguǎn kàn shū. Wǎnshang wǒ xuéxí Hànyǔ, yǒu shíhou kàn diànshì、shàng wǎng.

课文二 Kèwén èr Text Two

生词 New Words and Expressions 9-5

1	现在	xiànzài	*n.*	now, at present
2	事	shì	*n.*	matter, affair, thing, event
3	开	kāi	*v.*	open
4	门	mén	*n.*	door, gate
5	关	guān	*v.*	shut, close
6	明天	míngtiān	*n.*	tomorrow

专名 Proper Name

英文	Yīngwén	English (language)

课文 Text 9-6

问题 Wèntí

1. 马丁几点去图书馆？
   Mǎdīng jǐ diǎn qù túshūguǎn?
2. 马丁去图书馆做什么？
   Mǎdīng qù túshūguǎn zuò shénme?
3. 图书馆几点开门？几点关门？
   Túshūguǎn jǐ diǎn kāi mén? Jǐ diǎn guān mén?

马丁：现在 几点？
Mǎdīng: Xiànzài jǐ diǎn?

林娜：一点四十。你有事吗？
Línnà: Yī diǎn sìshí. Nǐ yǒu shì ma?

马丁：我两点去图书馆看书。
Wǒ liǎng diǎn qù túshūguǎn kàn shū.

林娜：你看什么书？
Nǐ kàn shénme shū?

马丁：我看英文书。
Wǒ kàn Yīngwén shū.

林娜：图书馆每天几点开门？
Túshūguǎn měi tiān jǐ diǎn kāi mén?

马丁：早上八点开门。
Zǎoshang bā diǎn kāi mén.

林娜：几点关门？
Jǐ diǎn guān mén?

马丁：晚上八点关门。
Wǎnshang bā diǎn guān mén.

林娜：太好了，明天我也去。
Tài hǎo le, míngtiān wǒ yě qù.

课文三 Kèwén sān Text Three

生词 New Words and Expressions 9-7

1	安排	ānpái	*n.*	arrangement, plan
2	上午	shàngwǔ	*n.*	morning, forenoon

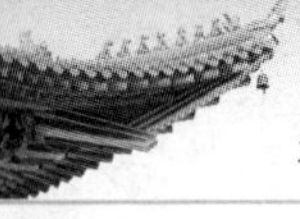

3	朋友	péngyou	*n.*	friend
4	见面	jiàn miàn	*v.*	meet, see
5	电影	diànyǐng	*n.*	film, movie
6	再见	zàijiàn	*v.*	goodbye, see you again

课文 Text 9-8

问题 Wèntí

1. 山田今天有什么安排?
   Shāntián jīntiān yǒu shénme ānpái?
2. 电影几点开始?
   Diànyǐng jǐ diǎn kāishǐ?

（早上崔浩给山田打电话。Cui Hao is calling Yamada in the morning.）

山田：你 好！
Shāntián: Nǐ hǎo!

崔浩：山田，我 是 崔 浩。你 今天 有 什么 安排？
Cuī Hào: Shāntián, wǒ shì Cuī Hào. Nǐ jīntiān yǒu shénme ānpái?

山田：上午 九点 我 跟 中国 朋友 见面，下午 我 有 时间，你 有 什么 事？
Shàngwǔ jiǔ diǎn wǒ gēn Zhōngguó péngyou jiànmiàn, xiàwǔ wǒ yǒu shíjiān, nǐ yǒu shénme shì?

崔浩：我 想 请 你 看 中国 电影。
Wǒ xiǎng qǐng nǐ kàn Zhōngguó diànyǐng.

山田：好 啊。电影 几 点 开始？
Hǎo a. Diànyǐng jǐ diǎn kāishǐ?

崔浩：下午 两 点 半 开始。我们 两 点 一 刻 去 吧。
Xiàwǔ liǎng diǎn bàn kāishǐ. Wǒmen liǎng diǎn yí kè qù ba.

山田：好。再见！
Hǎo. Zàijiàn!

崔浩：再见！
Zàijiàn!

综合注释 Comprehensive Notes

1. 我每天六点半起床，起床以后先洗澡，然后吃早饭。

"先……，然后……"表示动作行为发生的顺序，一个在前，一个在后。例如：

"先……，然后……" indicates the sequence of actions. For example,

① 我先学习汉语，然后看电视。
② 我先去银行，然后去书店。
③ 我先上课，然后去商店。

2. 我差一刻八点去教室上课。

"来/ 去（+O_1）+ V + O_2"这个结构表示到某地做某事。"V + O_2"表示"来"或者"去"的目的。"O_1"是表示处所或者地方的名词，有时可以省略。例如：

The structure "来 / 去 +(O_1)+ V + O_2" is used to indicate one comes to or goes to somewhere to do something. "V + O_2 " means the purpose of "来" or "去". "O_1" is a noun indicating the position or place, and it can be omitted sometimes. For example,

① 他来我家吃饭。
② 下午我去图书馆看书。
③ 我明天去（银行）存钱（cúnqián, deposit money）。
④ 晚上我去（电影院diànyǐngyuàn, cinema）看电影。

3. 我们每天八点开始上课。

时间名词或短语可以放在动词前边做状语。时间词语一般放在主语后边，有时候也可以放在主语前边。

Nouns or phrases of time can be used as adverbials in front of verbs. In a sentence, the time noun usually comes after the subject, but sometimes it may occur in front of the subject.

S	P	
	时间词语	V+O
我	六点半	起床。
电影	两点	开始。
你	今天	有什么安排？
你	几点	吃早饭？

<table>
<tr><th rowspan="2">时间词语</th><th rowspan="2">S</th><th>P</th></tr>
<tr><th>V+O</th></tr>
<tr><td>今天</td><td>我</td><td>有事。</td></tr>
<tr><td>下午</td><td>我</td><td>去图书馆。</td></tr>
<tr><td>八点</td><td>我们</td><td>开始上课。</td></tr>
</table>

4.（现在）一点四十。

时间称说法 How to tell time

2：00 两点
liǎng diǎn

2：05 两点零五（分）
liǎng diǎn líng wǔ (fēn)

3：10 三点十分
sān diǎn shí fēn

4：15 四点十五（分）
sì diǎn shí wǔ (fēn)

四点一刻
sì diǎn yí kè

5：30 五点三十（分）
wǔ diǎn sānshí (fēn)

五点半
wǔ diǎn bàn

6：45 六点四十五（分）
liù diǎn sìshíwǔ (fēn)

六点三刻
liù diǎn sān kè

差一刻七点
chà yí kè qī diǎn

7：50 七点五十（分）
qī diǎn wǔshí (fēn)

差十分八点
chà shí fēn bā diǎn

询问时间一般用“几点”。例如：

“几点” is commonly used to ask about the time. For example,

① 现在几点？
② 你几点上课？
③ 电影几点开始？
④ 图书馆几点开门？

补充词语 *Supplementary Vocabulary*

买东西	mǎi dōngxi	go shopping
喝咖啡	hē kāfēi	drink coffee

游泳	yóu yǒng	swim
跑步	pǎo bù	run, jog
睡觉	shuì jiào	sleep
打球	dǎ qiú	play a ball game

课堂活动 *In-Class Activity*

请你说说他们一天的活动，然后说说你一天的活动

Talk about their daily activities, and then talk about yours.

	林娜 Línnà	李老师 Lǐ lǎoshī	王影 Wáng Yǐng	我 wǒ
6：30		起床 qǐ chuáng	起床 qǐ chuáng	
7：00	起床 qǐ chuáng 喝咖啡 hē kāfēi	吃早饭 chī zǎofàn	吃早饭 chī zǎofàn	
8：00	上课 shàng kè	上课 shàng kè	开始工作 kāishǐ gōngzuò	
11：30	下课 xià kè	下课 xià kè	喝茶 hē chá	
12：30	吃午饭 chī wǔfàn	去书店 qù shūdiàn	吃午饭 chī wǔfàn	
下午1：00	游泳 yóu yǒng	吃午饭 chī wǔfàn	去买东西 qù mǎi dōngxi	
晚上7：30	学习汉语 xuéxí Hànyǔ	看书 kàn shū	跟朋友见面 gēn péngyou jiàn miàn	
晚上10：30	看电视 kàn diànshì	睡觉 shuì jiào	上网 shàng wǎng	

综合练习 Comprehensive Exercises

一 读出下面的时间 *Read out the following time.* 9-10

2：05	9：30	9：47	11：20
4：15	5：58	10：36	6：28
7：08	12：12	3：45	1：50

二 按照正确顺序说出下面的时间 *Speak out the following time in the correct order.*

例如：E.g. 早上 今天 —— 今天早上

6：00 早上	今天 9：20 上午
3：45 下午 明天	8：00 晚上
7：40 星期三 晚上	上午 6月2日
1月1日 3：45 下午	早上 12月24日 5：00
9：00 星期五 4月30日	9月8日 10：30

三 选择适当的词语填空 *Choose the proper words to fill in the blanks.*

事	开始	吃	现在	常常	上网	每天	然后
shì	kāishǐ	chī	xiànzài	chángcháng	shàng wǎng	měi tiān	ránhòu

1. 他（　　）都学习汉语。
   Tā（　　）dōu xuéxí Hànyǔ.
2. 他（　　）看电影。
   Tā（　　）kàn diànyǐng.
3. 你有（　　）吗？
   Nǐ yǒu（　　）ma?
4. 我们八点（　　）上课。
   Wǒmen bā diǎn（　　）shàng kè.
5. 你（　　）早饭吗？
   Nǐ（　　）zǎofàn ma?
6. （　　）几点？
   （　　）jǐ diǎn?
7. 我有时候（　　）。
   Wǒ yǒu shíhou（　　）.
8. 我先去银行，（　　）去饭馆。
   Wǒ xiān qù yínháng,（　　）qù fànguǎn.

四 完成对话 *Complete the following dialogues.*

1. A：你晚上做什么？
   Nǐ wǎnshang zuò shénme?
   B：__________。（常常）
   __________.（chángcháng）

2. A：超市几点开门？
   Chāoshì jǐ diǎn kāi mén?
   B：__________。（九点）
   __________.（jiǔ diǎn）

3. A：你今天上午有什么安排？
Nǐ jīntiān shàngwǔ yǒu shénme ānpái?

B：__________。（去+V+O）
__________. (qù +V+O)

4. A：这是什么词典？
Zhè shì shénme cídiǎn?

B：__________。（汉语）
__________. (Hànyǔ)

5. A：__________？（几点）
__________? (jǐ diǎn)

B：我七点吃早饭。
Wǒ qī diǎn chī zǎofàn.

A：你早饭吃什么？
Nǐ zǎofàn chī shénme?

B：__________。（和）
__________. (hé)

6. A：你好！我是朱云。
Nǐ hǎo! Wǒ shì Zhū Yún.

B：__________？（什么事）
__________? (shénme shì)

A：今天晚上我想请你看电影。
Jīntiān wǎnshang wǒ xiǎng qǐng nǐ kàn diànyǐng.

B：好啊。谢谢。
Hǎo a. Xièxie.

五 用“先……，然后……”完成下面的句子

Complete the following sentences with “先……，然后……”.

例如：E.g. 吃饭　去上课
chī fàn　qù shàng kè
→ 我先吃饭然后去上课。
wǒ xiān chī fàn ránhòu qù shàng kè.

1. 学习汉语　看电视　每天晚上
xuéxí Hànyǔ　kàn diànshì　měi tiān wǎnshang

2. 睡觉　洗澡　常常
shuì jiào　xǐ zǎo　chángcháng

3. 上课　上网　今天
shàng kè　shàng wǎng　jīntiān

4. 去饭馆吃饭　跟朋友见面　今天下午
qù fànguǎn chī fàn　gēn péngyou jiàn miàn　jīntiān xiàwǔ

六 把下面的词语整理成句子 *Rearrange the following words and phrases to make sentences.*

1. 明天上午 míngtiān shàngwǔ　我 wǒ　有课 yǒu kè　八点 bā diǎn

2. 看书 kàn shū　下午 xiàwǔ　去图书馆 qù túshūguǎn　我 wǒ

3. 有时候 yǒu shíhou　上网 shàng wǎng　我 wǒ

4. 今天下午 jīntiān xiàwǔ　我 wǒ　超市 chāoshì　去 qù

5. 我 wǒ　不 bù　吃 chī　早饭 zǎofàn

6. 你 nǐ　起床 qǐ chuáng　几点 jǐ diǎn　每天 měi tiān

7. 下课以后 xià kè yǐhòu　喝咖啡 hē kāfēi　去 qù　我们 wǒmen　好吗 hǎo ma

8. 开始 kāishǐ　电影 diànyǐng　几点 jǐ diǎn

七 你周末有什么安排？请填在下面的表中

What's your plan for the weekend? Please fill out the form.

	星期六	星期日
早上 zǎoshang	8：00 吃早饭	
上午 shàngwǔ		
中午 (noon) zhōngwǔ		
下午 xiàwǔ		
晚上 wǎnshang		

第三部分　学写汉字
Part Three　Writing Chinese Characters

汉字知识　*About Chinese Characters*

汉字偏旁（1）　***Radicals (1)***

口　kǒuzìpáng　吗
口　fāngkuàng　国

汉字组合（1）　***Combinations (1)***

偏旁 Radicals	部件组合 Combinations	例字 Examples	结构图示 Illustrations
口	口＋马	吗	
	口＋尼	呢	
	口＋那	哪	
	口＋乞	吃	
	口＋阿	啊	
	口＋丩	叫	
囗	囗＋玉	国	
	囗＋冬	图	

写汉字　*Character Writing*

请在汉字练习本上书写下列汉字 

Write the following Chinese characters in the workbook.

日常用语 *Daily Expressions* 9-11

1. 八点集合，请大家准时。 We will meet at 8 o'clock. Please be on time.
   Bā diǎn jíhé, qǐng dàjiā zhǔnshí.
2. 不用谢！ You're welcome.
   Búyòng xiè!

10 这个星期天你忙不忙
Are You Busy This Sunday

第一部分　学习语音
Part One　Phonetics

语音练习　Phonetic Exercises

1. 听读辨调　*Listen, read and discriminate the tones.* 10-1

一声 + 轻声

xiūxi	māma	gēge	yīfu
tāmen	dōngxi	zhīdao	xīn de

二声 + 一声

míngtiān	qiántiān	shíjiān	jié hūn
zuótiān	pá shān	fángjiān	huí jiā

2. 读下面的词语，并在"bu"上边标上声调

Read the following words and add tone marks to "bu". 

不喝bu hē	不买bu mǎi	不漂亮bu piàoliang
不吃bu chī	不看bu kàn	不客气bu kèqi
不多bu duō	不去bu qù	不上网bu shàng wǎng
不学bu xué	不对bu duì	不新鲜bu xīnxiān
不想bu xiǎng	不累bu lèi	不知道bu zhīdào
不小bu xiǎo	不要bu yào	不开门bu kāi mén

第二部分　学习课文
Part Two　Texts

课文一　Kèwén yī　Text One

生词　*New Words and Expressions* 

1	城市	chéngshì	*n.*	city

2	公园	gōngyuán	*n.*	park
3	那里	nàli	*pron.*	that place, there
4	山	shān	*n.*	hill, mountain
5	水	shuǐ	*n.*	water, *general term for rivers, lakes, seas, etc.*
6	树	shù	*n.*	tree
7	花	huā	*n.*	flower, blossom, bloom
8	风景	fēngjǐng	*n.*	scenery, landscape
9	非常	fēicháng	*adv.*	very much
10	漂亮	piàoliang	*adj.*	beautiful
11	空气	kōngqì	*n.*	air, atmosphere
12	新鲜	xīnxiān	*adj.*	fresh
13	多	duō	*adj.*	many, much
14	爬山	pá shān		climb a mountain
	爬	pá	*v.*	climb
15	呼吸	hūxī	*v.*	breathe

专名 *Proper Name*

西山公园	Xīshān Gōngyuán	Xishan (West Mountain) Park

课文 *Text* 10-4

问题 Wèntí

1. 西山公园在哪儿?
Xīshān Gōngyuán zài nǎr?
2. 西山公园怎么样?
Xīshān Gōngyuán zěnmeyàng?

这个 城市 西边 有 一 个 公园，
Zhège chéngshì xībian yǒu yí ge gōngyuán,

叫 西山 公园。那里 有 山，有 水，有 树，有 花，风景 非常 漂亮，
jiào Xīshān Gōngyuán. Nàli yǒu shān, yǒu shuǐ, yǒu shù, yǒu huā, fēngjǐng fēicháng piàoliang,

空气 也 非常 新鲜。每 天 都 有 很 多 人 去 那儿 爬 山，看 风景，呼吸
kōngqì yě fēicháng xīnxiān. Měi tiān dōu yǒu hěn duō rén qù nàr pá shān, kàn fēngjǐng, hūxī

新鲜 空气。这个 星期天 我们 也 去 爬 山。
xīnxiān kōngqì. Zhège xīngqītiān wǒmen yě qù pá shān.

课文 二 Kèwén èr Text Two

生词 New Words and Expressions 10-5

1	忙	máng	*adj.*	busy
2	听说	tīngshuō	*v.*	hear of, be told
3	出发	chūfā	*v.*	set out, set off, start off
4	找	zhǎo	*v.*	look for, try to find, want to see

课文 Text 10-6

问题 Wèntí

1. 马丁的朋友这个星期天忙不忙？
   Mǎdīng de péngyou zhège xīngqītiān máng bu máng?
2. 马丁这个星期天做什么？
   Mǎdīng zhège xīngqītiān zuò shénme?
3. 马丁的朋友也想去吗？
   Mǎdīng de péngyou yě xiǎng qù ma?

马丁：这个 星期天 你 忙 不 忙？
Mǎdīng: Zhège xīngqītiān nǐ máng bu máng?

朋友：我 不 忙。
Péngyou: Wǒ bù máng.

马丁：星期天 我们 去 爬 山，你 去 不 去？
Xīngqītiān wǒmen qù pá shān, nǐ qù bu qù?

朋友：你们 去 哪儿 爬 山？
Nǐmen qù nǎr pá shān?

马丁：去 西山。
Qù Xīshān.

朋友：听说 西山 非常 漂亮，我 也 想 跟 你们 一起 去。
Tīngshuō Xīshān fēicháng piàoliang, wǒ yě xiǎng gēn nǐmen yìqǐ qù.

马丁：太 好 了。我们 早上 八 点 出发。
Tài hǎo le. Wǒmen zǎoshang bā diǎn chūfā.

朋友：我 七 点 半 去 找 你。
Wǒ qī diǎn bàn qù zhǎo nǐ.

课文 三 Kèwén sān Text Three

生词 New Words and Expressions 10-7

1	大家	dàjiā	*pron.*	all, everyboby, everyone
2	累	lèi	*adj.*	tired
3	觉得	juéde	*v.*	think, feel
4	休息	xiūxi	*v.*	take a breather, have a rest
5	一下	yíxià	*q.*	*used after a verb to indicate one action or one try*
6	小	xiǎo	*adj.*	small, little, petty, minor
7	茶馆	cháguǎn	*n.*	teahouse
	茶	chá	*n.*	tea
8	喝	hē	*v.*	drink
9	一点儿	yìdiǎnr	*q.*	a little, a bit

课文 Text 10-8

问题 Wèntí

1. 他们爬山累不累？
   Tāmen pá shān lèi bu lèi?
2. 他们去哪儿喝茶？
   Tāmen qù nǎr hē chá?

（崔浩和朋友们一起在西山爬山。Cui Hao is climbing the West Mountain with his friends.）

崔浩：大家累不累？
Cuī Hào: Dàjiā lèi bu lèi?

林娜：累！
Línnà: Lèi!

马丁：我也觉得很累，我们休息一下吧。
Mǎdīng: Wǒ yě juéde hěn lèi, wǒmen xiūxi yíxià ba.

崔浩：前边　有一个小　茶馆，我们　去那儿喝一点儿茶，好不好？
Qiánbian yǒu yí ge xiǎo cháguǎn, wǒmen qù nàr hē yìdiǎnr chá, hǎo bu hǎo?

大家：好啊！
Hǎo a!

综合注释 Comprehensive Notes

1. 风景非常漂亮。

汉语中的形容词做谓语时，主语和形容词之间不需要用“是”，形容词前面常常加“很”“非常”等程度副词。例如：

There's no need to use “是” between the subject and adjective when the adjective concerned is used as the predicate. Usually an adverb of degree, such as “很” or “非常”, is added before the adjective. For example,

S	P	
	Adv	Adj
林娜的妈妈	非常	漂亮。
山上的空气	很	新鲜。
我	很	忙。

2. 这个星期天你忙不忙？

正反疑问句（1）：Adj不Adj

Affirmative-negative questions (1): Adj 不 Adj

S	P		
	Adj	不	Adj?
你	冷	不	冷？
你们	累	不	累？
西山	漂亮	不	漂亮？

正反疑问句（2）：V不V

Affirmative-negative questions (2): V 不 V

S	P			
	V	不	V	(O)?
你	去	不	去?	
你	喝	不	喝	茶?
你	看	不	看	电影?

S	P					
	V_1	不	V_1	(O_1)	V_2	(O_2)?
你	去	不	去		看	电影?
你	想	不	想		买	电脑?

3. 我们休息一下吧。

"一下"用在动词后边，表示时间短暂，也表示做一次或者试着做的意思。例如：

"一下" is used after a verb, indicating a short moment. Sometimes it also means "for once" or "have a try". For example,

① 我很累，我想休息一下。
② 我去一下卫生间。
③ 我看一下你的词典，行吗？
④ 请你读（dú，read）一下课文。

4. 我们去那儿喝一点儿茶，好不好？

"一点儿（1）"表示数量很少，用在名词前边做定语，口语里"一"常常省略。例如：

"一点儿（1）" means a little. It is used as an attributive before a noun. In spoken Chinese, "一" is often omitted. For example,

① 我买（一）点儿苹果。
② 我们喝（一）点儿水吧。
③ 我有（一）点儿事。

补充词语 Supplementary Vocabulary

10-9

冷	lěng	*adj.*	cold
热	rè	*adj.*	hot
饿	è	*adj.*	hungry
渴	kě	*adj.*	thirsty
贵	guì	*adj.*	expensive
便宜	piányi	*adj.*	cheap

课堂活动 *In-Class Activity*

小组问答练习 ***Work in groups and do question-and-answer drills.***

例如：E.g. A：西山漂亮不漂亮？
Xīshān piàoliang bu piàoliang?

B：西山非常漂亮。
Xīshān fēicháng piàoliang.

1.

你学习 nǐ xuéxí 累 lèi	你爸爸 nǐ bàba 忙 máng	你的英语 nǐ de Yīngyǔ 好 hǎo
你的书 nǐ de shū 贵 guì	她 tā 漂亮 piàoliang	你的朋友 nǐ de péngyou 多 duō
今天 jīntiān 热 rè	你 nǐ 渴 kě	你 nǐ 饿 è

2.

他 tā 去 qù	你 nǐ 看电视 kàn diànshì	你 nǐ 吃早饭 chī zǎofàn
你 nǐ 喝茶 hē chá	你 nǐ 上网 shàng wǎng	你 nǐ 买电脑 mǎi diànnǎo

综合练习 Comprehensive Exercises

一 熟读下面的词语，并写出拼音

Read the following words and phrases repeatedly and write down their pinyin syllables.

漂亮＿＿＿＿＿	茶馆＿＿＿＿＿	很多＿＿＿＿＿
觉得＿＿＿＿＿	饭馆＿＿＿＿＿	很忙＿＿＿＿＿
休息＿＿＿＿＿	一下＿＿＿＿＿	很累＿＿＿＿＿
风景＿＿＿＿＿	一点儿＿＿＿＿＿	很新鲜＿＿＿＿＿

二 看图说话，并写下来

Say something about each picture and write down what you say.

1

漂亮 piàoliang

＿＿＿＿＿＿＿＿＿＿＿＿＿＿＿＿

2

忙 máng

＿＿＿＿＿＿＿＿＿＿＿＿＿＿＿＿

3

爬山 pá shān

＿＿＿＿＿＿＿＿＿＿＿＿＿＿＿＿

4

喝茶 hē chá

＿＿＿＿＿＿＿＿＿＿＿＿＿＿＿＿

三 说一说 *Speaking practice*

1. 你喜欢的一个地方。Describe a place that you like.

有……，有……，有…… 漂亮 好 多

yǒu……， yǒu……， yǒu…… piàoliang hǎo duō

2. 你现在怎么样？ How are you? / How's everything?

学习 工作 忙 累 好
xuéxí gōngzuò máng lèi hǎo

四 把下面的句子改写成正反疑问句并回答

Rewrite the following sentences into affirmative-negative questions and then answer them.

例如：E.g. 你忙吗？
Nǐ máng ma?
→ 你忙不忙？
Nǐ máng bu máng?
→ 我很忙。/ 我不忙。
Wǒ hěn máng. / Wǒ bù máng.

1. 苹果新鲜吗？
Píngguǒ xīnxiān ma?

2. 这个大学韩国留学生多吗？
Zhège dàxué Hánguó liúxuéshēng duō ma?

3. 他是美国人吗？
Tā shì Měiguó rén ma?

4. 你买电脑吗？
Nǐ mǎi diànnǎo ma?

5. 你去超市吗？
Nǐ qù chāoshì ma?

6. 你想学习西班牙语吗？
Nǐ xiǎng xuéxí Xībānyáyǔ ma?

五 用"V+一下"完成句子 *Complete the following sentences with "V+一下".*

1. 我______一下你的书，行吗？
Wǒ ______ yíxià nǐ de shū, xíng ma?

2. 我______一下卫生间。
Wǒ______ yíxià wèishēngjiān.

3. 我很累，我想______一下。
Wǒ hěn lèi, wǒ xiǎng ______ yíxià.

4. 我想______一下你的词典。
Wǒ xiǎng ______ yíxià nǐ de cídiǎn.

5. 下课以后，我想______一下银行。
Xià kè yǐhòu, wǒ xiǎng ______ yíxià yínháng.

六 用所给词语和“一点儿”造句 *Make sentences with the given words and “一点儿”.*

1. 买 茶
   mǎi chá

2. 喝 水
   hē shuǐ

3. 还有 时间
   hái yǒu shíjiān

4. 有 事
   yǒu shì

七 把下面的词语整理成句子 *Rearrange the following words and phrases to make sentences.*

1. 我们 爬山 这个 星期六 去
   wǒmen pá shān zhège xīngqīliù qù

2. 这个 漂亮 地方 很
   zhège piàoliang dìfang hěn

3. 他 觉得 很 新鲜 这里的空气
   tā juéde hěn xīnxiān zhèli de kōngqì

4. 我朋友 很忙 每天 都
   wǒ péngyou hěn máng měi tiān dōu

5. 我们 早上 出发 九点半
   wǒmen zǎoshang chūfā jiǔ diǎn bàn

6. 喝茶 晚上 茶馆 去 我们
   hē chá wǎnshang cháguǎn qù wǒmen

八 游戏：看谁说得好 *Game: Who can speak better?*

具体要求：***Requirements:***

1. 请A同学回答下列问题：Student A answers the following questions.

（1）你忙不忙？
Nǐ máng bu máng?

（2）你每天几点起床？
Nǐ měi tiān jǐ diǎn qǐ chuáng?

（3）你们那里有公园吗？
Nǐmen nàli yǒu gōngyuán ma?

（4）公园里有什么？
Gōngyuán li yǒu shénme?

（5）漂亮不漂亮？
Piàoliang bu piàoliang?

2. 请B同学把A同学的话再说一遍。Student B repeats what Student A said.

第三部分　学写汉字
Part Three　Writing Chinese Characters

汉字知识 *About Chinese Characters*

汉字偏旁（2） ***Radicals (2)***

女　nǚzìpáng　妈
亻　dānrénpáng　你

汉字组合（2） ***Combinations (2)***

偏旁 Radicals	部件组合 Combinations	例字 Examples	结构图示 Illustrations
女	女＋马	妈	⿰
	女＋也	她	⿰
	女＋生	姓	⿰
	女＋那	娜	⿲

续表

偏旁 Radicals	部件组合 Combinations	例字 Examples	结构图示 Illustrations
亻	亻＋尔	你	
	亻＋也	他	
	亻＋门	们	
	亻＋乍	作	
	亻＋十	什	
	亻＋故	做	

写汉字　*Character Writing*

请在汉字练习本上书写下列汉字 

Write the following Chinese characters in the workbook.

妈    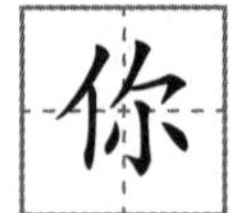  

作  

日常用语　*Daily Expressions* 

1. 劳驾，帮我叫辆出租车！　Excuse me, please get me a taxi.
   Láojià, bāng wǒ jiào liàng chūzūchē!
2. 明天见！（不见不散！）　See you tomorrow! (Be there or be square!)
   Míngtiān jiàn! (Bú jiàn bú sàn!)

普通话声母韵母拼合总表

Table of Combinations of Initials and Finals in *Putonghua*

韵母 / 声母	a	o	e	-i [ɿ]	-i [ʅ]	er	ai	ei	ao	ou	an	en	ang	eng	ong	i	ia	iao	ie	iu	ian	in	iang	ing	iong	u	ua	uo	uai	ui	uan	un	uang	ueng	ü	üe	üan	ün
	a	o	e			er	ai	ei	ao	ou	an	en	ang	eng		yi	ya	yao	ye	you	yan	yin	yang	ying	yong	wu	wa	wo	wai	wei	wan	wen	wang	weng	yu	yue	yuan	yun
b	ba	bo					bai	bei	bao		ban	ben	bang	beng		bi		biao	bie		bian	bin		bing		bu												
p	pa	po					pai	pei	pao	pou	pan	pen	pang	peng		pi		piao	pie		pian	pin		ping		pu												
m	ma	mo	me				mai	mei	mao	mou	man	men	mang	meng		mi		miao	mie	miu	mian	min		ming		mu												
f	fa	fo						fei		fou	fan	fen	fang	feng												fu												
d	da		de				dai	dei	dao	dou	dan		dang	deng	dong	di		diao	die	diu	dian			ding		du		duo		dui	duan	dun						
t	ta		te				tai		tao	tou	tan		tang	teng	tong	ti		tiao	tie		tian			ting		tu		tuo		tui	tuan	tun						
n	na		ne				nai	nei	nao	nou	nan	nen	nang	neng	nong	ni		niao	nie	niu	nian	nin	niang	ning		nu		nuo			nuan				nü	nüe		
l	la		le				lai	lei	lao	lou	lan		lang	leng	long	li	lia	liao	lie	liu	lian	lin	liang	ling		lu		luo			luan	lun			lü	lüe		
z	za		ze	zi			zai	zei	zao	zou	zan	zen	zang	zeng	zong											zu		zuo		zui	zuan	zun						
c	ca		ce	ci			cai		cao	cou	can	cen	cang	ceng	cong											cu		cuo		cui	cuan	cun						
s	sa		se	si			sai		sao	sou	san	sen	sang	seng	song											su		suo		sui	suan	sun						
zh	zha		zhe		zhi		zhai	zhei	zhao	zhou	zhan	zhen	zhang	zheng	zhong											zhu	zhua	zhuo	zhuai	zhui	zhuan	zhun	zhuang					
ch	cha		che		chi		chai		chao	chou	chan	chen	chang	cheng	chong											chu	chua	chuo	chuai	chui	chuan	chun	chuang					
sh	sha		she		shi		shai	shei	shao	shou	shan	shen	shang	sheng												shu	shua	shuo	shuai	shui	shuan	shun	shuang					
r			re		ri				rao	rou	ran	ren	rang	reng	rong											ru		ruo		rui	ruan	run						
j																ji	jia	jiao	jie	jiu	jian	jin	jiang	jing	jiong										ju	jue	juan	jun
q																qi	qia	qiao	qie	qiu	qian	qin	qiang	qing	qiong										qu	que	quan	qun
x																xi	xia	xiao	xie	xiu	xian	xin	xiang	xing	xiong										xu	xue	xuan	xun
g	ga		ge				gai	gei	gao	gou	gan	gen	gang	geng	gong											gu	gua	guo	guai	gui	guan	gun	guang					
k	ka		ke				kai		kao	kou	kan	ken	kang	keng	kong											ku	kua	kuo	kuai	kui	kuan	kun	kuang					
h	ha		he				hai	hei	hao	hou	han	hen	hang	heng	hong											hu	hua	huo	huai	hui	huan	hun	huang					

11 我在学校食堂吃饭

I Eat at the School Canteen

第一部分　学习课文
Part One　Texts

课文一　Kèwén yī　Text One

生词　New Words and Expressions　11-1

1	同屋	tóngwū	*n.*	roommate
2	在	zài	*prep.*	at, in, on (a place)
3	家	jiā	*m.*	*used for families or business establishments*
4	汽车	qìchē	*n.*	motor vehicle, car, auto
5	公司	gōngsī	*n.*	company, corporation
6	工作	gōngzuò	*v.*	work
7	从……到……	cóng……dào……		from...to / till...
	从	cóng	*prep.*	from, since
	到	dào	*v.*	up until, up to, by
8	上班	shàng bān	*v.*	go to work, be on duty
9	周末	zhōumò	*n.*	weekend
10	平时	píngshí	*n.*	ordinary times, normal times
11	学校	xuéxiào	*n.*	school, educational institution
12	食堂	shítáng	*n.*	canteen, cafeteria
13	……的时候	……de shíhou		when, while
	时候	shíhou	*n.*	(the duration of) time
14	做饭	zuò fàn		prepare a meal
15	菜	cài	*n.*	dish, course
16	聊天儿	liáo tiānr	*v.*	chat

课文 Text 11-2

问题 Wèntí

1. "我"同屋在哪儿工作?
   "Wǒ" tóngwū zài nǎr gōngzuò?
2. "我"平时在哪儿吃饭?
   "Wǒ" píngshí zài nǎr chī fàn?
3. 休息的时候，"我"和同屋做什么?
   Xiūxi de shíhou, "Wǒ" hé tóngwū zuò shénme?

我的同屋是 中国 人，
Wǒ de tóngwū shì Zhōngguó rén,

他在一家汽车公司 工作。他
tā zài yì jiā qìchē gōngsī gōngzuò. Tā

每天都很忙，从 早上 八点 到下午五点都在公司 上班， 有
měi tiān dōu hěn máng, cóng zǎoshang bā diǎn dào xiàwǔ wǔ diǎn dōu zài gōngsī shàng bān, yǒu

时候 周末也去 上班。平时 我在 学校 食堂吃饭，他也不在家吃
shíhou zhōumò yě qù shàng bān. Píngshí wǒ zài xuéxiào shítáng chī fàn, tā yě bú zài jiā chī

饭。休息的时候，我们在家做饭。我做 韩国菜，他做 中国 菜，我们
fàn. Xiūxi de shíhou, wǒmen zài jiā zuò fàn. Wǒ zuò Hánguó cài, tā zuò Zhōngguó cài, wǒmen

一起吃饭聊天儿。
yìqǐ chī fàn liáo tiānr.

课文二 Kèwén èr Text Two

生词 New Words and Expressions 11-3

1	晚饭	wǎnfàn	*n.*	supper, dinner
2	手机	shǒujī	*n.*	mobile phone, cell phone
3	号码	hàomǎ	*n.*	number
4	不用	búyòng	*adv.*	need not, no need to
	用	yòng	*v.*	(*mostly used in the negative*) need, have to

课文 Text 11-4

（山田给崔浩打电话，崔浩的同屋王朋接电话。Yamada is making a phone call to Cui Hao. Wang Peng, Cui Hao's roommate, is answering the phone.）

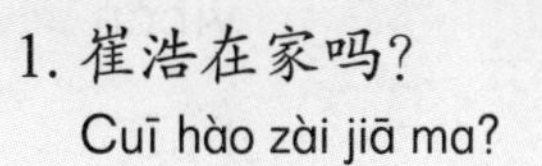

1. 崔浩在家吗?
   Cuī hào zài jiā ma?
2. 他在哪儿?
   Tā zài nǎr?
3. 他的手机号码是多少?
   Tā de shǒujī hàomǎ shì duōshao?

王朋：你 好！请问 你 找 谁？
Wáng Péng: Nǐ hǎo! Qǐngwèn nǐ zhǎo shéi?

山田：你 好！ 我 是 崔 浩 的 同学
Shāntián: Nǐ hǎo! Wǒ shì Cuī Hào de tóngxué

山田。 崔 浩 在吗？
Shāntián. Cuī Hào zài ma?

王朋：他 不 在。现在 他 在 朋友 家 吃 晚饭。
Tā bú zài. Xiànzài tā zài péngyou jiā chī wǎnfàn.

山田：他 的 手机 号码 是 多少， 你 知道 吗？
Tā de shǒujī hàomǎ shì duōshao, Nǐ zhīdào ma?

王朋：知道，号码 是：13261231948。
Zhīdào, hàomǎ shì: yāo sān èr liù yāo èr sān yāo jiǔ sì bā.

山田：谢谢 你！
Xièxie nǐ!

王朋：不用 谢。
Búyòng xiè.

课文 三 Kèwén sān Text Three

生词 *New Words and Expressions* 11-5

1	干	gàn	*v.*	do, work
2	宿舍	sùshè	*n.*	dormitory
3	画	huà	*v.*	draw, paint
4	画儿	huàr	*n.*	drawing, painting, picture
5	喜欢	xǐhuan	*v.*	like, love, be fond of

6	中国画	zhōngguóhuà	*n.*	traditional Chinese painting
7	一般	yìbān	*adj.*	general, ordinary, usual
8	听	tīng	*v.*	listen, hear
9	音乐	yīnyuè	*n.*	music
10	东西	dōngxi	*n.*	thing, stuff
11	一块儿	yíkuàir	*adv.*	together, in company
12	收拾	shōushi	*v.*	put in order, tidy up, clear away
13	房间	fángjiān	*n.*	room

课文 Text 11-6

问题 Wèntí

1. 马丁周末干什么？
   Mǎdīng zhōumò gàn shénme?
2. 林娜、阿明和崔浩周末都干什么？
   Línnà、Āmíng hé Cuī Hào zhōumò dōu gàn shénme?

（下课以后，阿明和马丁、林娜一起聊天儿。A'ming, Martin and Linna are chatting after class.）

阿明：今天 星期五，周末 你们 都 干 什么？
Āmíng: Jīntiān xīngqīwǔ, zhōumò nǐmen dōu gàn shénme?

马丁：没 事 的 时候，我 在 宿舍 上 网。
Mǎdīng: Méi shì de shíhou, wǒ zài sùshè shàng wǎng.

林娜：我 在 一 个 学校 学习 画 画儿。
Línnà: Wǒ zài yí ge xuéxiào xuéxí huà huàr.

阿明：你 学习 中国画 吗？
Nǐ xuéxí zhōngguóhuà ma?

林娜：对，我 喜欢 中国画。你们 周末 干 什么？
Duì, wǒ xǐhuan zhōngguóhuà. Nǐmen zhōumò gàn shénme?

阿明：我 一般 在 家 看 书、听 音乐，有时候 也 去 超市 买 东西。
Wǒ yìbān zài jiā kàn shū、tīng yīnyuè, yǒu shíhou yě qù chāoshì mǎi dōngxi.

崔浩：我 和 我 同屋 一块儿 收拾 房间，一块儿 吃 饭、聊 天儿。
Cuī Hào: Wǒ hé wǒ tóngwū yíkuàir shōushi fángjiān, yíkuàir chī fàn、liáo tiānr.

综合注释 Comprehensive Notes

1. 他在一家汽车公司工作。

“在”，介词，“在＋地方（location）”放在动词前边做地点状语。例如：

“在” is a preposition. “在＋地方” is put before a verb and used as an adverbial of place. For example,

S	P				
	Adv	在	Location	V	O
他们		在	公园	见面。	
他	不	在	家	吃	饭。
我	常常	在	宿舍	上	网。

2. 从早上八点到下午五点都在公司上班。

“从……到……”结构连接表示时间或者处所的词语，用在动词或者形容词前边。例如：

The structure “从……到……” means “from...to...” or “from...till...” to connect words of time or place. It is put before a verb or an adjective. For example,

① 从八点到十一点半，我有课。
② 从星期一到星期五，我都很忙。
③ 从这儿到图书馆有1000米（mǐ，metre）。

3. 平时我在学校食堂吃饭。

一个句子同时有时间状语和地点状语，时间状语在地点状语前边。

When there are both adverbials of time and place in the same sentence, the adverbial of time comes before the adverbial of place.

S	P			
	Time	在＋Location	V	O
我	昨天上午	在图书馆	看	书。
他	现在	在朋友家	吃	晚饭。

有时，时间状语在主语的前边。

Sometimes the adverbial of time is placed before the subject.

Time	S	P		
		在+Location	V	O
今年	我	在中国	学习	汉语。
上午	我	在学校	上	课。

4. 号码是：13261231948。

汉语中电话号码、手机号码、房间号码等直接读数字，“1”作为号码时常常读成“yāo”。例如：

In Chinese, the digits in a telephone number, cellphone number or room number are read one by one, and “1” is often pronounced as “yāo”. For example,

① 我的电话（diànhuà，telephone）号码是86563428（bā liù wǔ liù sān sì èr bā）。

② 我的手机号码是15260218959（yāo wǔ èr liù líng èr yāo bā jiǔ wǔ jiǔ）。

③ 我的房间号是103（yāo líng sān）。

询问电话号码和手机号码：Asking for someone's telephone number or cellphone number:

① 你的电话号码是多少？

② 你的手机号码是多少？

询问房间号码：Asking for someone's room number:

① 你的房间是多少号？

② 你的房间号码是多少？

③ 你住（zhù, live）多少号房间？

5. 不用谢。

这是回应别人感谢的一种说法，也可以说“不客气”“不谢”。

This is an expression to respond to thanks. Sometimes “不客气” or “不谢” is also used.

补充词语 Supplementary Vocabulary

11-7

北京	Běijīng	Beijing (city)
上海	Shànghǎi	Shanghai (city)
南京	Nánjīng	Nanjing (city)
电话	diànhuà	telephone

课堂活动 *In-Class Activity*

游戏：汉语滚雪球 *Game: Chinese snowball rolling*

两人一组，看谁说的句子长　Work in pairs. Let's see who makes the longest sentence.

Step 1：说一说　Speaking practice

时间	地方	做什么
下午 xiàwǔ	超市 chāoshì	看书 kàn shū
九点 jiǔ diǎn	图书馆 túshūguǎn	看电影 kàn diànyǐng
现在 xiànzài	家 jiā	听音乐 tīng yīnyuè
下课以后 xià kè yǐhòu	北京大学 Běijīng Dàxué	打球 dǎ qiú
休息的时候 xiūxi de shíhou	上海 Shànghǎi	买东西 mǎi dōngxi
……	……	……

Step 2：看谁说的句子长　Let's see who makes the longest sentence.

例如：E.g. 我看书。
我在图书馆看书。
我下午在图书馆看书。
我今天下午在图书馆看书。
我今天下午跟朋友一起在图书馆看书。
我今天下午跟朋友一起在图书馆看中文书。
……

综合练习 *Comprehensive Exercises*

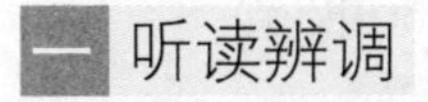
一 听读辨调 ***Listen, read and discriminate the tones.*** 

二声＋二声

píngshí	xuéxí	yínháng
zúqiú	shítáng	zhíyuán

二声＋三声

cháguǎn	cídiǎn	méiyǒu
píngguǒ	píjiǔ	shíjiǔ

二 熟读下面的词语，并写出拼音

Read the following words and phrases repeatedly and write down their pinyin syllables.

汽车________	宿舍________	画画儿________
公司________	收拾________	一块儿________
做饭________	东西________	不用谢________

三 模仿例子，用合适的词语填空

Fill in the blanks with proper words after the example.

例如：E.g. 去 银行
qù

上________ shàng	做________ zuò	收拾________ shōushi	开始________ kāishǐ
看________ kàn	听________ tīng	喜欢________ xǐhuan	学习________ xuéxí

四 选择适当的词语填空 *Choose the proper words to fill in the blanks.*

平时 píngshí	每天 měi tiān	没 méi	一块儿 yíkuàir	多少 duōshao
有时候 yǒu shíhou	在 zài	一般 yìbān	跟 gēn	

1. 我朋友________都很忙。
   Wǒ péngyou ________ dōu hěn máng.

2. 李老师________家吗？
   Lǐ lǎoshī ________ jiā ma?

3. 他的手机号码是________？
   Tā de shǒujī hàomǎ shì ________?

4. 我________时间去买东西。
   Wǒ ________ shíjiān qù mǎi dōngxi.

5. 我________晚上学习汉语。
   Wǒ ________ wǎnshang xuéxí Hànyǔ.

6. 你________几点睡觉？
   Nǐ ________ jǐ diǎn shuìjiào?

7. 我喜欢________朋友聊天儿。
   Wǒ xǐhuan ________ péngyou liáo tiānr.

8. 我们常常________学习汉语。
   Wǒmen chángcháng ________ xuéxí Hànyǔ.

五 用所给词语和“从……到……”造句

Make sentences with the given words and “从……到……”.

例如：E.g. 八点 十一点半 有课
bā diǎn shíyī diǎn bàn yǒu kè

→ 我从八点到十一点半有课。
Wǒ cóng bā diǎn dào shíyī diǎn bàn yǒu kè.

1. 星期一 星期五 很忙
xīngqīyī xīngqīwǔ hěn máng

2. 八点 十点 学习汉语
bā diǎn shí diǎn xuéxí Hànyǔ

3. 两点 四点 有课
liǎng diǎn sì diǎn yǒu kè

4. 十二点 下午两点 休息
Shí'èr diǎn xiàwǔ liǎng diǎn xiūxi

六 用“……的时候”完成句子 ***Complete the following sentences with “……的时候”.***

1. ______________________ 我喜欢爬山。
wǒ xǐhuan pá shān.

2. ______________________ 我常常看电影。
wǒ chángcháng kàn diànyǐng.

3. ______________________ 他们常常喝茶。
tāmen chángcháng hē chá.

4. ______________________ 我也听音乐。
wǒ yě tīng yīnyuè.

5. ______________________ 我在家做饭。
wǒ zài jiā zuò fàn.

七 问答练习 *Question-and-answer drills*

1. 你一般在哪儿吃饭？
   Nǐ yìbān zài nǎr chī fàn?
2. 你在哪儿学习/工作？
   Nǐ zài nǎr xuéxí / gōngzuò?
3. 你朋友在哪儿学习/工作？
   Nǐ péngyou zài nǎr xuéxí / gōngzuò?
4. 你在哪儿上网？
   Nǐ zài nǎr shàng wǎng?
5. 你做饭吗？你在哪儿做饭？
   Nǐ zuò fàn ma? Nǐ zài nǎr zuò fàn?
6. 你的手机/电话号码是多少？
   Nǐ de shǒujī / diànhuà hàomǎ shì duōshao?
7. 你平时喜欢做什么？
   Nǐ píngshí xǐhuan zuò shénme?
8. 你周末做什么？
   Nǐ zhōumò zuò shénme?

八 朗读短文并仿写 *Read the passage aloud and write one using it as a model.*

我是法国留学生，我从星期一到星期五都很忙，休息的时候，我喜欢在宿舍上网，也喜欢跟朋友聊天儿。

Wǒ shì Fǎguó liúxuéshēng, wǒ cóng xīngqīyī dào xīngqīwǔ dōu hěn máng, xiūxi de shíhou, wǒ xǐhuan zài sùshè shàng wǎng , yě xǐhuan gēn péngyou liáo tiānr.

____

____

第二部分 学写汉字
Part Two Writing Chinese Characters

汉字知识 *About Chinese Characters*

汉字偏旁（3） *Radicals (3)*

日	rìzìpáng	时
氵	sāndiǎnshuǐ	汉

汉字组合（3） *Combinations (3)*

偏旁 Radicals	部件组合 Combinations	例字 Examples	结构图示 Illustrations
日	日＋寸	时	
	日＋免	晚	
	日＋月	明	
	曰＋十	早	
	曰＋生	星	
氵	氵＋气	汽	
	氵＋去	法	
	氵＋又	汉	
	氵＋先	洗	
	氵＋喿	澡	
	氵＋殳	没	

写汉字 *Character Writing*

请在汉字练习本上书写下列汉字 

Write the following Chinese characters in the workbook.

日常用语 *Daily Expressions* 11-9

1. 最近怎么样？ How are you doing these days?
   Zuìjìn zěnmeyàng?

2. 你有事吗？ Can I help you (with anything)? / What's up?
   Nǐ yǒu shì ma?

12 你要茶还是咖啡
What Would You Like, Tea or Coffee

第一部分　学习课文
Part One　Texts

课文一　Kèwén yī　Text One

生词　New Words and Expressions　12-1

1	学期	xuéqī	*n.*	term, semester
2	门	mén	*m.*	*used for fields of study or technical training*
3	兴趣	xìngqù	*n.*	interest
4	课	kè	*n.*	course, subject
5	对	duì	*prep.*	regarding, concerning
6	书法	shūfǎ	*n.*	calligraphy
7	太极拳	tàijíquán	*n.*	*taijiquan*, Chinese shadow boxing
8	感兴趣	gǎn xìngqù		be interested in
9	可是	kěshì	*conj.*	but, yet, however
10	一样	yíyàng	*adj.*	same, identical
11	选	xuǎn	*v.*	select, choose
12	还是	háishi	*conj.*	or
13	下	xià	*n.*	next

专名　Proper Name

语言学院	Yǔyán Xuéyuàn	Language College

课文 Text 12-2

问题 Wèntí

1. “我”对什么课感兴趣？
   “Wǒ” duì shénme kè gǎn xìngqù?
2. “我”想选什么课？
   “Wǒ” xiǎng xuǎn shénme kè?

这学期语言学院有六门兴趣课。
Zhè xuéqī Yǔyán Xuéyuàn yǒu liù mén xìngqù kè.

我对书法、太极拳很感兴趣，可是这两门课上课时间一样，
Wǒ duì shūfǎ、tàijíquán hěn gǎn xìngqù, kěshì zhè liǎng mén kè shàng kè shíjiān yíyàng,

我选书法还是太极拳呢？这学期我想选太极拳，下学期我再选
wǒ xuǎn shūfǎ háishi tàijíquán ne? Zhè xuéqī wǒ xiǎng xuǎn tàijíquán, xià xuéqī wǒ zài xuǎn

书法吧。
shūfǎ ba.

课文二 Kèwén èr Text Two

生词 New Words and Expressions 12-3

1	运动	yùndòng	*n.*	sports, athletics, exercise
2	跑步	pǎo bù		run, jog
3	身体	shēntǐ	*n.*	body, health
4	爱好	àihào	*n.*	hobby
5	踢	tī	*v.*	kick, play (football)
6	足球	zúqiú	*n.*	football, soccer
7	打	dǎ	*v.*	play (a game)
8	篮球	lánqiú	*n.*	basketball
9	最	zuì	*adv.*	most, least, best, to the highest or lowest degree
10	骑	qí	*v.*	ride (an animal or a bicycle)
11	自行车	zìxíngchē	*n.*	bicycle, bike
12	报名	bào míng	*v.*	enter one’s name, sign up

课文 Text 12-4

问题 Wèntí

1. 阿明喜欢什么运动？
   Āmíng xǐhuan shénme yùndòng?
2. 崔浩有什么爱好？马丁呢？
   Cuī Hào yǒu shénme àihào? Mǎdīng ne?

崔浩：阿明，你 喜欢 什么 运动？
Cuī Hào: Āmíng, nǐ xǐhuan shénme yùndòng?

阿明：我 喜欢 跑步。我 觉得 跑步 对 身体 很 好。
Āmíng: Wǒ xǐhuan pǎo bù. Wǒ juéde pǎo bù duì shēntǐ hěn hǎo.

崔浩：你 早上 跑步，还是 晚上 跑步？
Nǐ zǎoshang pǎo bù, háishi wǎnshang pǎo bù?

阿明：我 一般 晚上 跑步。
Wǒ yìbān wǎnshang pǎo bù.

马丁：崔浩， 你 有 什么 爱好？
Mǎdīng: Cuī Hào, nǐ yǒu shénme àihào?

崔浩：我 喜欢 踢 足球，也 喜欢 打 篮球。
Wǒ xǐhuan tī zúqiú, yě xǐhuan dǎ lánqiú.

阿明：马丁， 你 呢？
Mǎdīng, nǐ ne?

马丁：我 最 喜欢 骑 自行车。我 还 准备 学习 太极拳，明天 我 去 报名。
Wǒ zuì xǐhuan qí zìxíngchē. Wǒ hái zhǔnbèi xuéxí tàijíquán, míngtiān wǒ qù bào míng.

课文三 Kèwén sān Text Three

生词 New Words and Expressions 12-5

1	咖啡	kāfēi	*n.*	coffee
2	位	wèi	*m.*	*used in deferential reference to people*
3	红茶	hóngchá	*n.*	black tea
4	绿茶	lǜchá	*n.*	green tea
5	杯	bēi	*m.*	cup
6	没错儿	méi cuòr		right, exactly

课文 Text 12-6

问题 Wèntí

1. 马丁喜欢喝茶还是喝咖啡？
   Mǎdīng xǐhuan hē chá háishi hē kāfēi?
2. 阿明喜欢喝什么？
   Āmíng xǐhuan hē shénme?

（马丁和阿明在林娜的宿舍。Martin and A'ming are at Linna's dormitory.）

林娜：我有咖啡和茶，两位喝点儿什么？
Línnà: Wǒ yǒu kāfēi hé chá, liǎng wèi hē diǎnr shénme?

马丁：我喜欢喝茶。你有什么茶？
Mǎdīng: Wǒ xǐhuan hē chá. Nǐ yǒu shénme chá?

林娜：我有红茶和绿茶。你要红茶还是绿茶？
Wǒ yǒu hóngchá hé lǜchá. Nǐ yào hóngchá háishi lǜchá?

马丁：我要一杯红茶。
Wǒ yào yì bēi hóngchá.

林娜：阿明，你要茶还是咖啡？
Āmíng, nǐ yào chá háishi kāfēi?

阿明：我要咖啡。
Āmíng: Wǒ yào kāfēi.

林娜：你也喜欢喝咖啡吗？
Nǐ yě xǐhuan hē kāfēi ma?

阿明：是。我听说你非常喜欢喝咖啡，对吗？
Shì. Wǒ tīngshuō nǐ fēicháng xǐhuan hē kāfēi, duì ma?

林娜：没错儿。
Méi cuòr.

综合注释 Comprehensive Notes

1. 我对书法、太极拳很感兴趣。

"对"是介词，用于介绍动作的对象。

"对" here is a preposition used to introduce the patient of an action.

S	P	
	对……	V / Adj
他	对太极拳	感兴趣。
我	对看电视	不感兴趣。
跑步	对身体	很好。

2. 我选书法还是太极拳呢？

"呢（2）"用在特殊疑问句、选择疑问句、正反疑问句等问句的句尾，加强疑问语气。例如：

"呢（2）" is used at the end of special questions, alternative questions or affirmative-negative questions to express an emphatic tone. For example,

① 这是谁的书呢？
② 我去还是不去呢？
③ 我买，你买不买呢？

3. 你要茶还是咖啡？

"还是"用于疑问，表示选择。

"还是" is used in interrogative sentences, indicating an alternative.

	A	还是	B
你	是老师	还是	学生？
你	喝茶	还是	（喝）咖啡？
你	早上跑步	还是	晚上跑步？

补充词语 Supplementary Vocabulary

12-7

排球	páiqiú	volleyball
网球	wǎngqiú	tennis
乒乓球	pīngpāngqiú	table tennis
羽毛球	yǔmáoqiú	badminton
唱歌	chàng gē	sing
跳舞	tiào wǔ	dance

课堂活动 In-Class Activities

一 用"……还是……？"进行问答练习 *Do the question-and-answer drills with "……还是……？".*

1. 看 书 kàn shū	还是	1.（看）电视 (kàn) diànshì
2. 喜欢 香蕉 xǐhuan xiāngjiāo		2.（喜欢）苹果 (xǐhuan) píngguǒ
3. 喜欢 游泳 xǐhuan yóuyǒng		3.（喜欢）跑步 (xǐhuan) pǎo bù
4. 今天 吃 中国菜 jīntiān chī Zhōngguó cài		4.（吃）韩国菜 (chī) Hánguó cài
5. 明天 去 书店 míngtiān qù shūdiàn		5. 后天 去 书店 hòutiān qù shūdiàn

二 你对什么感兴趣？你的爱好是什么？请你说一说

What are you interested in? What are your hobbies? Please say something about them.

（1）我喜欢……，还喜欢……/ 我最喜欢……

（2）我对……感兴趣 / 我对……很感兴趣

（3）我的爱好是……

综合练习 Comprehensive Exercises

一 听读辨调 *Listen, read and discriminate the tones.* 

二声 + 四声

yíkuàir	yígòng	bú xiè
chéngshì	ránhòu	fúwù

二声 + 轻声

juéde	shíhou	xuésheng
péngyou	qiánmian	míngzi

二 熟读下面的词语，并写出拼音

Read the following words and phrases repeatedly and write down their pinyin syllables.

自行车＿＿＿＿＿＿	打篮球＿＿＿＿＿＿	这学期＿＿＿＿＿＿
太极拳＿＿＿＿＿＿	踢足球＿＿＿＿＿＿	最喜欢＿＿＿＿＿＿
感兴趣＿＿＿＿＿＿	兴趣课＿＿＿＿＿＿	没错儿＿＿＿＿＿＿

三 选择适当的词语填空 *Choose the proper words to fill in the blanks.*

最	对	可是	还是	再	爱好	什么	一样
zuì	duì	kěshì	háishi	zài	àihào	shénme	yíyàng

1. 我想去爬山，（　　）我没有时间。
   Wǒ xiǎng qù pá shān，（　　）wǒ méiyǒu shíjiān.

2. 喝茶（　　）身体好。
   Hē chá（　　）shēntǐ hǎo.

3. 你想吃中国菜（　　）日本菜？
   Nǐ xiǎng chī Zhōngguó cài（　　）Rìběn cài?

4. 我很喜欢喝咖啡，（　　）我不常喝。
   Wǒ hěn xǐhuan hē kāfēi,（　　）wǒ bù cháng hē.

5. 我的（　　）是打乒乓球。
   Wǒ de（　　）shì dǎ pīngpāngqiú.

6. 你喜欢（　　）茶？
   Nǐ xǐhuan（　　）chá?

7. 我们两个人的手机（　　）。
   Wǒmen liǎng ge rén de shǒujī（　　）.

8. 我（　　）中国电影感兴趣。
   Wǒ（　　）Zhōngguó diànyǐng gǎn xìngqù.

9. 我（　　）喜欢音乐。
   Wǒ（　　）xǐhuan yīnyuè.

10. 现在我很忙，以后（　　）学习太极拳吧。
    Xiànzài wǒ hěn máng, yǐhòu（　　）xuéxí tàijíquán ba.

四 选择合适的量词填空 *Choose the proper measure words to fill in the blanks.*

口	个	台	部	本	门	家	一下	一点儿	杯
kǒu	ge	tái	bù	běn	mén	jiā	yíxià	yìdiǎnr	bēi

1. 前边有一（　　）银行。
   Qiánbian yǒu yì（　）yínháng.
2. 我家有两（　　）电脑。
   Wǒ jiā yǒu liǎng（　）diànnǎo.
3. 这（　　）书是英文书。
   Zhè（　）shū shì Yīngwén shū.
4. 这学期我一共有三（　　）课。
   Zhè xuéqī wǒ yígòng yǒu sān（　）kè.
5. 我想喝（　　）水。
   Wǒ xiǎng hē（　）shuǐ.
6. 我要一（　　）茶。
   Wǒ yào yì（　）chá.
7. 大家都很累，休息（　　）吧。
   Dàjiā dōu hěn lèi, xiūxi（　）ba.
8. 这（　　）手机5000块钱。
   Zhè（　）shǒujī 5000 kuài qián.
9. 这（　　）公园在城市西边。
   Zhè（　）gōngyuán zài chéngshì xībian.
10. 我家有五（　　）人。
    Wǒ jiā yǒu wǔ（　）rén.

五 根据实际情况进行问答练习

Do the question-and-answer drills according to the actual situation.

1. 你喜欢什么运动？
   Nǐ xǐhuan shénme yùndòng?
2. 你喜欢游泳、打球还是跑步？
   Nǐ xǐhuan yóu yǒng、dǎ qiú háishi pǎo bù?
3. 你喜欢喝茶还是咖啡？
   Nǐ xǐhuan hē chá háishi kāfēi?
4. 你喜欢学习什么语言（language）？
   Nǐ xǐhuan xuéxí shénme yǔyán?
5. 平时你最喜欢做什么？
   Píngshí nǐ zuì xǐhuan zuò shénme?

六 他们的爱好是什么？请查词典并写下来

What are their hobbies? How do we say them in Chinese? Look up in a dictionary and write them down.

1

他喜欢＿＿＿＿＿＿＿＿。
Tā xǐhuan＿＿＿＿＿＿＿＿.

2

她喜欢＿＿＿＿＿＿＿＿。
Tā xǐhuan＿＿＿＿＿＿＿＿.

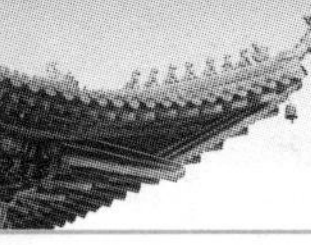

3

他的爱好是____________。
Tā de àihào shì____________.

4

他的爱好是____________。
Tā de àihào shì____________.

七 你的爱好是什么？请把你的爱好写下来 *What are your hobbies? Write them down.*

我喜欢……，还喜欢……/ 我最喜欢……
wǒ xǐhuan……，hái xǐhuan…… / wǒ zuì xǐhuan……

我对……感兴趣 / 我 对……很感兴趣
wǒ duì……gǎn xìngqù / wǒ duì……hěn gǎn xìngqù

我的爱好是……
wǒ de àihào shì……

第二部分　学写汉字
Part Two　Writing Chinese Characters

汉字知识 *About Chinese Characters*

汉字偏旁（4） *Radicals (4)*

讠	yánzìpáng	谢
艹	cǎozìtóu	茶

汉字组合（4） *Combinations (4)*

偏旁 Radicals	部件组合 Combinations	例字 Examples	结构图示 Illustrations
讠	讠＋五＋口	语	
	讠＋果	课	
	讠＋青	请	
	讠＋身＋寸	谢	
	讠＋司	词	
	讠＋隹	谁	
	讠＋人	认	
	讠＋只	识	
艹	艹＋人＋朩	茶	
	艹＋央	英	
	艹＋化	花	
	艹＋平	苹	
	艹＋焦	蕉	

写汉字 *Character Writing*

请在汉字练习本上书写下列汉字 

Write the following Chinese characters in the workbook.

花

日常用语 *Daily Expressions*

1. 我来介绍一下，这位是张鹏先生。

   Wǒ lái jièshào yíxià, zhè wèi shì Zhāng Péng xiānsheng.

   Let me introduce you. This is Mr. Zhang Peng.

2. 认识您很高兴。

   Rènshi nín hěn gāoxìng.

   Pleased to meet you.

13 我已经搬家了
I Have Moved to a New Place

第一部分　学习课文
Part One　Texts

课文一　Kèwén yī　Text One

生词　New Words and Expressions 13-1

1	租	zū	*v.*	rent, hire, lease
2	套	tào	*m.*	(*used for books, rooms, furniture, etc.*) set, suit, suite
3	房子	fángzi	*n.*	house, building
4	上	shàng	*n.*	preceding, previous
5	了	le	*part.*	*used at the end of a sentence to indicate sth. has happened or occurred*
6	那	nà	*pron.*	that
7	旁边	pángbiān	*n.*	side, beside
8	方便	fāngbiàn	*adj.*	convenient
9	大	dà	*adj.*	big, large
10	房租	fángzū	*n.*	rent, charge for renting a house, room or an apartment, etc.
11	贵	guì	*adj.*	expensive
12	每	měi	*pron.*	every, each
13	最后	zuìhòu	*n.*	final, last
14	又	yòu	*adv.*	again
15	满意	mǎnyì	*v.*	be satisfied, be pleased

课文 Text 13-2

问题 Wèntí

1. 山田什么时候去看房子了？那套房子怎么样？
   Shāntián shénme shíhou qù kàn fángzi le? Nà tào fángzi zěnmeyàng?
2. 星期一山田又去看房子了，这套房子怎么样？
   Xīngqīyī Shāntián yòu qù kàn fángzi le, zhè tào fángzi zěnmeyàng?

山田 想 租 一 套 房子，他 上 星期六 去 看 房子 了。那 套 房子 在
Shāntián xiǎng zū yí tào fángzi, tā shàng xīngqīliù qù kàn fángzi le. Nà tào fángzi zài
学校 旁边，去 学校 很 方便，买 东西 也 很 方便。可是，他 觉得 房子
xuéxiào pángbiān, qù xuéxiào hěn fāngbiàn, mǎi dōngxi yě hěn fāngbiàn. Kěshì, tā juéde fángzi
太 大，房租 也 太 贵，每 个 月 需要 4500 块 钱。最后 他 没 租。这个
tài dà, fángzū yě tài guì, měi ge yuè xūyào sìqiān wǔbǎi kuài qián. Zuìhòu tā méi zū. Zhège
星期一，他 又 去 看 房子 了，他 对 这 套 房子 很 满意。
xīngqīyī, tā yòu qù kàn fángzi le, tā duì zhè tào fángzi hěn mǎnyì.

课文二 Kèwén èr Text Two

生词 New Words and Expressions 13-3

1	搬家	bān jiā		move (house)
2	已经	yǐjīng	*adv.*	already
3	不错	búcuò	*adj.*	not bad, pretty good
4	离	lí	*prep.*	from, away from
5	远	yuǎn	*adj.*	far, faraway
6	走	zǒu	*v.*	walk, go
7	路	lù	*n.*	road, way
8	行	xíng	*v.*	be all right, will do

课文 *Text* 13-4

问题 Wèntí

1. 山田搬家了吗？
   Shāntián bān jiā le ma?
2. 山田现在的家离学校远吗？
   Shāntián xiànzài de jiā lí xuéxiào yuǎn ma?

马丁：听说 你 星期一 又 去 看 房子 了，什么 时候 搬 家 啊？
Mǎdīng: Tīngshuō nǐ xīngqīyī yòu qù kàn fángzi le, shénme shíhou bān jiā a?

山田：我 已经 搬家 了。
Shāntián: Wǒ yǐjīng bān jiā le.

马丁：这 套 房子 怎么样？
Zhè tào fángzi zěnmeyàng?

山田：不错。
Búcuò.

马丁：房租 贵 不 贵？
Fángzū guì bu guì?

山田：不 太 贵。
Bú tài guì.

马丁：离 学校 远 吗？
Lí xuéxiào yuǎn ma?

山田：不远，骑 自行车、走 路 都 行。有 时间 请 你们 去 喝 茶。
Bù yuǎn, qí zìxíngchē、zǒu lù dōu xíng. Yǒu shíjiān qǐng nǐmen qù hē chá.

马丁：好 啊！
Hǎo a!

课文 三 Kèwén sān Text Three

生词 *New Words and Expressions* 13-5

1	没有	méiyǒu	*adv.*	not yet
2	昨天	zuótiān	*n.*	yesterday

3	请客	qǐng kè	*v.*	treat sb. (to a dinner, performance, etc.), entertain guests
4	怎么	zěnme	*pron.*	*used to inquire about nature, condition, cause, etc.*
5	父母	fùmǔ	*n.*	parents, father and mother
6	来	lái	*v.*	come
7	玩儿	wánr	*v.*	play, have fun

课文 *Text* 13-6

问题 Wèntí

山田昨天请客，崔浩怎么没去？
Shāntián zuótiān qǐng kè, Cuī Hào zěnme méi qù?

（在食堂 At the canteen）

崔浩：你吃早饭了吗？
Cuī Hào: Nǐ chī zǎofàn le ma?

马丁：没有。你呢？
Mǎdīng: Méiyǒu. Nǐ ne?

崔浩：我也没吃，我们一起吃吧。
Wǒ yě méi chī, wǒmen yìqǐ chī ba.

马丁：山田搬家了。他昨天请客，你怎么没去？
Shāntián bān jiā le. Tā zuótiān qǐng kè, nǐ zěnme méi qù?

崔浩：我父母来了，我们昨天去玩儿了。
Wǒ fùmǔ lái le, wǒmen zuótiān qù wánr le.

综合注释 *Comprehensive Notes*

1. 这个星期一他又去看房子了。

“又”表示重复，一般用于已经发生的事情。例如：

“又” means again. Usually it is used to indicate what has already happened. For example,

① 他今天又去书店了。

② 他昨天没来，今天又没来。

2. 我已经搬家了。

“了（1）”语气助词，用在句末，肯定事件已经发生或情况出现了变化，有成句的作用。主要用在“动+宾+了”格式中。句子中一般有时间词语。例如：

“了（1）” is a modal particle used at the end of a sentence, indicating something has happened or the situation has changed. It helps form a sentence, and often occurs in the pattern “V + O +了”. It is usually accompanied by a time word or phrase in a sentence. For example,

Time	S	P	
		V（+O）	了
	我	吃早饭	了。
星期六	他	去书店	了。
昨天	山田	搬家	了。
昨天	我父母	来	了。

否定形式：在动词前边加上“没”或者“没有”，句尾不用“了”。

Negative form: “没” or “没有” is added before the verb and “了” is removed from the end of the sentence.

Time	S	P	
		没有/没	V（+O）
	我	没（有）	吃早饭。
星期六	他	没（有）	去商店。
昨天	山田	没（有）	搬家。

正反疑问形式：V（+O）+了+没有？ / V+没+V（+O）？

Affirmative-negative question: V (+O)+ 了 + 没有？ / V+ 没 + V(+O)?

S	P			
	V	（O）	了	没有？
你	吃	早饭	了	没有？
他	来		了	没有？

3. 这套房子怎么样？

“怎么样（2）”用来询问人或事物各方面的情况。

“怎么样（2）” is used to ask about the condition of people or things.

① 这个电影怎么样？

② 这本书怎么样？

③ 你的身体怎么样？

4. 他昨天请客，你怎么没去？

“怎么（1）”用来询问原因。例如：

“怎么（1）” is used to ask for the reason or cause. For example,

①A：你怎么不去上课？
　B：我有事。

②A：你怎么在这儿？
　B：我家就在这儿。

③A：你怎么不喝咖啡？
　B：我不喜欢喝咖啡。

补充词语 *Supplementary Vocabulary*

生病	shēng bìng	fall ill
感冒	gǎnmào	catch a cold
写汉字	xiě Hànzì	write Chinese characters
念课文	niàn kèwén	read a text
做练习	zuò liànxí	do exercises
换钱	huàn qián	change money

课堂活动 *In-Class Activities*

一 用所给的词语进行替换练习 *Substitution drills*

（1）昨天我去买东西了。
Zuótiān wǒ qù mǎi dōngxi le.

昨天　我　去 ________ 了。
Zuótiān wǒ qù ________ le.

超市 chāoshì
朋友家 péngyou jiā
看电影 kàn diànyǐng
买电脑 mǎi diànnǎo
打球 dǎ qiú

（2）他已经吃早饭了。
Tā yǐjīng chī zǎofàn le.

他已经 ________ 了。
Tā yǐjīng ________ le.

起床 qǐ chuáng
上课 shàng kè
洗澡 xǐ zǎo
做饭 zuò fàn
去美国 qù Měiguó

二 请每人准备五个问题写在卡片上，然后互相问答

Each student writes 5 questions on a card to ask each other and then answer them.

例如：E.g. A：你吃饭了吗？
Nǐ chī fàn le ma?

B：吃了。/ 没吃。/没有。
Chī le. / Méi chī. / Méiyǒu.

综合练习 Comprehensive Exercises

一 听读辨调 *Listen, read and discriminate the tones.* 13-8

三声＋一声

Běijīng	měi tiān	hǎochī
lǎoshī	shǒujī	hǎotīng

三声＋二声

dǎ qiú	Fǎguó	yǐqián
Měiguó	yǔyán	qǐ chuáng

二 熟读下面的词语，并写出拼音

Read the following words and phrases repeatedly and write down their pinyin syllables.

可是__________	房租__________	怎么样__________
请客__________	搬家__________	自行车__________
满意__________	最后__________	不太贵__________

三 选择适当的词语填空 *Choose the proper words to fill in the blanks.*

又	套	方便	满意	已经	离	每天	怎么样
yòu	tào	fāngbiàn	mǎnyì	yǐjīng	lí	měi tiān	zěnmeyàng

1. 我家旁边有一个超市，买东西很________。
Wǒ jiā pángbiān yǒu yí ge chāoshì, mǎi dōngxi hěn________.

2. 我的房子很好，也不贵，我很________。
Wǒ de fángzi hěn hǎo, yě bú guì, wǒ hěn________.

3. 他昨天没来，今天 ________ 没来。
   Tā zuótiān méi lái, jīntiān ________ méi lái.

4. 你的身体 ________？
   Nǐ de shēntǐ ________?

5. 十二点的时候，我们 ________ 下课了。
   Shí'èr diǎn de shíhou, wǒmen ________ xià kè le.

6. 我家 ________ 这儿很远。
   Wǒ jiā ________ zhèr hěn yuǎn.

7. 我 ________ 都收拾房间。
   Wǒ ________ dōu shōushi fángjiān.

8. 你的英语 ________？
   Nǐ de Yīngyǔ ________?

9. 我想租一 ________ 房子。
   Wǒ xiǎng zū yí ________ fángzi.

10. 去年他去德国了，今年他 ________ 去了。
    Qùnián tā qù Déguó le, jīnnián tā ________ qù le.

四 把下面的句子改写成疑问句和否定句

Rewrite the following statements into questions and negative sentences.

例如：E.g. 他来了。 Tā lái le.

→ 他来了吗？ Tā lái le ma?

他来了没有？ Tā lái le méiyǒu?

他来没来？ Tā lái mei lái?

→ 他没来。 Tā méi lái.

1. 我吃早饭了。
   Wǒ chī zǎofàn le.

2. 我们上课了。
   Wǒmen shàng kè le.

3. 我昨天看电视了。
   Wǒ zuótiān kàn diànshì le.

4. 星期二我去商店了。
   Xīngqī'èr wǒ qù shāngdiàn le.

5. 昨天晚上我去看电影了。
   Zuótiān wǎnshang wǒ qù kàn diànyǐng le.

五 用所给的词语完成对话

Complete the following sentences with the given words or expressions.

1. A：山田来了没有？
   Shāntián lái le méiyǒu?
   B：＿＿＿＿＿＿。（没）
   ＿＿＿＿＿＿. (méi)
   A：他怎么没来？
   Tā zěnme méi lái?
   B：他＿＿＿＿＿＿。（了）
   Tā＿＿＿＿＿＿. (le)

2. A：阿明在吗？
   Āmíng zài ma?
   B：他不在，＿＿＿＿＿＿。（了）
   Tā bú zài, ＿＿＿＿＿＿. (le)

3. A：昨天＿＿＿＿＿＿上课？（怎么）
   Zuó tiān ＿＿＿＿＿＿ shàng kè? (zěnme)
   B：我有事。
   Wǒ yǒu shì.

4. A：＿＿＿＿＿＿？（怎么样）
   ＿＿＿＿＿＿? (zěnmeyàng)
   B：我的宿舍很好。
   Wǒ de sùshè hěn hǎo.

5. A：你的英语词典怎么样？
   Nǐ de Yīngyǔ cídiǎn zěnmeyàng?
   B：非常好，＿＿＿＿＿＿。
   Fēicháng hǎo, ＿＿＿＿＿＿.
   （可是）
   (kěshì)

六 师生问答 *Answer the teacher's questions and raise your own questions.*

老师的问题：

1. Jīntiān nǐ chī zǎofàn le ma?
2. Zuótiān nǐ niàn kèwén le méiyǒu?
3. Zuótiān nǐ xiě Hànzì le ma?
4. Zuótiān nǐ shàng wǎng le ma?
5. Nǐ xiànzài zěnmeyàng?
6. Zuótiān nǐ kàn mei kàn diànshì?

学生的问题（每人问两个）：

1.
2.
3.
4.
5.
6.

七 朗读短文并仿写 *Read the passage aloud and write one using it as a model.*

我的家在学校北边，离学校不远。我家南边有一个超市，旁边还有一家银行，我买东西、去学校都很方便。

Wǒ de jiā zài xuéxiào běibian, lí xuéxiào bù yuǎn. Wǒ jiā nánbian yǒu yí ge chāoshì, pángbiān hái yǒu yì jiā yínháng, wǒ mǎi dōngxi、qù xuéxiào dōu hěn fāngbiàn.

第二部分 学写汉字
Part Two Writing Chinese Characters

汉字知识 About Chinese Characters

汉字偏旁（5） *Radicals (5)*

辶	zǒuzhīpáng	远
扌	tíshǒupáng	搬

汉字组合（5） *Combinations (5)*

偏旁 Radicals	部件组合 Combinations	例字 Examples	结构图示 Illustrations
辶	辶 + 元	远	
	辶 + 文	这	
	辶 + 云	运	
	辶 + 首	道	
	辶 + 力	边	
	辶 + 先	选	
	辶 + 不	还	
扌	扌 + 丁	打	
	扌 + 合	拾	
	扌 + 艮	报	
	扌 + 戈	找	
	扌 + 非	排	
	扌 + 般	搬	

写汉字 *Character Writing*

请在汉字练习本上书写下列汉字 

Write the following Chinese characters in the workbook.

日常用语 *Daily Expressions* 

1. 请问，友谊宾馆在哪儿？ Excuse me, where's the Friendship Hotel?
   Qǐngwèn , Yǒuyì Bīnguǎn zài nǎr ?

2. 请问，这个汉语怎么说？ Excuse me, how do you say this in Chinese?
   Qǐngwèn , zhège Hànyǔ zěnme shuō ?

14 我买了一件毛衣
I Bought a Sweater

第一部分　学习课文
Part One　Texts

课文一　Kèwén yī　Text One

生词　New Words and Expressions　14-1

1	今年	jīnnián	*n.*	this year
2	冬天	dōngtiān	*n.*	winter
3	特别	tèbié	*adv.*	especially, particularly
4	冷	lěng	*adj.*	cold
5	感冒	gǎnmào	*v.*	catch a cold
6	穿	chuān	*v.*	wear, put on
7	厚	hòu	*adj.*	thick
8	衣服	yīfu	*n.*	clothing, clothes
9	趟	tàng	*m.*	*used for a round trip, etc.*
10	商场	shāngchǎng	*n.*	shopping mall, department store
11	里	li	*n.*	inside, in
12	真	zhēn	*adv.*	really, truly
13	件	jiàn	*m.*	piece
14	毛衣	máoyī	*n.*	(woolen) sweater
15	羽绒服	yǔróngfú	*n.*	down jacket

专名　Proper Name

北京	Běijīng	Beijing (city)

课文 Text 14-2

问题 Wèntí

1. 北京今年冬天冷不冷？
   Běijīng jīnnián dōngtiān lěng bu lěng?
2. 泰国的冬天冷不冷？
   Tàiguó de dōngtiān lěng bu lěng?
3. "我"去商场买了什么东西？
   "Wǒ" qù shāngchǎng mǎile shénme dōngxi?

今年 冬天 北京 特别 冷，很 多 同学 都 感冒 了，我 也 感冒 了。
Jīnnián dōngtiān Běijīng tèbié lěng, hěn duō tóngxué dōu gǎnmào le, wǒ yě gǎnmào le.

我们 泰国 冬天 不太 冷，不用 穿 很 厚 的衣服，可是 在 北京 不 行。
Wǒmen Tàiguó dōngtiān bú tài lěng, búyòng chuān hěn hòu de yīfu, kěshì zài Běijīng bù xíng.

昨天 我去了 一 趟 商场。 商场 里，冬天 的衣服 真 多。我 买了 一 件 毛衣，还 买了 一件 羽绒服。
Zuótiān wǒ qùle yí tàng Shāngchǎng. Shāngchǎng li, dōngtiān de yīfu zhēn duō. Wǒ mǎile yí jiàn máoyī, hái mǎile yí jiàn yǔróngfú.

课文 二 Kèwén èr Text Two

生词 New Words and Expressions 14-3

1	医院	yīyuàn	*n.*	hospital
2	看病	kàn bìng		see a doctor, consult a doctor
3	就	jiù	*adv.*	as soon as, right after
4	药	yào	*n.*	medicine, drug
5	新	xīn	*adj.*	new
6	好	hǎo	*adj.*	get well, be recovered
7	这么	zhème	*pron.*	so, such
8	快	kuài	*adj.*	fast, quick, rapid
9	呀	ya	*int.*	*used at the end of a sentence to express surprise*

课文 Text 14-4

问题 Wèntí

1. 崔浩什么时候去医院看病?
   Cuī Hào shénme shíhou qù yīyuàn kàn bìng?
2. 阿明感冒好了吗?
   Āmíng gǎnmào hǎo le ma?

阿明：你 去 医院 看 病 了 吗?
Āmíng: Nǐ qù yīyuàn kàn bìng le ma?

崔浩：还 没有，我 想 一 下 课 就 去。
Cuī Hào: Hái méiyǒu, wǒ xiǎng yí xià kè jiù qù.

你 怎么样?
Nǐ zěnmeyàng?

阿明：我 吃了 很 多 药，又 穿了 一 件 新羽绒服，感冒 昨天 就 好 了。
Wǒ chīle hěn duō yào, yòu chuānle yí jiàn xīn yǔróngfú, gǎnmào zuótiān jiù hǎo le.

崔浩：这么 快 呀!
Zhème kuài ya!

课文 三 Kèwén sān Text Three

生词 New Words and Expressions 14-5

1	水果	shuǐguǒ	*n.*	fruit
2	生病	shēng bìng		fall ill, be ill, be sick
3	天气	tiānqì	*n.*	weather
4	还	hái	*adv.*	still, yet
5	跑	pǎo	*v.*	run
6	但是	dànshì	*conj.*	but, however
7	有空儿	yǒu kòngr		have time off, be free
	空儿	kòngr	*n.*	unoccupied time
8	行	xíng	*adj.*	capable, competent

课文 Text 14-6

问题 Wèntí

1. 林娜也生病了吗？
Línnà yě shēng bìng le ma?
2. 阿明每天跑步吗？
Āmíng měi tiān pǎo bù ma?

阿明：林娜，你 怎么 买了 这么 多 水果？
Āmíng: Línnà, nǐ zěnme mǎile zhème duō shuǐguǒ?

林娜：我 朋友 生病 了，我 去 看 她。你 去 哪儿？
Línnà: Wǒ péngyou shēng bìng le, wǒ qù kàn tā. Nǐ qù nǎr?

阿明：我 去 跑步。
Wǒ qù pǎo bù.

林娜：天气 这么 冷，你 还 每天 跑步 吗？
Tiānqì zhème lěng, nǐ hái měi tiān pǎo bù ma?

阿明：不 是 每天 跑，但是 我 一 有 空儿 就去 跑。
Bú shì měi tiān pǎo, dànshì wǒ yì yǒu kòngr jiù qù pǎo.

林娜：你 真 行！
Nǐ zhēn xíng!

综合注释 Comprehensive Notes

1. 我买了一件毛衣。

动态助词“了（2）”，用在动词后面，表示动作完成或实现。经常用在“动词＋了＋数量短语/形容词/代词＋宾语”格式中。例如：

“了（2）” here is an auxiliary word used after a verb to indicate the completion of an action. It is commonly used in the pattern “V+ 了 + Num-M / Adj / Pron + O”. For example,

S	P			
	V	了	Num-M/ Adj/ Pron	O
我	买	了	一本	书。
林娜	买	了	很多	水果。
我	吃	了	他的	面包。

在动词前边有副词或者后边有后续小句的情况下，"了（2）"后的宾语可以没有数量短语/形容词/代词限制。例如：

If there's an adverb before the verb or the following part is a clause, "了（2）" can be directly followed by the object, with no numeral-measure-word compound, adjective or pronoun in between. For example,

S	P				
	Adv	V	了	O	
我	已经	告诉	了	李老师。	
他们	都	去	了	北京。	
我		吃	了	药，	感冒就好了。
我		吃	了	饭，	还喝了茶。

否定形式是：没（有）+V（+O），例如：

Negative form：没（有）+ V（+ O）. For example,

① 我没买毛衣。

② 我没去商场。

2. 我想一下课就去。

"一……就……"连接两个动词，表示两件事紧接着发生。例如：

The structure "一……就……" connects two verbs, meaning that two things happen one after the other. For example,

① 我们一见面就说汉语。

② 我一下课就去医院。

③ 他一来，我们就走。

3. 感冒昨天就好了。

"就"强调事情发生得早或快。例如：

"就" is used to emphasize that something happens very soon or very fast. For example,

① 八点上课，他七点就来了。

② 我五分钟以后就回来。

4. 这么快呀！

“这么”用来表示程度，后边用形容词或者动词。例如：
“这么” is used to show the degree and is followed by an adjective or a verb. For example,

① 这个地方这么大呀！
② 你怎么买了这么多水果？
③ 你怎么这么喜欢看电影？

5. 你还每天跑步吗？

“还（2）”表示动作或者状态的持续。例如：
“还（2）” indicates the continuity of an action or a situation. For example,

① 他还不知道这件事。
② 明年我还在北京。
③ 现在他还很忙。

补充词语 *Supplementary Vocabulary*

14-7

暖和	nuǎnhuo	*adj.*	warm
凉快	liángkuai	*adj.*	cool

课堂活动 *In-Class Activity*

一 模仿例子说一说 *Say something about each picture after the example.*

例如：E.g. 我看了一个电影。

1

一本词典
yì běn cídiǎn

2

一件礼物
yí jiàn lǐwù

3

一杯茶
yì bēi chá

4

两个朋友
liǎng ge péngyou

5

一套房子
yí tào fángzi

6

很多苹果
hěn duō píngguǒ

二 请你问问你的同学，他/ 她昨天做了什么事

Ask your classmate what he/she did yesterday.

例如：E.g.

A：你昨天做什么了？
Nǐ zuótiān zuò shénme le?

B：我昨天去超市买东西了。
Wǒ zuótiān qù chāoshì mǎi dōngxi le.

A：你买了什么东西？
Nǐ mǎile shénme dōngxi?

B：我买了一个面包。
Wǒ mǎile yí ge miànbāo.

综合练习 *Comprehensive Exercises*

一 听读辨调 ***Listen, read and discriminate the tones.*** 

三声 + 三声

shuǐguǒ	kǒuyǔ	yǒngyuǎn
nǐ hǎo	Fǎyǔ	liǎojiě

三声 + 四声

gǎnmào	kěshì	zǎofàn
yǒu kòngr	pǎo bù	zhǔnbèi

二 熟读下面的词语，并写出拼音

Read the following words and phrases repeatedly and write down their pinyin syllables.

羽绒服__________ 有空儿__________ 厚衣服__________

这么冷__________ 去一趟__________ 买水果__________

三 根据课文内容填空 *Fill in the blanks according to the texts.*

1. 今年________北京特别冷，我们班有________人感冒了。
   Jīnnián ________ Běijīng tèbié lěng , wǒmen bān yǒu ________ rén gǎnmào le.

2. “我”去商场买了一件________和一件________。
   “Wǒ” qù shāngchǎng mǎile yí jiàn ________ hé yí jiàn ________.

3. 阿明的感冒________。
   Āmíng de gǎnmào ________ .

4. 林娜的朋友________。
   Línnà de péngyou ________.

5. 阿明________每天跑步。
   Āmíng ________ měi tiān pǎobù .

四 把下面的句子改写成疑问句和否定句

Rewrite the following statements into questions and negative sentences.

例如：E.g. 我去了一趟超市。

Wǒ qùle yí tàng chāoshì .

→你去超市了没有？

Nǐ qù chāoshì le méiyǒu?

→我没去超市。

Wǒ méi qù chāoshì .

1. 我看了一个中国电影。
   Wǒ kànle yí ge Zhōngguó diànyǐng.

2. 我买了一件毛衣。
   Wǒ mǎile yí jiàn máoyī.

3. 我喝了一杯咖啡。
   Wǒ hēle yì bēi kāfēi.

4. 他穿了一件羽绒服。
   Tā chuānle yí jiàn yǔróngfú.

五 用“一……就……”完成句子 *Complete the sentences with “一……就……”.*

1. 马丁一来北京______________。
   Mǎdīng yì lái Běijīng______________.

2. 我一到教室______________。
   Wǒ yí dào jiàoshì______________.

3. 中午他一下课______________。
   Zhōngwǔ tā yí xià kè______________.

4. 爸爸______________就看电视。
   Bàba ______________ jiù kàn diànshì.

5. 李老师______________就去看朋友了。
   Lǐ lǎoshī ______________ jiù qù kàn péngyou le.

6. 我______________就请你吃饭。
   Wǒ ______________ jiù qǐng nǐ chī fàn.

六 用所给的词语完成对话 *Complete the dialogues with the given words or phrases.*

1. A：上星期你去哪儿了？
   Shàng xīngqī nǐ qù nǎr le?

   B：______________。（了　趟）
   ______________. (le　tàng)

2. A：这件衣服多少钱？
   Zhè jiàn yīfu duōshao qián?

   B：1188块钱。
   Yìqiān yìbǎi bāshíbā kuài qián.

   A：______________！（这么）
   ______________! (zhème)

3. A：明年你在哪个学校学习？
   Míngnián nǐ zài nǎge xuéxiào xuéxí?

   B：______________。（还）
   ______________. (hái)

4. A：上个星期你很忙，这个星期怎么样？
Shàng ge xīngqī nǐ hěn máng , zhège xīngqī zěnmeyàng?

B：________________。（还）
________________. (hái)

5. A：马丁去哪儿了？
Mădīng qù năr le?

B：他七点 ________________ 了。（就）
Tā qī diăn________________ le. (jiù)

6. A：你喜欢日本菜吗？
Nǐ xǐhuan Rìběn cài ma?

B：喜欢，________________。（但是）
Xǐhuan, ________________. (dànshì)

7. A：周末你想去玩儿吗？
Zhōumò nǐ xiăng qù wánr ma?

B：________________。（特别）
________________. (tèbié)

8. A：我每天都看中文报纸（newspaper）。
Wǒ měi tiān dōu kàn Zhōngwén bàozhǐ.

B：________________！（真）
________________! (zhēn)

七 回答下面的问题 *Answer the following questions.*

1. 你们国家什么时候比较（comparatively）冷？
Nǐmen guójiā shénme shíhou bǐjiào lěng?

2. 你们国家什么时候天气最好？
Nǐmen guójiā shénme shíhou tiānqì zuì hăo?

3. 你昨天穿了什么衣服？
Nǐ zuótiān chuānle shénme yīfu?

4. 你昨天做了什么事？
Nǐ zuótiān zuòle shénme shì?

5. 刚才（a moment ago）我们做了什么？
Gāngcái wǒmen zuòle shénme?

6. 你们一共学习了多少课?
Nǐmen yígòng xuéxíle duōshao kè?

八 朗读短文并仿写 *Read the passage aloud and write one using it as a model.*

我昨天去商场了，买了很多东西：一件衣服、很多水果，还买了牛奶（milk）和面包。

Wǒ zuótiān qù shāngchǎng le, mǎile hěn duō dōngxi: yí jiàn yīfu、hěn duō shuǐguǒ, hái mǎile niúnǎi hé miànbāo.

____

____

____

第二部分 学写汉字
Part Two Writing Chinese Characters

汉字知识 *About Chinese Characters*

汉字偏旁（6） *Radicals (6)*

木 mùzìpáng 树

纟 jiǎosīpáng 红

汉字组合（6） *Combinations (6)*

偏旁 Radicals	部件组合 Combinations	例字 Examples	结构图示 Illustrations
木	木＋又＋寸	树	
	木＋几	机	
	木＋及	极	
	木＋不	杯	
	木＋交	校	
	木＋羊	样	

续表

偏旁 Radicals	部件组合 Combinations	例字 Examples	结构图示 Illustrations
纟	纟＋ 圣 纟＋ 工 纟＋ 录 纟＋ 戎	经 红 绿 绒	

写汉字 *Character Writing*

请在汉字练习本上书写下列汉字 

Write the following Chinese characters in the workbook.

日常用语 *Daily Expressions* 

1. 我们机场（哈尔滨）见。 See you at the airport (in Harbin).
   Wǒmen jīchǎng (Hā'ěrbīn) jiàn.
2. 我们电话（邮件）联系。 Keep in touch by phone (e-mail).
   Wǒmen diànhuà (yóujiàn) liánxì.

15 大学生可以打工吗

Can College Students Have Part-time Jobs

第一部分　学习课文
Part One　Texts

课文一　Kèwén yī　Text One

生词 New Words and Expressions 15-1

1	打工	dǎ gōng		have a temporary job
2	挣钱	zhèng qián		earn money, make money
3	告诉	gàosu	*v.*	tell, let know
4	要	yào	*aux.*	want, wish
5	会	huì	*v.*	be acquainted with, have knowledge of
6	当	dāng	*v.*	act as, work as, serve as
7	合适	héshì	*adj.*	proper, suitable
8	可以	kěyǐ	*aux.*	can, may
9	辅导	fǔdǎo	*v.*	coach, tutor, guide
10	互相	hùxiāng	*adv.*	each other, mutually

专名 Proper Name

汉思	Hànsī	Hans, name of a non-Chinese

课文 Text 15-2

问题　Wèntí

1. 这学期朱云想做什么？
   Zhè xuéqī Zhū Yún xiǎng zuò shénme?
2. 汉思要学习什么？
   Hànsī yào xuéxí shénme?

朱云　这 学期 不 太 忙，她 想 打
Zhū Yún zhè xuéqī bú tài máng, tā xiǎng dǎ

工 挣 点儿 钱。林娜 告诉 朱云，她 的 朋友 汉思 要 找 一 个 汉语
gōng zhèng diǎnr qián. Línnà gàosu Zhū Yún, tā de péngyou Hànsī yào zhǎo yí ge Hànyǔ

老师。汉思 会 英语 和 法语，不 会 汉语，他 要 学习 汉语。林娜 觉得
lǎoshī. Hànsī huì Yīngyǔ hé Fǎyǔ, bú huì Hànyǔ, tā yào xuéxí Hànyǔ. Línnà juéde

朱云 当 汉思 的 老师 很 合适，她 可以 辅导 汉思 学习 汉语，她 和
Zhū Yún dāng Hànsī de lǎoshī hěn héshì, tā kěyǐ fǔdǎo Hànsī xuéxí Hànyǔ, tā hé

汉思 也 可以 互相 学习。
Hànsī yě kěyǐ hùxiāng xuéxí.

课文二 Kèwén èr Text Two

生词 New Words and Expressions 15-3

1	能	néng	*aux.*	can, be able to
2	大学	dàxué	*n.*	college, university
3	餐厅	cāntīng	*n.*	dining hall, cafeteria
4	或者	huòzhě	*conj.*	or
5	办公室	bàngōngshì	*n.*	office
6	帮忙	bāng máng	*v.*	help, do a favour, give (lend) a hand
7	放假	fàng jià	*v.*	have a holiday or vacation
8	旅游	lǚyóu	*v.*	travel, tour

课文 Text 15-4

问题 Wèntí

1. 在美国，大学生可以打工吗？
Zài Měiguó, dàxuéshēng kěyǐ dǎ gōng ma?

2. 美国大学生打工一般做什么工作？
Měiguó dàxuéshēng dǎ gōng yìbān zuò shénme gōngzuò?

崔浩：马丁，在 美国，
Cuī Hào: Mǎdīng, zài Měiguó,

大学生 可以 打 工 吗？
dàxuéshēng kěyǐ dǎ gōng ma?

马丁：可以，很多 大学生 都 打工。
Mǎdīng: Kěyǐ, hěn duō dàxuéshēng dōu dǎ gōng.

崔浩：学生 一般 能 做 什么 工作？
Xuésheng yìbān néng zuò shénme gōngzuò?

马丁：学生 可以 在 大学 的 餐厅、图书馆 或者 办公室 帮 忙，
Xuésheng kěyǐ zài dàxué de cāntīng、túshūguǎn huòzhě bàngōngshì bāng máng,

可以 到 公司 去 工作，也 可以 去 当 老师。
kěyǐ dào gōngsī qù gōngzuò, yě kěyǐ qù dāng lǎoshī.

崔浩：放假 的 时候 你 也 要 打工 吗？
Fàng jià de shíhou nǐ yě yào dǎ gōng ma?

马丁：我 不 想 打工，我 想 去 旅游。
Wǒ bù xiǎng dǎ gōng, wǒ xiǎng qù lǚyóu.

课文 三 Kèwén sān Text Three

生词 New Words and Expressions 15-5

1	会	huì	*aux.*	can, be able to
2	假期	jiàqī	*n.*	vacation, holiday
3	回	huí	*v.*	return, go back
4	开	kāi	*v.*	drive
5	车	chē	*n.*	vehicle, automobile
6	陪	péi	*v.*	keep sb. company, accompany
7	帮	bāng	*v.*	help
8	辆	liàng	*m.*	*used for vehicles*
9	比较	bǐjiào	*adv.*	comparatively, relatively
10	感谢	gǎnxiè	*v.*	thank, be grateful

专名 Proper Name

泰语	Tàiyǔ	Thai (language)

课文 Text 15-6

问题 Wèntí

1. 马丁假期想做什么？
Mǎdīng jiàqī xiǎng zuò shénme?
2. 阿明假期要做什么？
Āmíng jiàqī yào zuò shénme?

马丁：放假 以后，我 想 去 泰国 玩儿，可是 我 不 会 说 泰语，有 问题 吗？
Mǎdīng: Fàng jià yǐhòu, wǒ xiǎng qù Tàiguó wánr, kěshì wǒ bú huì shuō Tàiyǔ, yǒu wèntí ma?

阿明：没 问题。很 多 泰国 人 都 能 说 一点儿 英语。
Āmíng: Méi wèntí. Hěn duō Tàiguó rén dōu néng shuō yìdiǎnr Yīngyǔ.

马丁：太 好 了！
Tài hǎo le!

阿明：假期 我 也 回 家，我 可以 开 车 陪 你 玩儿。
Jiàqī wǒ yě huí jiā, wǒ kěyǐ kāi chē péi nǐ wánr.

马丁：不用，我 知道 你 假期 还 要 去 工作。
Búyòng, wǒ zhīdào nǐ jiàqī hái yào qù gōngzuò.

阿明：你 会 不 会 开 车？
Nǐ huì bu huì kāi chē?

马丁：会。
Huì.

阿明：我 可以 帮 你 租 一 辆 汽车，开 车 比较 方便。
Wǒ kěyǐ bāng nǐ zū yí liàng qìchē, kāi chē bǐjiào fāngbiàn.

马丁：非常 感谢！
Fēicháng gǎnxiè!

综合注释 Comprehensive Notes

1. 她的朋友汉思要找一个汉语老师。

"要（1）"，助动词，表示打算做某事。一般不单独回答问题。否定用"不想"。例如：

"要（1）", an auxiliary, means "plan to do something". It is seldom used alone as the answer to a question. Its negative form is "不想". For example,

S	P			
	Adv	要	V	O
汉思		要	学习	汉语。
我		要	看	这本书。
我	也	要	买	电脑。

A：假期你要打工吗？

B：我要打工。/ 我不想打工。

2. 她可以辅导汉思学习汉语。

（1）“可以（1）”表示能够或可能。可以单独回答问题。

“可以（1）” indicates an ability or a possibility. It can be used alone to answer a question.

S	P	
	可以	V
大学生	可以	到公司工作。
我	可以	陪你。
我	可以	帮你。

否定通常用“不能”，不说“不可以”。例如：

Its negative form is usually “不能”, not “不可以”. For example,

明天我不能来。

（2）“可以（2）”表示许可。多用于疑问或者否定。

“可以（2）” indicates a permission. It is often used in questions or negative sentences.

S	P	
	可以	V+O
大学生	可以	打工吗？
我	可以	问你一个问题吗？
我	可以	用一下卫生间吗？

表示肯定用“可以”，能单独回答问题。例如：

“可以” means affirmation. It can be used alone to answer a question. For example,

A：我可以问你一个问题吗？

B：可以。

表示否定用“不可以”或者“不能”例如：

“不可以” or “不能” means negation. For example,

① 上课不能吃东西。

② A：这儿可以抽烟（chōu yān，smoke）吗？

B：不可以。

3. 很多泰国人都能说一点儿英语。

“能”，助动词，表示有能力或者有条件做某事。可以单独回答问题。否定用“不能”。例如：

“能”, an auxiliary, means “having the ability or condition to do something”. It can be used alone to answer a question. Its negative form is “不能”. For example,

S	P			
	Adv	能	V	O
我		能	说	一点儿日语。
学生	一般	能	做	什么工作？
我	不	能	陪	你。

正反疑问形式：“能不能+V+O？”

Affirmative-negative question: “能不能+V+O？”

A：你能不能帮我？

B：能。

4. 你会不会开车？

“会”，助动词，表示懂得怎么做或者有能力做某事，多指需要学习的事情。可以单独回答问题。否定是“不会”。

“会”, an auxiliary, means “knowing how to do or having the ability to do something (often something that needs to be learned)”. It can be used alone to answer a question. Its negative form is “不会”.

S	P			
	Adv	会	V	O
我		会	说	汉语。
他		会	做	中国菜。
我	不	会	开	车。

正反疑问形式：“会不会+V+O？”

Affirmative-negative question: “会不会＋ V ＋ O ？”

A：你会不会开车？

B：会。

A：你会不会打太极拳？
B：不会。

补充词语 *Supplementary Vocabulary*

15-7

试衣服	shì yīfu	try on clothes
打网球	dǎ wǎngqiú	play tennis

课堂活动 *In-Class Activity*

小组问答练习：先回答指定的问题，然后根据实际情况进行问答练习

Group activity: First answer the given questions, and then do the question-and-answer drills according to the actual situation.

1. 要

（1）你要去商店吗？
Nǐ yào qù shāngdiàn ma?

（2）假期你要回家吗？
Jiàqī nǐ yào huí jiā ma?

（3）假期你要打工吗？
Jiàqī nǐ yào dǎ gōng ma?

（4）下课以后你要做什么？
Xià kè yǐhòu nǐ yào zuò shénme?

（5）今天晚上你要做什么？
Jīntiān wǎnshang nǐ yào zuò shénme?

（6）放假的时候你要做什么？
Fàng jià de shíhou nǐ yào zuò shénme?

2. 会

（1）你会说法语吗？
Nǐ huì shuō Fǎyǔ ma?

（2）你会写汉字吗？
Nǐ huì xiě Hànzì ma?

（3）你会不会开车？
Nǐ huì bu huì kāi chē?

（4）你会不会游泳？
Nǐ huì bu huì yóu yǒng?

（5）你会不会打网球？
Nǐ huì bu huì dǎ wǎngqú?

（6）你会不会做饭？
Nǐ huì bu huì zuò fàn?

3. 可以

（1）你可以陪我去商店吗？
Nǐ kěyǐ péi wǒ qù shāngdiàn ma?

（2）明天你可以去爬山吗？
Míngtiān nǐ kěyǐ qù pá shān ma?

（3）我可以用一下你的词典吗？
Wǒ kěyǐ yòng yíxià nǐ de cídiǎn ma?

（4）我可以试一下这件衣服吗？
Wǒ kěyǐ shì yíxià zhè jiàn yīfu ma?

（5）这儿可以抽烟吗？
Zhèr kěyǐ chōu yān ma?

（6）上课的时候可以吃东西吗？
Shàng kè de shíhou kěyǐ chī dōngxi ma?

4. 能

（1）你能念课文吗？
Nǐ néng niàn kèwén ma?

（2）你能唱（sing）中国歌（song）吗？
Nǐ néng chàng Zhōngguó gē ma?

（3）你的宿舍能做饭吗？
Nǐ de sùshè néng zuò fàn ma?

（4）这儿能不能上网？
Zhèr néng bu néng shàng wǎng?

（5）你能说法语吗？
Nǐ néng shuō Fǎyǔ ma?

（6）明天你能不能来上课？
Míngtiān nǐ néng bu néng lái shàng kè?

综合练习 *Comprehensive Exercises*

一 听读辨调 *Listen, read and discriminate the tones.* 15-8

三声 + 轻声

zěnme	zǎoshang	běibian
xǐhuan	wǎnshang	nǐmen

四声 + 一声

jiàqī	miànbāo	chàng gē
dàjiā	lùshī	qìchē

二 熟读下面的词语，并写出拼音

Read the following words and phrases repeatedly and write down their pinyin syllables.

餐厅＿＿＿＿＿＿	可以＿＿＿＿＿＿	假期＿＿＿＿＿＿
开车＿＿＿＿＿＿	比较＿＿＿＿＿＿	或者＿＿＿＿＿＿
旅游＿＿＿＿＿＿	挣钱＿＿＿＿＿＿	放假＿＿＿＿＿＿

三 根据课文内容填空 *Fill in the blanks according to the texts.*

1. 朱云想________挣钱。
   Zhū Yún xiǎng ________ zhèng qián.

2. 汉思要________一个汉语老师。
   Hànsī yào ________ yí ge Hànyǔ lǎoshī.

3. 汉思会________和________，不会________。
   Hànsī huì ________ hé ________, bú huì ________.

4. 美国大学生________打工。
   Měiguó dàxuéshēng ________ dǎ gōng.

5. 美国大学生可以在______、______或者______帮忙，也可以去______工作。
   Měiguó dàxuéshēng kěyǐ zài______、______huòzhě______bāng máng, yě kěyǐ qù______gōngzuò.

6. 放假的时候，马丁______打工，他______去旅游。
   Fàngjià de shíhou, Mǎdīng ______ dǎ gōng, tā ______ qù lǚyóu.

7. 马丁________开车。
   Mǎdīng ________ kāi chē.

8. 很多泰国人都______说一点儿英语。
   Hěn duō Tàiguó rén dōu ______ shuō yìdiǎnr Yīngyǔ.

9. 阿明假期________打工。
   Āmíng jiàqī ________ dǎ gōng.

10. 阿明________帮马丁租一辆汽车。
    Āmíng ________ bāng Mǎdīng zū yí liàng qìchē.

四 选择合适的助动词填空 *Choose the proper auxiliaries to fill in the blanks.*

要 yào　会 huì　能 néng　可以 kěyǐ　想 xiǎng

1. 明天我很忙，不________去看电影。
   Míngtiān wǒ hěn máng, bù ________ qù kàn diànyǐng.

2. 我不________游泳。
   Wǒ bú ________ yóu yǒng.

3. 放假的时候，我 ________ 回家看我父母。
Fàng jià de shíhou, wǒ ________ huí jiā kàn wǒ fùmǔ.

4. 我不会日语，不 ________ 看日文书。
Wǒ bú huì Rìyǔ, bù ________ kàn Rìwén shū.

5. 上课的时候，不 ________ 吃东西。
Shàng kè de shíhou, bù ________ chī dōngxi.

6. 我的宿舍不 ________ 做饭。
Wǒ de sùshè bù ________ zuò fàn.

7. ________ 问你一个问题吗？
________ wèn nǐ yí ge wèntí ma?

8. 你们不 ________ 在这儿踢足球。
Nǐmen bù ________ zài zhèr tī zúqiú.

五 选择适当的词语填空 *Choose the proper words to fill in the blanks.*

合适	或者	回	陪	帮	辆
héshì	huòzhě	huí	péi	bāng	liàng
比较	告诉	互相	放假		
bǐjiào	gàosu	hùxiāng	fàng jià		

1. 你们什么时候 ________？
Nǐmen shénme shíhou ________?

2. 我有时间，可以 ________ 你一起去玩儿。
Wǒ yǒu shíjiān, kěyǐ ________ nǐ yìqǐ qù wánr.

3. 下课以后我就 ________ 家。
Xià kè yǐhòu wǒ jiù ________ jiā.

4. 我想买一 ________ 汽车。
Wǒ xiǎng mǎi yí ________ qìchē.

5. 他 ________ 我这件事了。
Tā ________ wǒ zhè jiàn shì le.

6. 你穿这件衣服很 ________。
Nǐ chuān zhè jiàn yīfu hěn ________.

7. 我走路 ________ 骑自行车去学校。
Wǒ zǒu lù ________ qí zìxíngchē qù xuéxiào.

8. 请你 ________ 我买一本书，好吗？
Qǐng nǐ ________ wǒ mǎi yì běn shū, hǎo ma?

9. 今天的天气______好。
Jīntiān de tiānqì ______ hǎo.

10. 我和我的中国朋友______学习。
Wǒ hé wǒ de Zhōngguó péngyou______ xuéxí.

六 看图说话，并写下来 *Say something about each picture and write down what you say.*

1

会
huì

______

2

会
huì

______

3

要
yào

______

4

能
néng

______

七 说一说，写一写 *Talk and write*

1. 你们国家大学生可以打工吗？大学生可以做什么工作？
Nǐmen guójiā dàxuéshēng kěyǐ dǎ gōng ma? Dàxuéshēng kěyǐ zuò shénme gōngzuò?

______

2. 你打工吗？你一般什么时候去打工？你一般做什么工作？
Nǐ dǎ gōng ma? Nǐ yìbān shénme shíhou qù dǎ gōng? Nǐ yìbān zuò shénme gōngzuò?

______

第二部分　学写汉字
Part Two　Writing Chinese Characters

汉字知识 *About Chinese Characters*

汉字偏旁（7） *Radicals (7)*

心	xīnzìdǐ	您
𧾷	zúzìpáng	跟

汉字组合（7） *Combinations (7)*

偏旁 Radicals	部件组合 Combinations	例字 Examples	结构图示 Illustrations
心	乍＋心	怎	
	相＋心	想	
	立＋曰＋心	意	
	咸＋心	感	
	亻＋尔＋心	您	
𧾷	𧾷＋各	路	
	𧾷＋艮	跟	
	𧾷＋易	踢	
	𧾷＋包	跑	

写汉字 *Character Writing*

请在汉字练习本上书写下列汉字 

Write the following Chinese characters in the workbook.

日常用语 *Daily Expressions* 

1. 下星期一到泰国的航班还有票吗？

   Xià xīngqīyī dào Tàiguó de hángbān hái yǒu piào ma?

   Are there any tickets available for next Monday's flight to Thailand?

2. 我要两张11号到成都的硬卧。

   Wǒ yào liǎng zhāng shíyī hào dào Chéngdū de yìngwò.

   I want two semi-cushioned berth tickets to Chengdu on the 11th (of this month).

语言点小结（一）
Summary of Language Points (I)

疑问句　Interrogative Sentences

1. 用“吗”的疑问句：

   Interrogative sentences with “吗”：

   你忙吗？

   你会开车吗？

2. 用疑问代词（谁、什么、哪儿、哪、怎么、怎么样、多少、几）的疑问句：

   Interrogative sentences with interrogative pronouns（谁, 什么, 哪儿, 哪, 怎么, 怎么样, 多少, 几）：

   这是谁的手机？

   你怎么买了这么多水果？

   香蕉多少钱一斤？

3. 用肯定形式加否定形式的正反疑问句：

   Affirmative-negative questions:

   你忙不忙？

   你去不去超市？

4. 用“还是”的选择疑问句：

   Alternative questions with “还是”：

   你是老师还是学生？

   你今天去还是明天去？

5. 用“呢”的省略疑问句：

   Elliptical interrogative sentences with “呢”：

   我是泰国人，你呢？

   我们班没有日本人，你们班呢？

6. 用“对吗”提问的疑问句：

   Interrogative sentences with “对吗”：

   今天是你的生日，对吗？

   你喜欢喝咖啡，对吗？

16 我想送他一件礼物
I Want to Give Him a Gift

第一部分　学习课文
Part One　Texts

课文一　Kèwén yī　Text One

生词　New Words and Expressions　16-1

1	结婚	jié hūn	*v.*	marry, get married
2	送	sòng	*v.*	give, offer
3	份	fèn	*m.*	set, copy
4	少	shǎo	*adj.*	few, little
5	应该	yīnggāi	*aux.*	should, ought to
6	希望	xīwàng	*v.*	hope, wish
7	参加	cānjiā	*v.*	take part in, attend
8	婚礼	hūnlǐ	*n.*	wedding ceremony, wedding
9	重要	zhòngyào	*adj.*	important
10	事情	shìqing	*n.*	thing, affair, matter
11	特殊	tèshū	*adj.*	special, particular

课文　Text　16-2

问题　Wèntí

1. 马丁的中国朋友什么时候结婚?
   Mǎdīng de Zhōngguó péngyou shénme shíhou jié hūn?
2. 马丁知道他朋友想要什么礼物吗?
   Mǎdīng zhīdào tā péngyou xiǎng yào shénme lǐwù ma?

马丁　有一个　中国
Mǎdīng yǒu yí ge Zhōngguó

朋友　下个星期　结婚，
péngyou xià ge xīngqī jié hūn,

马丁 想 送 他 一 份 礼物，但是 不 知道 送 什么 合适。他 问了 不
Mǎdīng xiǎng sòng tā yí fèn lǐwù, dànshì bù zhīdào sòng shénme héshì. Tā wènle bù

少 中国 人，他们 都 说：“你 应该 问 你 朋友 喜欢 什么，想 要
shǎo Zhōngguó rén, tāmen dōu shuō:“ Nǐ yīnggāi wèn nǐ péngyou xǐhuan shénme, xiǎng yào

什么。”
shénme.”

马丁 去 问 朋友，他 说：“我 不 需要 你 送 我 礼物，我 希望 你 来
Mǎdīng qù wèn péngyou, tā shuō:“ wǒ bù xūyào nǐ sòng wǒ lǐwù, wǒ xīwàng nǐ lái

参加 我 的 婚礼。”可是 马丁 觉得 这么 重要 的 事情，还是 应该 送
cānjiā wǒ de hūnlǐ.” Kěshì Mǎdīng juéde zhème zhòngyào de shìqing, háishi yīnggāi sòng

一 份 特殊 的 礼物。
yí fèn tèshū de lǐwù.

课文 二 Kèwén èr Text Two

生词 New Words and Expressions 16-3

1	到时候	dào shíhou		at that time, then
2	照相	zhào xiàng	*v.*	take a photograph, take a picture
3	照片	zhàopiàn	*n.*	photograph, picture
4	有意思	yǒu yìsi		interesting
5	一定	yídìng	*adv.*	surely, certainly
6	亲戚	qīnqi	*n.*	relative, kinsfolk
7	麻烦	máfan	*adj.*	troublesome, inconvenient
8	给	gěi	*v.*	give
9	简单	jiǎndān	*adj.*	simple, uncomplicated
10	办法	bànfǎ	*n.*	method, means, way

课文 Text 16-4

问题 Wèntí

1. 马丁准备了什么礼物?
Mǎdīng zhǔnbèile shénme lǐwù?
2. 结婚的时候，韩国人一般送什么礼物?
Jié hūn de shíhou, Hánguó rén yìbān sòng shénme lǐwù?

崔浩：你的 中国 朋友 结婚，你准备了 什么 礼物?
Cuī Hào: Nǐ de Zhōngguó péngyou jié hūn, nǐ zhǔnbèile shénme lǐwù?

马丁：到 时候，我 帮 他们 照相，然后 送 他们 照片。
Mǎdīng: Dào shíhou, wǒ bāng tāmen zhào xiàng, ránhòu sòng tāmen zhàopiàn.

崔浩：你的礼物很有意思，你 朋友 一定 喜欢。
Nǐ de lǐwù hěn yǒu yìsi, nǐ péngyou yídìng xǐhuan.

马丁：韩国 人 结婚的时候，你们 一般 送 什么 呢?
Hánguó rén jié hūn de shíhou, nǐmen yìbān sòng shénme ne?

崔浩：亲戚、朋友 常常 送 钱，他们觉得 买 东西 太 麻烦，给 钱 简单。
Qīnqi、péngyou chángcháng sòng qián, tāmen juéde mǎi dōngxi tài máfan, gěi qián jiǎndān.

马丁：这个 办法 也 很 好。
Zhège bànfǎ yě hěn hǎo.

课文 三 Kèwén sān Text Three

生词 New Words and Expressions 16-5

1	节日	jiérì	*n.*	holiday, festival, red-letter day
2	过	guò	*v.*	spend (time), pass (time)
3	要	yào	*aux.*	must, should
4	带	dài	*v.*	take, bring, carry
5	束	shù	*m.*	bundle, bunch

6	好吃	hǎochī	*adj.*	tasty, delicious
7	酒	jiǔ	*n.*	wine, liquor, spirits
8	当然	dāngrán	*adv.*	certainly, of course

课文 Text 16-6

问题 Wèntí

1. 中国人一般什么时候送礼物?
   Zhōngguó rén yìbān shénme shíhou sòng lǐwù?
2. 马丁觉得去朋友家不带礼物好不好?
   Mǎdīng juéde qù péngyou jiā bú dài lǐwù hǎo bu hǎo?
3. 朱云说去朋友家可以带什么东西?
   Zhū Yún shuō qù péngyou jiā kěyǐ dài shénme dōngxi?

马丁：朱云，中国人一般什么时候送礼物?
Mǎdīng: Zhū Yún, Zhōngguó rén yìbān shénme shíhou sòng lǐwù?

朱云：节日或者亲戚、朋友过生日、结婚的时候，中国人一般都要送礼物。
Zhū Yún: Jiérì huòzhě qīnqi、péngyou guò shēngrì、jié hūn de shíhou, Zhōngguó rén yìbān dōu yào sòng lǐwù.

马丁：我现在要去朋友家，要带礼物吗?
Wǒ xiànzài yào qù péngyou jiā, yào dài lǐwù ma?

朱云：不带礼物也可以。
Bú dài lǐwù yě kěyǐ.

马丁：我觉得还是带点儿东西比较好，我应该带什么呢?
Wǒ juéde háishi dài diǎnr dōngxi bǐjiào hǎo, wǒ yīnggāi dài shénme ne?

朱云：你可以带一点儿水果，也可以带一束花。
Nǐ kěyǐ dài yìdiǎnr shuǐguǒ, yě kěyǐ dài yí shù huā.

马丁：带好吃的东西或者酒，可以吗?
Dài hǎochī de dōngxi huòzhě jiǔ, kěyǐ ma?

朱云：当然可以。
Dāngrán kěyǐ.

综合注释 Comprehensive Notes

1. 马丁想送他一份礼物。

汉语中有一些动词可以带两个宾语，前一个指人，后一个指事物。例如：

Some verbs in Chinese can be followed by two objects, the former referring to people and the latter referring to things. For example,

S	P		
	V	O_1	O_2
他	送	我	一束花。
我	给	他	一点儿钱。
我	想送	他	一份礼物。

2. 中国人一般都要送礼物。

"要（2）"，助动词，表示应该。例如：

"要（2）", an auxiliary, means "should". For example,

① 去看朋友要带一点儿东西。
② 你找到工作了，要请客。
③ 你感冒了，要吃药。

3. 我觉得还是带点儿东西比较好。

"还是"，副词，表示经过比较、考虑，提出选择，用"还是"引出所选择的一项。含有商量或希望的口气。例如：

"还是", an adverb, is used to introduce an alternative choice after comparison or consideration. It carries a tone of wish or consultation. For example,

① 还是我跟他说吧。
② 我觉得还是你去比较好。
③ 还是你来我这儿吧，我这儿方便。

4. 你可以带一点儿水果。

"可以（3）"，助动词，表示提出一种可能的选择。例如：

"可以（3）", an auxiliary, is used to put forward a possible alternative. For example,

① 这个商店很贵，你可以去那个商店买。
② 你可以送礼物，也可以不送礼物。
③ 你可以送水果，也可以送花儿。

补充词语 Supplementary Vocabulary

16-7

化妆品	huàzhuāngpǐn	*n.*	cosmetics
日用品	rìyòngpǐn	*n.*	daily-use necessities
家电	jiādiàn	*n.*	household electrical appliances
冰箱	bīngxiāng	*n.*	refrigerator
洗衣机	xǐyījī	*n.*	washing machine
巧克力	qiǎokèlì	*n.*	chocolate

课堂活动 *In-Class Activity*

小组讨论 ***Group discussion***

（1）在你们国家，结婚的时候一般送什么礼物？
Zài nǐmen guójiā, jié hūn de shíhou yìbān sòng shénme lǐwù?

（2）在你们国家，你们什么时候给别人送礼物？一般送什么礼物？
Zài nǐmen guójiā, nǐmen shénme shíhou gěi biéren sòng lǐwù? Yìbān sòng shénme lǐwù?

综合练习 *Comprehensive Exercises*

一 听读辨调 ***Listen, read and discriminate the tones.***

四声 + 二声

wèntí	lǜchá	qùnián
tèbié	bào míng	liànxí

四声 + 三声

diànyǐng	hàomǎ	xiàwǔ
huòzhě	shàng wǎng	fànguǎn

二 熟读下面的词语，并写出拼音

Read the following words and phrases repeatedly and write down their pinyin syllables.

结婚______	准备______	亲戚______
婚礼______	不用______	比较______
参加______	重要______	或者______

三 辨别下面的每组汉字，并写出拼音

Discriminate each pair of characters and then write down their pinyin syllables.

少______ / 小______	公______ / 么______	休______ / 体______	牛______ / 午______
大______ / 太______	很______ / 银______	车______ / 东______	块______ / 快______

四 模仿例子，用合适的词语填空 *Fill in the blanks with proper words after the example.*

例如：E.g. 喝 茶
hē

过______ guò	带______ dài	送______ sòng	参加______ cānjiā
打______ dǎ	开______ kāi	穿______ chuān	辅导______ fǔdǎo
租______ zū	踢______ tī	骑______ qí	上______ shàng

五 用指定的词语提问 *Make questions with the given words or phrases.*

1. 这是我的词典。（谁）
   Zhè shì wǒ de cídiǎn. (shéi)

2. 我要那种苹果。（哪）
   Wǒ yào nà zhǒng píngguǒ. (nǎ)

3. 这些东西二十块钱。（多少）
   Zhèxiē dōngxi èrshí kuài qián. (duōshao)

4. 明天星期一。（几）
   Míngtiān xīngqīyī. (jǐ)

5. 我的手机号码是15266772819。（多少）
   Wǒ de shǒujī hàomǎ shì yāo wǔ èr liù liù qī qī èr bā yāo jiǔ. (duōshao)

6. 我喜欢打篮球。（什么）
Wǒ xǐhuan dǎ lánqiú.（shénme）

7. 我的身体很好。（怎么样）
Wǒ de shēntǐ hěn hǎo.（zěnmeyàng）

8. 我喝茶或者咖啡。（还是）
Wǒ hē chá huòzhě kāfēi.（háishi）

9. 我很喜欢骑自行车。（对吗）
Wǒ hěn xǐhuan qí zìxíngchē.（duì ma）

10. 我是日本人。（吧）
Wǒ shì Rìběn rén.（ba）

六 用指定的词语完成句子 *Complete the sentences with the given words or phrases.*

1. 我＿＿＿＿＿＿＿＿＿＿一本汉语词典。（应该）
Wǒ ＿＿＿＿＿＿＿＿＿＿ yì běn Hànyǔ cídiǎn.（yīnggāi）

2. 我觉得＿＿＿＿＿＿＿＿＿＿。（麻烦）
Wǒ juéde ＿＿＿＿＿＿＿＿＿＿.（máfan）

3. 他下星期来北京，＿＿＿＿＿＿＿＿＿＿。（到时候）
Tā xià xīngqī lái Běijīng, ＿＿＿＿＿＿＿＿＿＿.（dào shíhou）

4. 我＿＿＿＿＿＿＿＿＿＿。（希望）
Wǒ ＿＿＿＿＿＿＿＿＿＿.（xīwàng）

5. 他下个星期 回国，我想＿＿＿＿＿＿＿＿＿＿。（送）
Tā xià ge xīngqī huí guó, wǒ xiǎng ＿＿＿＿＿＿＿＿＿＿.（sòng）

6. 去看亲戚一般＿＿＿＿＿＿＿＿＿＿。（要）
Qù kàn qīnqi yìbān ＿＿＿＿＿＿＿＿＿＿.（yào）

7. 不喜欢在家做饭，＿＿＿＿＿＿＿＿＿＿。（可以）
Bù xǐhuan zài jiā zuò fàn, ＿＿＿＿＿＿＿＿＿＿.（kěyǐ）

8. 你＿＿＿＿＿＿＿＿＿＿比较好。（还是）
Nǐ ＿＿＿＿＿＿＿＿＿＿ bǐjiào hǎo.（háishi）

9. 他说＿＿＿＿＿＿＿＿＿＿。（重要）
Tā shuō ＿＿＿＿＿＿＿＿＿＿.（zhòngyào）

10. 明天我＿＿＿＿＿＿＿＿＿＿。（一定）
Míngtiān wǒ＿＿＿＿＿＿＿＿＿＿.（yídìng）

七 阅读短文 *Read the passage.*

林娜和朱云是好朋友，她们经常见面。有时候朱云辅导林娜学习汉语，有时候她们一起聊天儿，有时候一起去商店买东西。上周末，她们还一起去参加了一个朋友的生日晚会（wǎnhuì，party）。朱云喜欢运动，林娜喜欢画画儿。有时候林娜陪朱云去打球，有时候朱云跟林娜一起去看画展（huàzhǎn，painting show）。

Línnà hé Zhū Yún shì hǎo péngyou, tāmen jīngcháng jiàn miàn. Yǒu shíhou Zhū Yún fǔdǎo Línnà xuéxí Hànyǔ, yǒu shíhou tāmen yìqǐ liáo tiānr, yǒu shíhou yìqǐ qù shāngdiàn mǎi dōngxi. Shàng zhōumò, tāmen hái yìqǐ qù cānjiāle yí ge péngyou de shēngrì wǎnhuì. Zhū Yún xǐhuan yùndòng, Línnà xǐhuan huà huàr. Yǒu shíhou Línnà péi Zhū Yún qù dǎ qiú , yǒu shíhou Zhū Yún gēn Línnà yìqǐ qù kàn huàzhǎn。

回答问题 Answer the questions.

1. 林娜和朱云见面的时候都做什么？
   Línnà hé Zhū Yún jiàn miàn de shíhou dōu zuò shénme?
2. 她们什么时候去参加 朋友的生日晚会了？
   Tāmen shénme shíhou qù cānjiā péngyou de shēngrì wǎnhuì le?
3. 朱云有什么爱好？
   Zhū Yún yǒu shénme àihào?
4. 林娜喜欢做什么？
   Línnà xǐhuan zuò shénme?

第二部分　学写汉字
Part Two　Writing Chinese Characters

汉字知识 About Chinese Characters

汉字偏旁（8） *Radicals (8)*

阝　shuāng'ěrdāo　陪　那

宀　bǎogàir　家

汉字组合（8） *Combinations (8)*

偏旁 Radicals	部件组合 Combinations	例字 Examples	结构图示 Illustrations
阝	阝＋可	阿	
	阝＋完	院	
	阝＋立＋口	陪	
	者＋阝	都	
宀	宀＋亻＋百	宿	
	宀＋豕	家	
	宀＋女	安	
	宀＋至	室	
	宀＋各	客	
	宀＋子	字	
	宀＋疋	定	

写汉字 Character Writing

请在汉字练习本上书写下列汉字 

Write the following Chinese characters in the workbook.

日常用语 *Daily Expressions* 

1. 我的护照和钱包都丢了。　I've lost both my passport and purse.
   Wǒ de hùzhào hé qiánbāo dōu diū le.
2. 还可以便宜（一些）吗？　Can you give me this for a cheaper price?
   Hái kěyǐ piányi (yìxiē) ma?

17 我口语和听力都很好

I'm Good at both Speaking and Listening

第一部分　学习课文
Part One　Texts

课文一　Kèwén yī　Text One

生词　New Words and Expressions　17-1

1	做客	zuò kè		be a guest
2	爱人	àiren	*n.*	husband or wife
3	教	jiāo	*v.*	teach
4	包	bāo	*v.*	wrap
5	饺子	jiǎozi	*n.*	Chinese dumpling, *jiaozi*
6	葡萄酒	pútaojiǔ	*n.*	wine
7	啤酒	píjiǔ	*n.*	beer
8	才	cái	*adv.*	*indicating that sth. has taken place later than is expected*

课文　Text　17-2

 问题　Wèntí 

1. "我们"什么时候到李老师家做客的？
   "Wǒmen" shénme shíhou dào Lǐ lǎoshī jiā zuò kè de?
2. "我们"在李老师家做什么了？
   "Wǒmen" zài Lǐ lǎoshī jiā zuò shénme le?

今天 下午 我们 到 李 老师
Jīntiān xiàwǔ wǒmen dào Lǐ lǎoshī

家 做客。 李 老师 的 爱人 给 我们 做了 很 多 好吃 的 菜， 她 还 教 我们
jiā zuò kè. Lǐ lǎoshī de àiren gěi wǒmen zuòle hěn duō hǎochī de cài, tā hái jiāo wǒmen

包 饺子。李 老师 给 我们 买了 葡萄酒 和 啤酒。大家 一起 喝 酒、 吃 饭、
bāo jiǎozi. Lǐ lǎoshī gěi wǒmen mǎile pútaojiǔ hé píjiǔ. Dàjiā yìqǐ hē jiǔ、 chī fàn、

聊天儿， 非常 高兴。 晚上 十 点， 我们 才 回 家。
liáo tiānr, fēicháng gāoxìng. Wǎnshang shí diǎn, wǒmen cái huí jiā.

课文 二 Kèwén èr Text Two

生词 New Words and Expressions 17-3

1	热闹	rènao	*adj.*	bustling with excitement, lively
2	瓶	píng	*m.*	bottle
3	最近	zuìjìn	*n.*	recently, lately
4	说话	shuō huà	*v.*	speak, talk, say
5	第一	dì-yī	*num.*	first
	第	dì	*pref.*	*used before integers to indicate order*
6	次	cì	*m.*	time, occasion
7	难	nán	*adj.*	difficult, hard
8	学	xué	*v.*	learn, study

课文 Text 17-4

问题 Wèntí

1. 李老师去超市买了什么东西？
   Lǐ lǎoshī qù chāoshì mǎile shénme dōngxi?
2. 包饺子难学吗？
   Bāo jiǎozi nán xué ma?

（学生们正在包饺子，这时候，李一民从外边回来了。The students are making Chinese dumplings when Li Yiming comes back.）

李一民： 这么 热闹 啊， 大家 都 来 了？
Lǐ Yīmín: Zhème rènao a, dàjiā dōu lái le?

学生：李老师，我们四点半就到了。您去哪儿了？
Xuésheng: Lǐ lǎoshī, wǒmen sì diǎn bàn jiù dào le. Nín qù nǎr le?

李一民：我去超市买酒了。你们看，我买了一瓶葡萄酒，还买了十瓶啤酒。今天星期六，大家可以多喝一点儿。我最近身体不好，不能喝酒，我多说话。
Wǒ qù chāoshì mǎi jiǔ le. Nǐmen kàn, wǒ mǎile yì píng pútaojiǔ, hái mǎile shí píng píjiǔ. Jīntiān xīngqīliù, dàjiā kěyǐ duō hē yìdiǎnr. Wǒ zuìjìn shēntǐ bù hǎo, bù néng hē jiǔ, wǒ duō shuō huà.

林娜：李老师，这是我第一次包饺子，您看怎么样？
Línnà: Lǐ lǎoshī, zhè shì wǒ dì yī cì bāo jiǎozi, nín kàn zěnmeyàng?

李一民：非常好！你们觉得包饺子难学吗？
Fēicháng hǎo! Nǐmen juéde bāo jiǎozi nán xué ma?

林娜：不难学，可是准备包饺子很麻烦。
Bù nán xué, kěshì zhǔnbèi bāo jiǎozi hěn máfan.

课文三 Kèwén sān Text Three

生词 New Words and Expressions 17-5

1	进步	jìnbù	*v.,n.*	progress, advance, improve; progress, advance, improvement
2	努力	nǔlì	*adj.*	hard-working
3	发音	fāyīn	*n.*	pronunciation
4	口语	kǒuyǔ	*n.*	speaking, spoken language
5	听力	tīnglì	*n.*	listening, listening comprehension
6	写	xiě	*v.*	write
7	声调	shēngdiào	*n.*	tone
8	总是	zǒngshì	*adv.*	always
9	怎么	zěnme	*pron.*	how
10	办	bàn	*v.*	do, handle

11	别	bié	*adv.*	don't
12	着急	zháojí	*adj.*	worried, anxious
13	更	gèng	*adv.*	more, even more

专名 Proper Name

汉字	Hànzì	Chinese character

课文 Text 17-6

问题 Wèntí

1. 山田汉语有什么问题？
   Shāntián Hànyǔ yǒu shénme wèntí?
2. 马丁汉语怎么样？
   Mǎdīng Hànyǔ zěnmeyàng?
3. 林娜汉语有什么问题？
   Línnà Hànyǔ yǒu shénme wèntí?

林娜：李老师，您觉得我们汉语有进步吗？
Línnà: Lǐ lǎoshī, nín juéde wǒmen Hànyǔ yǒu jìnbù ma?

李一民：你们这么努力学习，当然有进步了。
Lǐ Yīmín: Nǐmen zhème nǔlì xuéxí, dāngrán yǒu jìnbù le.

山田：我汉字没有问题，可是我发音不好。
Shāntián: Wǒ Hànzì méiyǒu wèntí, kěshì wǒ fāyīn bù hǎo.

马丁：我口语和听力都很好，汉字也认识，但是不会写。
Mǎdīng: Wǒ kǒuyǔ hé tīnglì dōu hěn hǎo, Hànzì yě rènshi, dànshì bú huì xiě.

林娜：我的声调总是不好，应该怎么办呢？
Línnà: Wǒ de shēngdiào zǒngshì bù hǎo, yīnggāi zěnme bàn ne?

李一民：别着急，你们平时多听、多说、多看、多写，进步一定更快。好，我们别说学习了，快来吃饭吧！
Lǐ Yīmín: Bié zháojí, nǐmen píngshí duō tīng、duō shuō、duō kàn、duō xiě, jìnbù yídìng gèng kuài. Hǎo, wǒmen bié shuō xuéxí le, kuài lái chī fàn ba!

综合注释 Comprehensive Notes

1. 晚上十点，我们才回家。

“才（1）”表示说话人认为动作发生得很晚。例如：

“才（1）” means that the speaker thinks the action happens too late. For example,

① 他九点才起床。

② 我们十点才回家。

③ 我六点出发，十二点才到。

④ 今天我们十二点半才下课。

2. 我最近身体不好。

主谓结构做谓语的结构是：

The subject-predicate structure serves as a predicate:

S	P	
	S’	P’
李老师	身体	很好。
我	工作	很忙。
他	口语	很好。

3. 你们觉得包饺子难学吗？

形容词用在动词前边做状语。单音节形容词后边不用“地”。例如：

An adjective before the verb is used here as the adverbial. A monosyllabic adjective is not followed by “地”. For example,

S	P			
		Adj	V	O
大家		多	喝	一点儿（酒）。
英语		难	学吗？	
我们	应该	多	说	汉语。

4. 应该怎么办呢？

“怎么（2）”，用来询问方式。例如：

“怎么（2）” is used to ask about the way or means. For example,

① 这件事怎么办呢？

② 这个汉字怎么写？
③ 这个汉语怎么说？
④ 你怎么来学校？

5. 好，我们别说学习了。

这里的“好”表示结束。例如：

“好” here indicates the end. For example,

① 好，我们走吧。
② 好，我们今天就说到这儿。

补充词语 *Supplementary Vocabulary*

名词 Nouns			常用搭配词语 Words to be collocated with
个子	gèzi	height, stature	高 gāo tall / 矮 ǎi short
头发	tóufa	hair	漂亮 piàoliang beautiful / 长 cháng long
眼睛	yǎnjing	eye	大 dà big / 小 xiǎo small / 漂亮 piàoliang beautiful
鼻子	bízi	nose	高 gāo high / 小 xiǎo small / 大 dà big
身材	shēncái	figure, stature	瘦 shòu thin/ 胖 pàng fat

课堂活动 *In-Class Activities*

一 请你描述一个人（你的同学或者你的朋友）

Describe a person (your classmate or your friend).

例如：E.g. 这个人个子很 高，眼睛很大……

二 请说一说你现在的情况 *Talk about your current situation.*

例如：E.g. 我学习很忙，每天从八点到十一点半上课……
我身体……
我生活……
我工作……

综合练习 Comprehensive Exercises

一 听读辨调 *Listen, read and discriminate the tones.* 17-8

四声 + 四声

jìnbù　　sùshè　　shàng kè
zuìjìn　　jiàn miàn　　zhàopiàn

四声 + 轻声

rènao　　piàoliang　　hòubian
gàosu　　dìfang　　kèqi

二 熟读下面的词语，并写出拼音

Read the following words repeatedly and write down their pinyin syllables.

爱人__________　　发音__________　　努力__________
麻烦__________　　口语__________　　着急__________
热闹__________　　总是__________　　葡萄酒__________

三 根据课文内容填空 *Fill in the blanks according to the texts.*

1. 昨天我们去李老师家__________。
   Zuótiān wǒmen qù Lǐ lǎoshī jiā__________.

2. 李老师的爱人__________我们包饺子。
   Lǐ lǎoshī de àiren__________ wǒmen bāo jiǎozi.

3. 李老师__________我们买了__________。
   Lǐ lǎoshī__________wǒmen mǎile__________.

4. 李老师说星期六可以__________一点儿酒。
   Lǐ lǎoshī shuō xīngqīliù kěyǐ__________ yìdiǎnr jiǔ.

5. 山田__________很好，__________不好。
   Shāntián__________hěn hǎo, __________ bù hǎo.

6. 马丁__________很好，__________不好。
   Mǎdīng__________hěn hǎo, __________ bù hǎo.

7. 林娜__________，她很着急。
   Línnà__________, tā hěn zháojí.

四 把左边的动词和右边的词语连起来，构成合适的搭配

Match the verbs on the left with the words on the right to form correct collocations.

租	病
参加	客
踢	钱
写	饺子
骑	衣服
包	房子
挣	汉字
洗	足球
生	自行车
做	婚礼

五 选择合适的形容词填空 *Choose the proper adjectives to fill in the blanks.*

多	难	快	热闹	努力	高兴	少	方便
duō	nán	kuài	rènao	nǔlì	gāoxìng	shǎo	fāngbiàn

1. 他学习很______。
   Tā xuéxí hěn______.

2. 汉语不______学，可是汉字______写。
   Hànyǔ bù ______ xué, kěshì Hànzì______xiě.

3. 这个地方每天都很______。
   Zhège dìfang měi tiān dōu hěn______.

4. 我骑自行车去学校很______。
   Wǒ qí zìxíngchē qù xuéxiào hěn______.

5. 学习汉语一定要______听、______说、______看、______写。
   Xuéxí Hànyǔ yídìng yào______tīng、______shuō、______kàn、______xiě.

6. 他父母来了，他很______。
   Tā fùmǔ lái le， tā hěn______.

7. 你______去办公室吧，他们找你。
   Nǐ ______qù bàngōngshì ba, tāmen zhǎo nǐ.

8. 喝酒对身体不好，你______喝点儿酒吧。
Hē jiǔ duì shēntǐ bù hǎo, nǐ______ hē diǎnr jiǔ ba.

9. 感冒了，要______喝水。
Gǎnmào le , yào______ hē shuǐ.

10. 他的中文书不______。
Tā de Zhōngwén shū bù______.

六 完成对话 *Complete the following dialogues.*

1. A：你汉语怎么样？
Nǐ Hànyǔ zěnmeyàng?

B：______________。

2. A：你爸爸、妈妈身体好吗？
Nǐ bàba、 māma shēntǐ hǎo ma?

B：______________。

3. A：你学习忙不忙？
Nǐ xuéxí máng bu máng?

B：______________。

4. A：汉语难不难学？
Hànyǔ nán bu nán xué?

B：______________。

5. A：______________？（怎么）
______________? (zěnme)

B：我骑自行车来学校。
Wǒ qí zìxíngchē lái xuéxiào.

6. A：我不会说汉语，怎么办呢？
Wǒ bú huì shuō Hànyǔ, zěnme bàn ne?

B：______________。（别……）
______________. (bié ... ...)

七 用下面的词语造句 *Make sentences with the following words.*

1. 总是 zǒngshì

2. 更 gèng

3. 最近 zuìjìn

4. 着急 zháojí

5. 进步 jìnbù

八 用下面的词语说出图画的意思 *Describe the pictures with the given words.*

风景	学习	身体	工作
fēngjǐng	xuéxí	shēntǐ	gōngzuò
努力	漂亮	好	忙
nǔlì	piàoliang	hǎo	máng
非常	特别	很	
fēicháng	tèbié	hěn	

1

2

3

4

第二部分 学写汉字
Part Two Writing Chinese Characters

汉字知识 *About Chinese Characters*

汉字偏旁（9） *Radicals (9)*

又	yòuzìpáng	难
月	yuèzìpáng	朋

汉字组合（9） ***Combinations (9)***

偏旁 Radicals	部件组合 Combinations	例字 Examples	结构图示 Illustrations
又	又＋寸 又＋隹 又＋欠 一＋丿＋又	对 难 欢 友	
月	月＋月 月＋艮 月＋卤 其＋月	朋 服 脑 期	

写汉字 *Character Writing*

请在汉字练习本上书写下列汉字 

Write the following Chinese characters in the workbook.

期

日常用语 *Daily Expressions* 

1. 请原谅。 Pardon me, please./Forgive me, please.
   Qǐng yuánliàng.

2. 不好意思，麻烦你…… Excuse me, could you please…
   Bù hǎoyìsi, máfan nǐ……

18 我上了四个小时的网

I've Been on the Internet for Four Hours

第一部分　学习课文
Part Two　Texts

课文一　Kèwén yī　Text One

生词　New Words and Expressions　18-1

1	最少	zuì shǎo		at least
2	小时	xiǎoshí	*n.*	hour
3	网	wǎng	*n.*	Internet
4	不常	bù cháng		not often
	常	cháng	*adv.*	often
5	上	shang	*n.*	(*used after a noun*) on, in, at
6	新闻	xīnwén	*n.*	news
7	另外	lìngwài	*adv.*	in addition, moreover
8	查	chá	*v.*	check, examine
9	邮件	yóujiàn	*n.*	mail, e-mail
10	聊	liáo	*v.*	chat
11	长	cháng	*adj.*	long

课文　Text　18.2

问题　Wèntí

1. "我"每天要上多长时间的网？
"Wǒ" měi tiān yào shàng duō cháng shíjiān de wǎng?
2. "我"一般上网做什么？
"Wǒ" yìbān shàng wǎng zuò shénme?

我现在　每天　最少　上　两个小时
Wǒ xiànzài měi tiān zuì shǎo shàng liǎng ge xiǎoshí

的网。我不常　在　网　上　看新闻，我
de wǎng. Wǒ bù cháng zài wǎng shang kàn xīnwén, wǒ

喜欢在网上聊天儿。另外，我每天都要去查一下邮件。我跟
xǐhuan zài wǎng shang liáo tiānr. Lìngwài, wǒ měi tiān dōu yào qù chá yíxià yóujiàn. Wǒ gēn

父母、朋友都是在网上聊天儿，我们每次都聊很长时间，
fùmǔ、 péngyou dōu shì zài wǎng shang liáo tiānr, wǒmen měi cì dōu liáo hěn cháng shíjiān,

网上聊天儿真是太方便了。
wǎng shang liáo tiānr zhēn shì tài fāngbiàn le.

课文二 Kèwén èr Text Two

生词 New Words and Expressions 18-3

1	都	dōu	*adv.*	already
2	一直	yìzhí	*adv.*	continuously, always
3	忘	wàng	*v.*	forget
4	多长时间	duō cháng shíjiān		how long
	多	duō	*pron.*	*used in questions to indicate degree or extent*
5	邮箱	yóuxiāng	*n.*	mailbox, postbox
6	发	fā	*v.*	send (out)
7	网站	wǎngzhàn	*n.*	website
8	一会儿	yíhuìr	*n.*	a moment, a little while
9	给	gěi	*prep.*	*used to introduce the recipient of an action*

课文 Text 18-4

问题 Wèntí

1. 阿明为什么没有吃晚饭？
   Āmíng wèi shénme méiyǒu chī wǎnfàn?
2. 谁上网学习汉语？
   Shéi shàng wǎng xuéxí Hànyǔ?

林娜：都九点了，你怎么才吃晚饭？
Línnà: Dōu jiǔ diǎn le, nǐ zěnme cái chī wǎnfàn?

阿明：我一直上网，忘了吃饭。
Āmíng: Wǒ yìzhí shàng wǎng, wàngle chī fàn.

林娜：你上了多长时间的网？
Nǐ shàngle duō cháng shíjiān de wǎng?

阿明：上了四个小时。看看邮箱，发发邮件，聊聊天儿，就九点了。
Shàngle sì ge xiǎoshí. Kànkan yóuxiāng, fāfa yóujiàn, liáoliao tiānr, jiù jiǔ diǎn le.

林娜：你是不是也上网学汉语？
Nǐ shì bu shì yě shàng wǎng xué Hànyǔ?

阿明：没有。你能告诉我几个比较好的网站吗？
Méiyǒu. Nǐ néng gàosu wǒ jǐ ge bǐjiào hǎo de wǎngzhàn ma?

林娜：可以，一会儿我给你发个电子邮件。
Kěyǐ, yíhuìr wǒ gěi nǐ fā ge diànzǐ yóujiàn.

课文三 Kèwén sān Text Three

生词 New Words and Expressions 18-5

1	急急忙忙	jíjímángmáng	*adj.*	hurriedly, in a rush
	急忙	jímáng	*adj.*	in a hurry
2	交	jiāo	*v.*	hand in, hand over
3	电话	diànhuà	*n.*	telephone
4	费	fèi	*n.*	fee, charge, expense
5	排队	pái duì	*v.*	line up, queue up
6	为什么	wèi shénme		why
7	开账户	kāi zhànghù		open an account
	账户	zhànghù	*n.*	account
8	卡	kǎ	*n.*	card
9	只	zhǐ	*adv.*	only, just
10	分钟	fēnzhōng	*n.*	minute

11	得	děi	*aux.*	must, have to
12	试	shì	*v.*	try

课文 Text 18-6

问题 Wèntí

1. 山田可以在网上交费吗？
Shāntián kěyǐ zài wǎng shang jiāo fèi ma?
2. 网上怎么交费？
Wǎng shang zěnme jiāo fèi?

崔浩：山田，你急急忙忙去哪儿啊？
Cuī Hào: Shāntián, nǐ jíjímángmáng qù nǎr a?

山田：我要去银行交电话费。
Shāntián: Wǒ yào qù yínháng jiāo diànhuà fèi.

崔浩：去银行要排很长时间的队，你为什么不在网上交费啊？
Qù yínháng yào pái hěn cháng shíjiān de duì, nǐ wèi shénme bú zài wǎng shang jiāo fèi a?

山田：网上怎么交费啊？
Wǎng shang zěnme jiāo fèi a?

崔浩：你开一个网上银行账户就可以了。
Nǐ kāi yí ge wǎng shang yínháng zhànghù jiù kěyǐ le.

山田：我有中国银行的卡，可以开网上银行账户吗？
Wǒ yǒu Zhōngguó Yínháng de kǎ, kěyǐ kāi wǎng shang yínháng zhànghù ma?

崔浩：中国银行，当然没问题了，网上交费只需要几分钟。
Zhōngguó Yínháng, dāngrán méi wèntí le, wǎng shang jiāo fèi zhǐ xūyào jǐ fēnzhōng.

山田：是吗？这么好，我得试试。
Shì ma? Zhème hǎo, wǒ děi shìshi.

综合注释 Comprehensive Notes

1. 我现在每天最少上两个小时的网。

"两个小时"，表示时段。时段常用"分钟、刻钟、小时、钟头（zhōngtóu, hour）、天、星期、月、年"等来表示。例如：

"两个小时" indicates a period of time. Periods of time are commonly expressed by "分钟 (minute), 刻钟 (quarter), 小时 (hour), 钟头 (hour), 天 (day), 星期 (week), 月 (month) and 年 (year)", etc. For example,

十五分钟（一刻钟）　两个半小时　一天　两个星期　三个月　四年

2.（我）上了四个小时（的网）。

"四个小时"是"上"的时量补语。时量补语表示动作或状态持续的时间。用"多长时间"来提问。

"四个小时" is the complement of duration for the verb "上". A complement of duration indicates how long a state or an action lasts. "多长时间" is used to ask how long.

（1）动词不带宾语

The verb does not take an object

S	P	
	V	Duration
我	来了	一个月了。
我	睡（sleep）了	八个小时。
他	学了	两年。

（2）动词带名词宾语时，动词和宾语之间可以有"的"，也可以没有。

When the verb is followed by a noun as the object, there may or may not be "的" between them.

S	P				
		V	Duration	（的）	O
我	每天	上	一个小时	（的）	网。
我		学了	一年	（的）	汉语了。
你		看了	多长时间	（的）	电视？

相关格式链接：Related patterns:

上面的例子，也可以这样说：

The above examples can also be expressed in the following ways:

S	P			
		V+O	V	Duration
我	每天	上网	上	一个小时。
我		学汉语	学了	一年了。
你		看电视	看了	多长时间?

（3）"来""去"不表示持续的动作，带时量补语时表示从动作发生到说话时的一段时间。有宾语时，时量补语放在宾语后边。例如：

"来" and "去" are not progressive actions. The complement of duration after them indicates a period from the moment the action begins to the moment one speaks of it. The complement of duration is placed after the object if there is one. For example,

① 我来一星期了。
② 我来中国两年了。
③ 他去上海三天了。

3. 看看邮箱，发发邮件，聊聊天儿。

汉语中的一些动词可以重叠。动词重叠表示动作时间短或表示轻松、随便，有时也表示尝试。单音节动词的重叠形式是AA，双音节动词的重叠形式是ABAB。例如：

Some verbs in Chinese can be reduplicated. The reduplication of a verb indicates that the action lasts shortly or conveys a light and casual tone. Sometimes it also means a trying attempt. The reduplicated form of a monosyllabic verb is AA, while that of a disyllabic verb is ABAB. For example,

① 我可以试试这件衣服吗?
② 我能用用你的词典吗?
③ 你身体不好，休息休息吧。

4. 你是不是也上网学汉语?

用"是不是"提问的句子表示问话人对某事已经有了比较肯定的估计，但是需要得到进一步证实。"是不是"可以在谓语前，也可以在句首或句尾。例如：

A question with "是不是" implies that the questioner has formed a relatively affirmative answer that needs a further confirmation. "是不是" may come before the predicate, at the beginning or the end of the sentence. For example,

① 山田是不是搬家了?
② 是不是你不喜欢喝咖啡?
③ 下个星期五是你的生日，是不是?

5. 你急急忙忙去哪儿啊？

“急急忙忙”，形容词重叠做状语。单音节形容词重叠形式是AA，双音节形容词重叠形式AABB。例如：

“急急忙忙” is an adverbial formed by reduplicating the adjective. The monosyllabic adjectives are reduplicated in the way of AA, while the disyllabic ones are in the way of AABB. For example,

① 你慢慢（mànmān, slouly）说。

② 他高高兴兴地回去了。

补充词语 Supplementary Vocabulary

锻炼	duànliàn	v.	do physical exercise
坐飞机	zuò fēijī		take a plane
坐地铁	zuò dìtiě		take the subway
坐公共汽车	zuò gōnggòng qìchē		take a bus

课堂活动 In-Class Activity

问答练习 Question-and-answer drills

例如：E.g. A：你上了多长时间（的）课？

B：我上了三个小时课。

昨天 zuótiān	睡觉 shuì jiào	七个小时 qī ge xiǎoshí
今天 jīntiān	吃早饭 chī zǎofàn	半小时 bàn xiǎoshí
每天 měi tiān	看电视 kàn diànshì	两个小时 liǎng ge xiǎoshí
今天下午 jīntiān xiàwǔ	上网 shàng wǎng	一个半小时 yí ge bàn xiǎoshí
在中国 zài Zhōngguó	学汉语 xué Hànyǔ	两年 liǎng nián
……	来中国 lái Zhōngguó	四个月 sì ge yuè
	……	……

综合练习 Comprehensive Exercises

一 熟读下面的词语，并写出拼音

Read the following words repeatedly and write down their pinyin syllables.

最少__________ 电话__________ 新闻__________
另外__________ 邮件__________ 每次__________
账户__________ 排队__________ 小时__________

二 熟读下面的词语 *Read the following expressions repeatedly.*

看看电视 买买东西 聊聊天儿
发发邮件 试试衣服 看看书
听听音乐 吃吃饭 上上网

三 请用下列动词的重叠形式填空 *Fill in the blanks with the following verbs in their reduplicated form.*

看 kàn 吃 chī 用 yòng 问 wèn 听 tīng 发 fā 玩儿 wánr 试 shì
写 xiě 买 mǎi 打 dǎ 休息 xiūxi 参观 cānguān 收拾 shōushi 跑 pǎo

例如：E.g. 我用用你的笔，行吗？
Wǒ yòngyong nǐ de bǐ, xíng ma?

1. 我________你的词典，可以吗？
   Wǒ ________ nǐ de cídiǎn, kěyǐ ma?
2. 你可以________这个工作。
   Nǐ kěyǐ ________ zhège gōngzuò.
3. 周末我一般________书，________音乐，________东西，________房间。
   Zhōumò wǒ yìbān ________shū, ________yīnyuè, ________ dōngxi, ________fángjiān.
4. 你身体不好，在家________吧。
   Nǐ shēntǐ bù hǎo, zài jiā ________ ba.
5. 我有一个问题，可以________您吗？
   Wǒ yǒu yí ge wèntí, kěyǐ ________ nín ma?

6. 每天________步，________球，对身体很好。
Měi tiān________bù，________qiú，duì shēntǐ hěn hǎo.

四 用“是不是”提问 *Make questions with “是不是”.*

1. 北京的冬天很冷。
Běijīng de dōngtiān hěn lěng.

2. 办银行卡不麻烦。
Bàn yínhángkǎ bù máfan.

3. 网上交费很方便。
Wǎng shang jiāo fèi hěn fāngbiàn.

4. 我已经买了生日礼物。
Wǒ yǐjīng mǎile shēngrì lǐwù.

5. 我很喜欢打太极拳。
Wǒ hěn xǐhuan dǎ tàijíquán.

五 用所给的词语完成对话 *Complete the dialogues with the given words or phrases.*

1. A：________________？（多长时间 duō cháng shíjiān）
B：我学了两年汉语。
Wǒ xuéle liǎng nián Hànyǔ.

2. A：________________？（多长时间 duō cháng shíjiān）
B：我来中国四个月了。
Wǒ lái Zhōngguó sì ge yuè le.

3. A：你每天睡多长时间觉？
Nǐ měi tiān shuì duō cháng shíjiān jiào?
B：________________。（最少 zuì shǎo）

4. A：假期你想做什么？
Jiàqī nǐ xiǎng zuò shénme?
B：________________。（得 děi）

5. A：昨天你怎么没来？
Zuótiān nǐ zěnme méi lái?
B：________________。（忘了…… wàngle……）

六 把下面的词语整理成句子 *Rearrange the following words and phrases to make sentences.*

1. 上网 一会儿 我 要
shàng wǎng yíhuìr wǒ yào

2. 交 哪儿 费 电话 在
jiāo nǎr fèi diànhuà zài

3. 我 排队 一个小时 已经 了
wǒ pái duì yí ge xiǎoshí yǐjīng le

4. 我 喝 咖啡 只 早上
wǒ hē kāfēi zhǐ zǎoshang

5. 去 急急忙忙 他 办公室 了
qù jíjímángmáng tā bàngōngshì le

6. 得 我 打工 假期 去
děi wǒ dǎ gōng jiàqī qù

7. 他 看 三个小时 电视 了 都 了
tā kàn sān ge xiǎoshí diànshì le dōu le

8. 需要 你 一个 银行账户 开 吗
xūyào nǐ yí ge yínháng zhànghù kāi ma

七 制作一个同学通讯录 *Make a contact list of your classmates.*

姓名	电话号码	手机号码	电子邮箱
马丁	83400872	13000800001	mading@126.com

八 组字游戏　*Character building*

用下面的部件组成汉字，看你能组成多少个汉字。

Combine the proper radicals to form characters. Make as many combinations as you can.

青　木　日　不　去　丁　田　心　门　先　马

讠　辶　月　艹　阝　扌　口　目　王　氵　亻

第二部分　学写汉字
Part Two　Writing Chinese Characters

汉字知识　*About Chinese Characters*

汉字偏旁（10）　*Radicals (10)*

钅　jīnzìpáng　钱

王　wángzìpáng　玩

汉字组合（10）　*Combinations (10)*

偏旁 Radicals	部件组合 Combinations	例字 Examples	结构图示 Illustrations
钅	钅＋艮	银	⿰
	钅＋昔	错	⿰
	钅＋戋	钱	⿰
	钅＋中	钟	⿰
王	王＋元	玩	⿰
	王＋见	现	⿰
	王＋求	球	⿰
	王＋丶＋丿＋王	班	⿲
	亡＋月＋王	望	⿱

写汉字 Character Writing

请在汉字练习本上书写下列汉字 

Write the following Chinese characters in the workbook.

日常用语 *Daily Expressions* 

1. 我（前几天）感冒了。 I had a cold (several days ago).
   Wǒ (qián jǐ tiān) gǎnmào le.

2. 麻烦你，替我请个假。 Could I bother you to ask for leave for me please?
   Máfan nǐ, tì wǒ qǐng ge jià.

19 暖气还没有修好

The Central Heating Has Not Been Fixed Yet

第一部分 学习课文
Part One Texts

课文一 Kèwén yī Text One

生词 New Words and Expressions 19-1

1	暖气	nuǎnqì	*n.*	heater, central heating
2	坏	huài	*v.*	go bad, break down
3	棉衣	miányī	*n.*	cotton-padded clothes
4	戴	dài	*v.*	put on, wear
5	手套	shǒutào	*n.*	gloves
6	帽子	màozi	*n.*	hat, cap
7	后来	hòulái	*n.*	later, afterwards
8	只好	zhǐhǎo	*adv.*	have to, have no choice but
9	打开	dǎkāi	*v.*	switch on, turn on
10	空调	kōngtiáo	*n.*	air conditioner
11	房东	fángdōng	*n.*	house owner
12	打（电话）	dǎ（diànhuà）	*v.*	phone, call, telephone
13	修	xiū	*v.*	repair, mend, fix
14	等	děng	*v.*	wait
15	看见	kànjiàn	*v.*	catch sight of, see

课文 Text 19-2

问题 Wèntí

1. "我"的房间里为什么特别冷?
   "Wǒ" de fángjiān li wèi shénme tèbié lěng?
2. 暖气两个星期以后修好了吗?
   Nuǎnqì liǎng ge xīngqī yǐhòu xiūhǎo le ma?

我 房间 里 的 暖气 坏 了，房间 里
Wǒ fángjiān li de nuǎnqì huài le, fángjiān li

特别 冷。我 穿上 棉衣，戴上 手套、帽子，可是 还 觉得 冷，后来
tèbié lěng. Wǒ chuānshàng miányī, dàishàng shǒutào、màozi, kěshì hái juéde lěng, hòulái

我 只好 打开了 空调。我 给 房东 打了 电话，他 说 找 人 来 修。我 等了
wǒ zhǐhǎo dǎkāile kōngtiáo. Wǒ gěi fángdōng dǎle diànhuà, tā shuō zhǎo rén lái xiū. Wǒ děngle

两 个 星期，也 没 看见 一 个 人 来。暖气 到 现在 还 没 修好，我 房间
liǎng ge xīngqī, yě méi kànjiàn yí ge rén lái. Nuǎnqì dào xiànzài hái méi xiūhǎo, wǒ fángjiān

里 还是 那么 冷。
li háishi nàme lěng.

课文二 Kèwén èr Text Two

生词 New Words and Expressions 19-3

1	先生	xiānsheng	*n.*	Mr., sir
2	天	tiān	*n.*	day
3	过去	guòqu	*v.*	pass by, go away
4	抱歉	bàoqiàn	*adj.*	sorry, apologetic
5	保证	bǎozhèng	*v.*	pledge, guarantee
6	以前	yǐqián	*n.*	before
7	要	yào	*v.*	need

专名 Proper Names

1	张	Zhāng	Zhang, a Chinese surname
2	圣诞节	Shèngdàn Jié	Christmas, Christmas Day
	圣诞	Shèngdàn	Christmas

课文 Text 19-4

问题 Wèntí

1. 房东说暖气什么时候可以修好?
   Fángdōng shuō nuǎnqì shénme shíhou kěyǐ xiūhǎo?
2. 现在到暖气修好还要多长时间?
   Xiànzài dào nuǎnqì xiūhǎo hái yào duō cháng shíjiān?

(山田给房东张先生打电话。Yamada is calling Mr. Zhang, his landlord.)

山田：您是张先生吗?
Shāntián: Nín shì Zhāng xiānsheng ma?

张先生：我是。
Zhāng xiānsheng: Wǒ shì

山田：上次您说找人来修暖气，两天就能修好。现在两个星期过去了，怎么还没来人修呢?
Shàng cì nín shuō zhǎo rén lái xiū nuǎnqì, liǎng tiān jiù néng xiūhǎo. Xiànzài liǎng ge xīngqī guòqu le, zěnme hái méi lái rén xiū ne?

张先生：真的很抱歉，这次我保证圣诞节以前一定修好。
Zhēn de hěn bàoqiàn, zhè cì wǒ bǎozhèng Shèngdàn Jié yǐqián yídìng xiūhǎo.

山田：什么? 还要一个星期呀!
Shénme? Hái yào yí ge xīngqī ya!

课文三 Kèwén sān Text Three

生词 New Words and Expressions 19-5

1	完	wán	*v.*	finish, be over
2	还	huán	*v.*	return, give back
3	认为	rènwéi	*v.*	think, consider
4	容易	róngyì	*adj.*	easy
5	读	dú	*v.*	read
6	内容	nèiróng	*n.*	content
7	这样	zhèyàng	*pron.*	so, such, like this, this way

8	遍	biàn	*m.*	(*denoting an action from beginning to end*) time
9	后天	hòutiān	*n.*	the day after tomorrow

课文 *Text* 19-6

问题 Wèntí

1. 那本书是谁的?
   Nà běn shū shì shéi de?
2. 山田看完那本书了吗?
   Shāntián kànwán nà běn shū le ma?
3. 山田觉得那本书怎么样?
   Shāntián juéde nà běn shū zěnmeyàng?

崔浩：山田，我的那本书你看完了没有?
Cuī Hào: Shāntián, wǒ de nà běn shū nǐ kànwán le méiyǒu?

山田：已经看完了。昨天我还想，今天还给你，可是来的时候着急，忘带了。
Shāntián: Yǐjīng kànwán le. Zuótiān wǒ hái xiǎng, jīntiān huán gěi nǐ, kěshì lái de shíhou zháojí, wàng dài le.

崔浩：不是我看，是我朋友要看。你觉得那本书怎么样?
Bú shì wǒ kàn, shì wǒ péngyou yào kàn. Nǐ juéde nà běn shū zěnmeyàng?

山田：我认为那本书很容易读，书的内容也非常有意思。
Wǒ rènwéi nà běn shū hěn róngyì dú, shū de nèiróng yě fēicháng yǒu yìsi.

崔浩：我也这样认为。我真想再看一遍，可是现在没时间，以后有时间，我一定再看一遍。
Wǒ yě zhèyàng rènwéi. Wǒ zhēn xiǎng zài kàn yí biàn, kěshì xiànzài méi shíjiān, yǐhòu yǒu shíjiān, wǒ yídìng zài kàn yí biàn.

山田：明天有人去我家修暖气，我不能来学校，后天我还给你，行吗?
Míngtiān yǒu rén qù wǒ jiā xiū nuǎnqì, wǒ bù néng lái xuéxiào, hòutiān wǒ huán gěi nǐ, xíng ma?

崔浩：行。
Xíng.

综合注释 *Comprehensive Notes*

1. 后来我只好打开了空调。

"只好" 副词，表示没有别的选择；不得不。例如：

"只好" is an adverb. It indicates that there's no other choice, meaning "have to". For example,

① 我不会说法语，只好说英语。

② 他没来，我只好一个人去。

③ 我感冒了，只好在家休息。

2. 我给房东打了电话。

"给" 介词，引进动作的接受者。例如：

"给" is a preposition. It introduces the recipient of an action. For example,

① 我给妈妈买了一件衣服。

② 我给你发电子邮件。

3. 暖气到现在还没修好。

动词或形容词用在动词后，表示动作的结果。否定形式是"没（有）＋ V ＋结果补语"。

A verb coming after another verb or an adjective after a verb indicates the result of an action. The negative form is "没有＋ V ＋ complement of result".

结果补语（1）包括以下几种类型：

Complements of result (1) include the following types:

（1）V+好	Examples
肯定式：修好/做好/准备好/休息好	晚饭已经做好了。
否定式：没修好/没做好/没准备好/没休息好	空调还没修好。

（2）V+上	Examples
肯定式：穿上/戴上/关上	外边很冷，一定要戴上帽子。
否定式：没穿上/没戴上/没关上	他衣服还没穿上呢。

（3）V+见	Examples
肯定式：看见/听见	我昨天看见他了。
否定式：没看见/没听见	我没看见他。

（4）V+开

肯定式：打开

否定式：没打开

Examples

请大家打开书。

我们没打开空调。

（5）V+完

肯定式：做完/看完/吃完/喝完/写完/学完

否定式：没做完/没看完/没吃完/没喝完/没写完/没学完

Examples

我吃完晚饭去你家。

我没看完这本书。

（6）V+给

肯定式：还给/送给

否定式：没还给/没送给

Examples

我还给你这本书。

这本书我还没还给他呢。

4. 我真想再看一遍。

“遍”动量词，指动作从开始到结束的整个过程。例如：

“遍” is a verbal measure word. It indicates the whole process of an action from the beginning to the end. For example,

① 这本书我看了两遍。

② 请你再说一遍。

③ 老师说，我们再听一遍生词。

补充词语 *Supplementary Vocabulary*

19-7

作业	zuòyè	*n.*	homework
预习	yùxí	*v.*	preview
复习	fùxí	*v.*	review
考试	kǎo shì	*v.*	take an examination
护照	hùzhào	*n.*	passport

课堂活动 In-Class Activities

一 请你说一说 *Speak using the sentence pattern and the given words.*

我的暖气坏了。
Wǒ de nuǎnqì huài le.

我的……坏了。
Wǒ de ……huài le.

手机 shǒujī	空调 kōngtiáo
自行车 zìxíngchē	电视 diànshì
电脑 diànnǎo	电话 diànhuà

二 问答练习 *Question-and-answer drills*

1.

A：东西准备好了没有？
Dōngxi zhǔnbèi hǎo le méiyǒu?

B：准备好了。/没准备好。
Zhǔnbèi hǎo le. / Méi zhǔnbèi hǎo.

礼物 lǐwù	买 mǎi
第二十课 dì-èrshí kè	准备 zhǔnbèi
晚饭 wǎnfàn	做 zuò
护照 hùzhào	办 bàn
……	

2.

A：那本书看完了没有？
Nà běn shū kànwán le méiyǒu?

B：看完了。/没看完。
Kànwán le. / Méi kànwán.

作业 zuòyè	做 zuò
第十九课 dì-shíjiǔ kè	学 xué
汉字 Hànzì	写 xiě
课文 kèwén	看 kàn
……	

3.

A：你看见我的笔了没有？
Nǐ kànjiàn wǒ de bǐ le méiyǒu?

B：看见了。/没看见。
Kànjiàn le. / Méi kànjiàn.

手机 shǒujī
口语书 kǒuyǔ shū
衣服 yīfu
护照 hùzhào
……

4.

A：你穿上棉衣了没有？
Nǐ chuānshàng miányī le méiyǒu?

B：穿上了。/没穿上。
Chuānshàng le. / Méi chuānshàng.

羽绒服 yǔróngfú	穿 chuān
毛衣 máoyī	穿 chuān
帽子 màozi	戴 dài
手套 shǒutào	戴 dài
……	

综合练习 Comprehensive Exercises

一 熟读下面的词语，并写出拼音

Read the following words and phrases repeatedly and write down their pinyin syllables.

保证 ________ 看见 ________ 这样 ________ 圣诞节 ________
暖气 ________ 抱歉 ________ 只好 ________ 有意思 ________
手套 ________ 过去 ________ 房东 ________ 看一遍 ________

二 根据课文内容填空 *Fill in the blanks according to the texts.*

1. 山田房间里的暖气________。
   Shāntián fángjiān li de nuǎnqì________.

2. 两个星期过去了，暖气还没有________。
   Liǎng ge xīngqī guòqu le, nuǎnqì hái méiyǒu________.

3. 房东说圣诞节________一定修________暖气。
   Fángdōng shuō Shèngdàn Jié ________yídìng xiū________ nuǎnqì.

4. 崔浩的那本书很有________。
   Cuī Hào de nà běn shū hěn yǒu________.

5. 山田已经看________了那本书。
   Shāntián yǐjīng kàn ________le nà běn shū.

6. 崔浩的朋友________看那本书。
   Cuī Hào de péngyou ________kàn nà běn shū.

7. 崔浩也想再看一________那本书。
   Cuī Hào yě xiǎng zài kàn yí ________ nà běn shū.

三 填写表格 *Fill up the form.*

前年		今年	明年	
		今天		后天
×		这个月	下个月	×
×	上星期	这星期		×
×	上次			×

四 模仿例子，用合适的词语填空 *Fill in the blanks with proper words after the example.*

例如：E.g. 读dú 书

看 kàn________ 修 xiū________ 过 guò________ 打 dǎ________

看 kàn________ 修 xiū________ 过 guò________ 打 dǎ________

五 用适当的结果补语填空 *Fill in the blanks with the proper complements of result.*

完	好	开	上	给	见
wán	hǎo	kāi	shàng	gěi	jiàn

1. 明天去旅游，你准备（　　）东西了吗？
   Míngtiān qù lǚyóu, nǐ zhǔnbèi（　　）dōngxi le ma?

2. 我的自行车修（　　）了。
   Wǒ de zìxíngchē xiū（　　）le.

3. 我看（　　）很多人在运动场踢足球。
   Wǒ kàn（　　）hěn duō rén zài yùndòngchǎng tī zúqiú.

4. 他送（　　）我很多水果。
   Tā sòng（　　）wǒ hěn duō shuǐguǒ.

5. 外边很冷，你要穿（　　）棉衣。
   Wàibian hěn lěng, nǐ yào chuān（　　）miányī.

6. 这本书你看（　　）了没有？
   Zhè běn shū nǐ kàn（　　）le méiyǒu?

7. 我的作业还没有做（　　）。
   Wǒ de zuòyè hái méiyǒu zuò（　　）.

8. 请大家打（　　）书。
   Qǐng dàjiā dǎ（　　）shū.

六 选择适当的词语填空 *Choose the proper words to fill in the blanks.*

1. 看 kàn　看见 kànjiàn

（1）你 ________，这是什么？
Nǐ ________, zhè shì shénme?

（2）我没 ________ 他。
Wǒ méi ________ tā.

2. 做 zuò　做完 zuòwán

（1）我的工作 ________ 了。
Wǒ de gōngzuò ________ le.

（2）你爸爸 ________ 什么工作？
Nǐ bàba ________ shénme gōngzuò?

3. 再 zài　又 yòu

（1）我的电脑 ________ 坏了。
Wǒ de diànnǎo ________ huài le.

（2）一会儿你 ____ 给他打电话。
Yíhuìr nǐ ______ gěi tā dǎ diànhuà.

4. 以后 yǐhòu　后来 hòulái

（1）下课 ________ 你做什么？
Xià kè ________ nǐ zuò shénme?

（2）去年我先学习汉语，______
Qùnián wǒ xiān xuéxí Hànyǔ, ______
我去一个学校教英语。
wǒ qù yí ge xuéxiào jiāo Yīngyǔ.

5. 就 jiù　才 cái

（1）他十点 ________ 起床。
Tā shí diǎn ________ qǐ chuáng.

（2）他只用一个小时 ______ 做完了。
Tā zhǐ yòng yí ge xiǎoshí ____ zuòwán le.

6. 遍 biàn　次 cì　趟 tàng

（1）下星期我要去 ________ 上海。
Xià xīngqī wǒ yào qù ______ Shànghǎi.

（2）这个电影我已经看了两 ____。
Zhège diànyǐng wǒ yǐjīng kànle liǎng ____.

（3）我上 ____ 去法国一共玩儿了八天。
Wǒ shàng ____ qù Fǎguó yígòng wánrle bā tiān.

七 用指定的词语完成句子 *Complete the sentences with the given words or phrases.*

1. 我现在没有时间，____________________。（只好）
Wǒ xiànzài méiyǒu shíjiān, ____________________.（zhǐhǎo）

2. 我不会说法语，____________________。（只好）
Wǒ bú huì shuō Fǎyǔ, ____________________.（zhǐhǎo）

3. ____________________，我不能跟你一起去。（抱歉）
____________________, Wǒ bù néng gēn nǐ yìqǐ qù.（bàoqiàn）

4. 你来吧，____________。（等）
Nǐ lái ba, ____________. (děng)

5. 我 ____________。（认为）
Wǒ ____________. (rènwéi)

6. 从我家到学校____________。（要）
Cóng wǒ jiā dào xuéxiào ____________. (yào)

7. ____________我就认识他。（以前）
____________wǒ jiù rènshi tā. (yǐqián)

8. 请你 ____________。（给……打电话）
Qǐng nǐ ____________. (gěi…… dǎ diànhuà)

八 阅读短文 *Read the passage.*

汉思来北京已经三个月了，他一直在留学生宿舍住。住宿舍，上课很方便。可是两个人住一个房间，他觉得不舒服（shūfu，comfortable），也不方便。

他决定（juédìng，decide）出去租房子住，但是到哪儿去找合适的房子呢？上星期他去看了几套房子，都不太满意。有的房子不错，但是离学校太远，没有公共汽车（gōnggòng qìchē，bus）；有的房子交通（jiāotōng，traffic）方便，但是房租太贵。他都找了一个星期了，还是没有找到合适的房子。

Hànsī lái Běijīng yǐjīng sān ge yuè le, tā yìzhí zài liúxuéshēng sùshè zhù. Zhù sùshè, shàng kè hěn fāngbiàn. Kěshì liǎng ge rén zhù yí ge fángjiān, tā juéde bù shūfu, yě bù fāngbiàn.

Tā juédìng chūqù zū fángzi zhù, dànshì dào nǎr qù zhǎo héshì de fángzi ne? Shàng xīngqī tā qù kànle jǐ tào fángzi, dōu bú tài mǎnyì. Yǒu de fángzi búcuò, dànshì lí xuéxiào tài yuǎn, méiyǒu gōnggòng qìchē; Yǒu de fángzi jiāotōng fāngbiàn, dànshì fángzū tài guì. Tā dōu zhǎole yí ge xīngqī le, háishi méiyǒu zhǎodào héshì de fángzi.

回答问题 Answer the questions.

1. 汉思来北京多长时间了？
Hànsī lái Běijīng duō cháng shíjiān le?

2. 汉思在哪儿住？
Hànsī zài nǎr zhù?

3. 汉思为什么要租房子？
Hànsī wèi shénme yào zū fángzi?

4. 汉思找到合适的房子了吗？
Hànsī zhǎodào héshì de fángzi le ma?

九 指出下面每组汉字的相同的部分，并说说相同的部分是什么意思

Recognize the common part in each group of characters and then talk about the meaning of each common part.

1. 想　思　急　　　3. 搬　打　找

2. 说　语　话　　　4. 吃　喝　叫

第二部分　学写汉字
Part Two　Writing Chinese Characters

汉字知识　*About Chinese Characters*

汉字偏旁（11）　*Radicals (11)*

巾　jīnzìpáng　帽
广　guǎngzìpáng　店

汉字组合（11）　*Combinations (11)*

偏旁 Radicals	部件组合 Combinations	例字 Examples	结构图示 Illustrations
巾	巾 + 冒	帽	
	邦 + 巾	帮	
	卄 + 冖 + 巾	带	
广	广 + 占	店	
	广 + 木	床	
	广 + 林	麻	
	广 + 业	应	

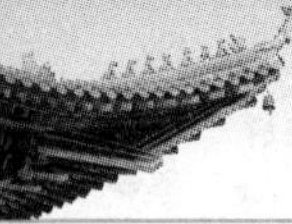

写汉字 Character Writing

请在汉字练习本上书写下列汉字 

Write the following Chinese characters in the workbook.

日常用语 *Daily Expressions*

1. 我被骗了。 I was fooled.
   Wǒ bèi piàn le.

2. 别着急。 Don't worry. / Take it easy.
   Bié zháojí.

20 快餐可以送到家里

Fast Food Can Be Delivered Home

第一部分　学习课文
Part One　Texts

课文一　Kèwén yī　Text One

生词　New Words and Expressions　20-1

1	经常	jīngcháng	*adv.*	often, frequently
2	一些	yìxiē	*m.*	some, a number of
3	快餐店	kuàicāndiàn	*n.*	fast food restaurant, snack bar
	快餐	kuàicān	*n.*	fast food, snack
	店	diàn	*n.*	shop, store
4	卖	mài	*v.*	sell
5	外卖	wàimài	*n.*	take away, take-out
6	有名	yǒumíng	*adj.*	well-known, famous
7	外国	wàiguó	*n.*	foreign country
8	坐	zuò	*v.*	sit, take a seat
9	热	rè	*adj.*	hot
10	舒服	shūfu	*adj.*	comfortable

课文　Text　20-2

问题　Wèntí

1. "我"经常在哪儿吃饭?
   "Wǒ" jīngcháng zài nǎr chī fàn?
2. 中国快餐店也可以送外卖吗?
   Zhōngguó kuàicāndiàn yě kěyǐ sòng wàimài ma?
3. "我"为什么喜欢叫外卖?
   "Wǒ" wèi shénme xǐhuan jiào wàimài?

我学习很忙，一般不在
Wǒ xuéxí hěn máng, yìbān bú zài

家里做饭，下课以后
jiā li zuò fàn, xià kè yǐhòu

经常 在 食堂 吃饭。有个 中国 朋友 告诉 我，一些 快餐店 卖
jīngcháng zài shítáng chī fàn. Yǒu ge Zhōngguó péngyou gàosu wǒ, yìxiē kuàicāndiàn mài

外卖，还 可以 送到 家 里。
wàimài, hái kěyǐ sòngdào jiā li.

以前 我 只 知道 一些 有名 的 外国 快餐店 可以 送 外卖，现在 我 知道
Yǐqián wǒ zhǐ zhīdào yìxiē yǒumíng de wàiguó kuàicāndiàn kěyǐ sòng wàimài, xiànzài wǒ zhīdào

很 多 中国 快餐店 也 可以 送 外卖。这样 我 坐在 家 里 就 能 吃到
hěn duō Zhōngguó kuàicāndiàn yě kěyǐ sòng wàimài. Zhèyàng wǒ zuòzài jiā li jiù néng chīdào

热 饭 热 菜 了，真 是 又 方便 又 舒服。
rè fàn rè cài le, zhēn shì yòu fāngbiàn yòu shūfu.

课文 二 Kèwén èr Text Two

生词 *New Words and Expressions* 20-3

1	服务员	fúwùyuán	*n.*	waiter, waitress
2	欢迎	huānyíng	*v.*	welcome
3	光临	guānglín	*v.*	be present
4	外边	wàibian	*n.*	out there, outside
5	满	mǎn	*adj.*	full, filled, packed
6	比萨饼	bǐsàbǐng	*n.*	pizza
7	别的	bié de		other, else
8	来	lái	*v.*	(*used as a substitute for a more specific verb*) want
9	面条	miàntiáo	*n.*	noodles
10	可乐	kělè	*n.*	cola, coke
11	走	zǒu	*v.*	leave, go away
12	好的	hǎo de		good, OK

专名 *Proper Name*

意大利	Yìdàlì	Italy

课文 Text 20-4

问题 Wèntí

1. 马丁在快餐店买了什么？
   Mǎdīng zài kuàicāndiàn mǎile shénme?
2. 马丁要等多长时间？
   Mǎdīng yào děng duō cháng shíjiān?

（马丁在必胜客餐厅。Martin is at the Pizza Hut's.）

服务员：欢迎光临！您几位？
Fúwùyuán: Huānyíng guānglín. Nín jǐ wèi?

马丁：一位。
Mǎdīng: Yí wèi.

服务员：外边都坐满了，里边请。您想吃点儿什么？
Wàibian dōu zuòmǎn le, lǐbian qǐng. Nín xiǎng chī diǎnr shénme?

马丁：我想要个比萨饼。
Wǒ xiǎng yào ge bǐsàbǐng.

服务员：您还需要别的吗？
Nín hái xūyào bié de ma?

马丁：再来一份意大利面条、两杯可乐。
Zài lái yí fèn Yìdàlì miàntiáo、liǎng bēi kělè.

服务员：您在这儿吃还是带走？
Nín zài zhèr chī háishi dàizǒu?

马丁：带走。
Dàizǒu.

服务员：请您坐这儿等一会儿，十五分钟以后就做好了。
Qǐng nín zuò zhèr děng yíhuìr, shíwǔ fēnzhōng yǐhòu jiù zuòhǎo le.

马丁：好的，谢谢！
Hǎo de, xièxie!

课文 三 Kèwén sān Text Three

生词 New Words and Expressions 20-5

1	晚	wǎn	*adj.*	late
2	成	chéng	*v.*	become, turn into
3	迷	mí	*n.*	devotee, fan, enthusiast
4	那么	nàme	*pron.*	so, like that
5	练习	liànxí	*v.*	practice, train, drill
6	比赛	bǐsài	*n.*	match, contest, race
7	节目	jiémù	*n.*	programme, item (on a programme)
8	收音机	shōuyīnjī	*n.*	radio, radio set
9	主意	zhǔyi	*n.*	idea, plan

课文 Text 20-6

问题 Wèntí

1. 林娜经常看电视看到什么时候?
   Línnà jīngcháng kàn diànshì kàndào shénme shíhou?
2. 林娜为什么喜欢看电视?
   Línnà wèi shénme xǐhuan kàn diànshì?
3. 阿明也喜欢看电视吗?
   Āmíng yě xǐhuan kàn diànshì ma?

阿明：林娜，听说 你 每 天 看 电视 看到 很晚。
Āmíng: Línnà, tīngshuō nǐ měi tiān kàn diànshì kàndào hěnwǎn.

林娜：现在 我 都 成了 电视迷 了，一 打开 电视 就 看到 十 一二 点。
Línnà: Xiànzài wǒ dōu chéngle diànshìmí le, yì dǎkāi diànshì jiù kàndào shíyī-èr diǎn.

阿明：为什么 你 对 看 电视 那么 有 兴趣?
Wèi shénme nǐ duì kàn diànshì nàme yǒu xìngqù?

林娜：练习 汉语 呀。我 喜欢 看 新闻，看 电影，看 比赛，电视 里 还有 学 汉语 的 节目 呢。你 不 看 电视 吗?
Liànxí Hànyǔ ya. Wǒ xǐhuan kàn xīnwén, kàn diànyǐng, kàn bǐsài, diànshì li háiyǒu xué Hànyǔ de jiémù ne. Nǐ bú kàn diànshì ma?

阿明：我很少看。我每天要听两个小时收音机。
Wǒ hěn shǎo kàn. Wǒ měi tiān yào tīng liǎng ge xiǎoshí shōuyīnjī.

林娜：听收音机也不错。对了，你也还没吃饭吧？我们叫外卖，
Tīng shōuyīnjī yě búcuò. Duì le, nǐ yě hái méi chī fàn ba? Wǒmen jiào wàimài,

怎么样？
zěnmeyàng?

阿明：好主意！
Hǎo zhǔyi!

综合注释 Comprehensive Notes

1. 还可以送到家里。

结果补语（2）包括以下四种类型：

Complements of result (2) include the following four types:

（1）V + 到

肯定式：送到/看到/吃到/买到/听到

否定式：没送到/没看到/没吃到/没买到/没听到

Examples

这里可以买到新鲜的水果。

我没看到他。

（2）V + 在

肯定式：坐在

否定式：没坐在

Examples

他坐在教室里。

他没坐在教室里。

（3）V+ 走

肯定式：带走/搬走

否定式：没带走/没搬走

Examples

他带走了我的汉语书。

他没带走我的词典。

（4）V+ 满

肯定式：坐满/装（zhuāng，pack）满

否定式：没坐满/没装满

Examples

教室里坐满了人。

教室里才15个人，没坐满。

2. 真是又方便又舒服。

“又……又……”表示几种动作、状态、情况同时存在。例如：

“又……又……” indicates that several actions, states or conditions exist at the same time. For example,

① 他跟朋友一起又吃又喝。

② 他每天又学习又工作。

③ 这儿的东西又便宜（piányi, cheap）又好。

④ 她的衣服又漂亮又便宜。

3. 一打开电视就看到十一二点。

概数（1）：相邻的两个数连在一起用表示概数。例如：

Approximate numbers (1): Two adjacent numbers, when used together, indicates an approximate number. For example,

十一二点、三四个人、六七块钱、八九斤。

4. 对了，你也还没吃饭吧？

“对了”用在句首，表示突然想起什么事。例如：

“对了” is used at the beginning of a sentence to mean something occurs to one's mind suddenly. For example,

① 对了，我要告诉你一件事。

② 对了，你还没吃饭吧？

③ 对了，一会儿我还要去上课。

5. 你也还没吃饭吧？

“吧（2）”用在句尾，表示疑问，带有推测的口气。例如：

“吧（2）” is used at the end of a sentence to show a questioning tone, implying a guess or an assumption. For example,

① 你也没去过（guo）吧？

② 你是日本人吧？

③ 今天是十五号吧？

补充词语 Supplementary Vocabulary

20-7

站	zhàn	v.	stand
放	fàng	v.	put, place
住	zhù	v.	live, reside

课堂活动 In-Class Activities

一 你知道下面这些快餐店的名字吗？请你念一念

Do you know the names of these fast food restaurants? Please read them aloud.

1

麦当劳
Màidāngláo

2

肯德基
Kěndéjī

3

必胜客
Bìshèngkè

4

真功夫
Zhēngōngfu

5

马兰拉面
Mǎlán Lāmiàn

6

吉野家
Jíyějiā

二 两人一组，根据实际情况进行问答练习

Work in pairs. Do the question-and-answer drills according to the actual situation.

（1）你现在住在哪儿？
Nǐ xiànzài zhùzài nǎr?

（2）谁坐在你前边？
Shéi zuòzài nǐ qiánbian?

（3）他的书放在哪儿？
Tā de shū fàngzài nǎr?

（4）老师站在哪儿？
Lǎoshī zhànzài nǎr?

(5) 你的笔放在哪儿了？
Nǐ de bǐ fàngzài nǎr le?

(6) 我们现在学到第几课了？
Wǒmen xiànzài xuédào dì jǐ kè le?

(7) 下课以后，你回到宿舍/家一般几点？
Xià kè yǐhòu, nǐ huídào sùshè / jiā yìbān jǐ diǎn?

综合练习 Comprehensive Exercises

一 熟读下面的词语，并写出拼音

Read the following words and phrases repeatedly and write down their pinyin syllables.

一些 ________ 欢迎 ________ 电视迷 ________
丰富 ________ 面条 ________ 快餐店 ________
舒服 ________ 外国 ________ 收音机 ________

二 模仿例子组词 *Make words or phrases after the example.*

例如：E.g. __学__ 生sheng

________ 迷mí ________ 馆guǎn ________ 国guó
________ 迷mí ________ 馆guǎn ________ 国guó

________ 机jī ________ 茶chá ________ 语yǔ
________ 机jī ________ 茶chá ________ 语yǔ

三 选词填空 *Choose the proper words to fill in the blanks.*

走 zǒu　到 dào　在 zài　满 mǎn

1. 我坐 ______ 教室里上课。
Wǒ zuò ______ jiàoshì li shàng kè.

2. 你们学 ______ 二十一课了吗？
Nǐmen xué ______ èrshíyī kè le ma?

3. 他带 ______ 了我的书。
Tā dài ______ le wǒ de shū.

4. 我住 ______ 留学生宿舍。
Wǒ zhù ______ liúxuéshēng sùshè.

5. 车里已经坐 ______ 了人。
Chē li yǐjīng zuò ______ le rén.

6. 他不在这儿了，他上星期搬 ______ 了。
Tā bú zài zhèr le, tā shàng xīngqī bān ______ le.

四 用所给的词语完成对话 *Complete the dialogues with the given words or phrases.*

1. A：这家饭馆的菜怎么样？
   Zhè jiā fànguǎn de cài zěnmeyàng?

   B：____________。（又……又……）
   ____________.（yòu……yòu……）

2. A：____________？（做什么）
   ____________?（zuò shénme）

   B：昨天晚上我去看电影了。
   Zuótiān wǎnshang wǒ qù kàn diànyǐng le.

   A：____________？（怎么样）
   ____________?（zěnmeyàng）

   B：非常有意思。
   Fēicháng yǒu yìsi.

3. A：你最近忙吗？
   Nǐ zuìjìn máng ma?

   B：我很忙。
   Wǒ hěn máng.

   A：你为什么____________？（那么）
   Nǐ wèi shénme ____________?（nàme）

   B：工作太多了。
   Gōngzuò tài duō le.

4. A：今天中午我们一起吃饭吧
   Jīntiān zhōngwǔ wǒmen yìqǐ chī fàn ba.

   B：____________！（主意）
   ____________!（zhǔyi）

5. A：今天下午你有事吗？
   Jīntiān xiàwǔ nǐ yǒu shì ma?

   B：有事。____________。（对了）
   Yǒu shì. ____________.（duì le）

6. A：你去超市了？
   Nǐ qù chāoshì le?

   B：对，我去____________。（一些）
   Duì, wǒ qù____________.（yìxiē）

7. A：请问您要什么水果？
Qǐngwèn nín yào shénme shuǐguǒ?

B：我买几个苹果。
Wǒ mǎi jǐ ge píngguǒ.

A：________________？（别的）
________________?（bié de）

B：我还要几根香蕉。
Wǒ hái yào jǐ gēn xiāngjiāo.

8. A：这个人你知道吗？
Zhège rén nǐ zhīdào ma?

B：知道，他________________。（有名）
Zhīdào, tā________________.（yǒumíng）

五 请你上网查一下这些快餐店的电话号码

Search on the Internet for the phone numbers of the following fast food restaurants.

快餐店	电话号码
麦当劳 Màidāngláo	
肯德基 Kěndéjī	
必胜客 Bìshèngkè	
真功夫 Zhēngōngfu	
马兰拉面 Mǎlán Lāmiàn	
吉野家 Jíyějiā	

六 阅读短文，并选词填空 ***Read the passage. Then choose the proper words to fill in the blanks.***

有时候 yǒu shíhou　送到 sòngdào　平时 píngshí　方便 fāngbiàn　或者 huòzhě　经常 jīngcháng

我______不常在家吃饭，______在食堂吃饭，______也去饭馆______快餐店。周末我常常叫外卖。外卖可以______家里，特别______。

Wǒ ________ bù cháng zài jiā chī fàn, ________ zài shítáng chī fàn, ________ yě qù fànguǎn ________ kuàicāndiàn. Zhōumò wǒ chángcháng jiào wàimài. Wàimài kěyǐ ________ jiā li, tèbié ________.

第二部分 学写汉字
Part Two Writing Chinese Characters

汉字知识 *About Chinese Characters*

汉字偏旁（12） ***Radicals (12)***

小 ⺌ xiǎozìtóu 少 光

八 丷 八 bāzìpáng 分 关 共

汉字组合（12） ***Combinations (12)***

偏旁 Radicals	部件组合 Combinations	例字 Examples	结构图示 Illustrations
小 ⺌	小 + 丿	少	
	⺌ + 一 + 丿 + 乚	光	
	⺌ + ⺕	当	
	⺌ + 冖 + 口 + 土	堂	
	⺌ + 冖 + 口 + 巾	常	
八 丷 八	八 + 刀	分	
	八 + 厶	公	
	丷 + 一 + 月 + 刂	前	
	丷 + 天	关	
	龷 + 八	共	
	业 + 八	兴	
	曲 + 八	典	

写汉字 *Character Writing*

请在汉字练习本上书写下列汉字 

Write the following Chinese characters in the workbook.

   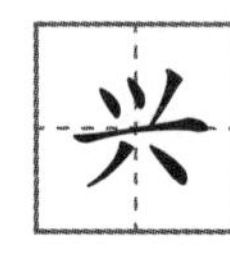 

日常用语 *Daily Expressions*

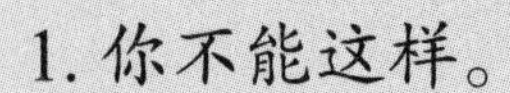

1. 你不能这样。 You can't be like that.
   Nǐ bù néng zhèyàng.

2. 我马上就到 。 I will be there right away.
   Wǒ mǎshàng jiù dào.

语言点小结（二）
Summary of Language Points (II)

常用句式　Common Sentence Patterns

1. 动词谓语句 Sentences with a verbal predicate

    我学习汉语。

    他们去商店。

2. 形容词谓语句 Sentences with an adjective predicate

    我很忙。

    这儿的东西特别贵。

3. 名词谓语句 Sentences with a nominal predicate

    今天星期四。

    李老师35岁。

4. 主谓谓语句 Sentences with a subject-predicate structure as the predicate

    爸爸身体很好。

    马丁汉语不错。

21 我把袋子放在桌子上了

I Put the Bag on the Table

第一部分 学习课文
Part One Texts

课文一 Kèwén yī Text One

生词 New Words and Expressions 21-1

1	付钱	fù qián		pay money
	付	fù	*v.*	pay
2	国家	guójiā	*n.*	country, nation
3	自己	zìjǐ	*pron.*	oneself
4	做法	zuòfǎ	*n.*	way of handling or making sth.
5	AA制	AA zhì	*n.*	going Dutch (with sb); sharing the bill equally
6	年轻人	niánqīng rén	*n.*	young people, youth, youngster
	年轻	niánqīng	*adj.*	young
7	影响	yǐngxiǎng	*v.*	influence, affect, impact
8	愿意	yuànyì	*aux.*	be willing, wish, want
9	大多数	dàduōshù	*n.*	great majority
10	习惯	xíguàn	*v.*	be accustomed to, be used to

课文 Text 21-2

问题 Wèntí 

1. 大家一起吃饭，付钱的时候中国人一般怎么做？你们国家呢？
2. 中国人都习惯AA制吗？

中国人一起吃饭的时候，一般是一个人付钱，这次我请客，下次他请客。

很多国家跟中国不一样，大家一起喝完咖啡、吃完饭以后，自己付自己的钱。这种做法，中国人叫"AA制"。"AA制"到了中国，对年轻人影响很大，很多年轻人也愿意这么做，但是大多数中国人还不习惯。

课文二 Kèwén èr Text Two

生词 New Words and Expressions 21-3

1	结账	jié zhàng		pay the bill
2	咱们	zánmen	*pron.*	we, us
3	小费	xiǎofèi	*n.*	tip, gratuity
4	这些	zhèxiē	*pron.*	these
5	打包	dǎ bāo	*v.*	pack up the leftovers after eating in a restaurant
6	把	bǎ	*prep.*	*used when the object is the receiver of the action of the ensuing verb*
7	饭盒	fànhé	*n.*	lunch box, mess tin
8	放	fàng	*v.*	put, place
9	袋子	dàizi	*n.*	bag
10	零钱	língqián	*n.*	small change
11	收	shōu	*v.*	receive, accept
12	所有	suǒyǒu	*adj.*	all
13	宾馆	bīnguǎn	*n.*	guesthouse, hotel
14	酒吧	jiǔbā	*n.*	bar, pub
15	有的	yǒude	*pron.*	some
16	清楚	qīngchu	*adj.*	clear, explicit

课文 Text 21-4

问题 Wèntí

1. 林娜他们每人付多少钱？
2. 中国饭馆服务员一般收小费吗？你们国家呢？

（在饭馆 In a restaurant）

林娜：服务员，结账！

服务员：一共180块钱。

林娜：咱们六个人AA制，好吗？

大家：好，每人30，再给点儿小费。

林娜：这些菜请帮我们打包，把饭盒都放在袋子里。

服务员：没问题。

林娜：这是200块钱，零钱不用找了，是小费。

服务员：我们不收小费。

林娜：不收小费？所有的饭馆都不收小费吗？

服务员：应该是这样吧。

林娜：宾馆和酒吧呢？

服务员：一般也不收，是不是有的地方收，我不太清楚。

课文三 Kèwén sān Text Three

生词 New Words and Expressions 21-5

1 慢 màn *adj.* slow

2	桌子	zhuōzi	*n.*	table, desk
3	拿	ná	*v.*	bring, take, fetch

课文 *Text* 21-6

问题 Wèntí

1. 日本人习惯AA制吗？
2. 林娜已经习惯中国人的做法了吗？

林娜：日本人都很习惯AA制吗？

山田：当然习惯了。

林娜：我觉得大多数中国人不太习惯AA制，他们常一个人请客。

山田：他们经常这次你请客，下次他请客，这样也不错，和AA制一样。

林娜：我们也要慢慢习惯中国人的做法。

山田：我看见你打包了，你把东西放在哪儿了？

林娜：我把袋子放在旁边的桌子上了，我去拿。

综合注释 *Comprehensive Notes*

1. 很多国家跟中国不一样。

"A跟（和）B不一样"表示两种事物不同，"A跟（和）B一样"表示两种事物没有差别。例如：

"A 跟（和）B 不一样" means A is different from B; "A 跟（和）B 一样" means A and B are the same. For example,

① 我的习惯跟他的习惯不一样。
② 这本书跟那本书不一样。
③ 我的兴趣跟她的一样。

2. 咱们六个人AA制，好吗？

“……，好吗?”问句是说话人先表明自己的看法、想法、意见等，然后用“好吗”征求别人的意见。

肯定的回答是“好”“好的”“好啊”“行”等。如果不同意，可以说出自己的意见，一般不直接说“不好”“不行”。例如：

“……,好吗?” is a question when the speaker first states his/her view, idea or opinion and then uses “好吗” to ask about others’ opinion.

The positive answer would be “好”, “好的”, “好啊” or “行”, etc. If the listener doesn’t agree, he/she would state his/her opinion. “不好” or “不行” is seldom used alone to answer this kind of question. For example,

① A：我们一起吃饭，好吗？
   B：好啊。
② A：我用一下你的自行车，好吗？
   B：上午不行，我要去一趟书店。

3. 把饭盒都放在袋子里。

“把”字句（1）：S+把+O_1+V+在+O_2，表示通过某一动作使O_1的位置发生改变，处于O_2的位置上。例如：

The “把” sentences (1) : “S +把+ O_1 + V +在+ O_2” means that O_1 changes from one position to O_2 as the result of an action. For example,

S	P				
	把	O_1	V	在	O_2
我	把	词典	放	在	桌子上了。
我	把	自行车	放	在	家里了。
我	把	袋子	放	在	旁边的桌子上了。

否定词“不、没、别”一般用在“把”字前。例如：

Negative words such as “没 , 不 , 别” usually occur before “把”. For example,

S	P						
	不/没/别		把	O_1	V	在	O_2
我	没		把	钱	放	在	家里。
我	不	想	把	自行车	放	在	教室前边。
	别		把	钱包	放	在	桌子上。

补充词语 Supplementary Vocabulary

21-7

椅子	yǐzi	*n.*	chair
背包	bēibāo	*n.*	knapsack
钱包	qiánbāo	*n.*	wallet

课堂活动 In-Class Activity

边说边做：一个人说，一个人做

Speak and act: One student speaks and the other acts accordingly.

（1）把笔放在汉语书旁边。
（2）把手机放在桌子上。
（3）把衣服放在旁边的椅子上。
（4）把你的东西都放在老师的桌子上。
（5）把词典放在你的背包里。
（6）把钱包放在桌子上。
（7）把一瓶水放在桌子下边。

综合练习 Comprehensive Exercises

一 熟读下面的词语，选择正确的拼音

Read the following words repeatedly and choose the correct pinyin.

付钱	A. fù qián	B. fū qián
下次	A. xiā cì	B. xià cì
习惯	A. xíguàn	B. xīguàn
结账	A. jiē zhàng	B. jié zhàng
做法	A. zuòfǎ	B. zòufǎ
所有	A. suóyǒu	B. suǒyǒu
这些	A. zhèxiē	B. zhēxié
小费	A. xiāofèi	B. xiǎofèi
桌子	A. zhuōzi	B. zhōuzi
自己	A. cìjì	B. zìjǐ

二 根据课文内容填空 Fill in the blanks according to the texts.

1. 很多国家的人（　　　　）“AA制”，他们常常自己付（　　　　）的钱。
2. 大家一起吃饭的时候，中国人经常（　　　　）付钱。
3. 林娜认为中国人（　　　　）习惯“AA制”。
4. 在中国，饭馆服务员（　　　　）收小费。

5. 日本人很（　　　）“AA制”。
6. （　　　）认为外国人应该慢慢习惯中国人的做法。

三 模仿例子组词 *Make words or phrases after the example.*

例如：E.g. __房__子　　__饺__子

______习　　______年　　______法
习______　　年______　　法______

______次　　______些　　______费
______次　　______些　　______费

四 选择适当的词语填空 *Choose the proper words to fill in the blanks.*

下次　习惯　把　慢慢　清楚　拿　自己　所有　一样　影响

1. 这是我________的事，我自己知道怎么办。
2. 别着急，请你________说。
3. 我们班二十个人，今天________的人都来了。
4. 这次我一个人去，________我们一起去。
5. 这些东西你都要________走吗？
6. 别________手机放在桌子上。
7. 我还不________吃中国菜。
8. 她的帽子跟我的________。
9. 这件事对我________很大。
10. 我不太________他来不来。

五 把下面的句子改写成“把”字句 *Rewrite the following sentences with “把”.*

1. 书你放在桌子上。
2. 手机你放在背包里吧。
3. 词典我没放在桌子上。

4. 笔你放在哪儿了？

5. 你的自行车我放在宿舍前边了。

六 用“有的”完成句子 *Complete the sentences with “有的”.*

1. 我的同学__________，__________。

2. 我有很多书，__________，__________。

3. 在中国，__________，__________。

4. 这些东西__________，__________。

七 说一说，写一写 *Talk and write*

1. 你习惯中国人请客时的做法了吗？ Have you got used to the Chinese way of standing treat?

提示 Clues:

（1）中国人的哪些做法现在你已经习惯了？

（2）哪些你现在还不习惯？为什么？

2. 你认为“AA制”怎么样？What do you think of going Dutch?

提示 Clues:

（1）在你们国家，朋友们在一起吃饭要“AA制”吗？

（2）什么时候一起吃饭不用“AA制”？

（3）你觉得“AA制”好不好？为什么？

八 根据所给的偏旁写出汉字 *Write characters with the given radicals.*

亻：______、______、______、______、______、______、______

扌：______、______、______、______、______、______、______

木：______、______、______、______、______、______、______

第二部分 学写汉字
Part Two Writing Chinese Characters

汉字知识 *About Chinese Characters*

汉字偏旁（13） *Radicals (13)*

刂 lìdāopáng 别

⺮ zhúzìtóu 笔

汉字组合（13） *Combinations (13)*

偏旁 Radicals	部件组合 Combinations	例字 Examples	结构图示 Illustrations
刂	至 + 刂	到	
	亥 + 刂	刻	
	另 + 刂	别	
	朱 + 刂	制	
⺮	⺮ + 毛	笔	
	⺮ + 监	篮	
	⺮ + 相	箱	
	⺮ + 寺	等	
	⺮ + 官	管	
	⺮ + 寺	简	
	⺮ + 弟	第	

写汉字 *Character Writing*

请在汉字练习本上书写下列汉字 

Write the following Chinese characters in the workbook.

日常用语 *Daily Expressions*

1. 麻烦你，告诉我他的电话号码。
   Máfan nǐ, gàosu wǒ tā de diànhuà hàomǎ.
   Excuse me, could you please tell me his phone number?

2. 真不好意思，我忘了给你打电话。
   Zhēn bù hǎoyìsi, wǒ wàngle gěi nǐ dǎ diànhuà.
   Sorry, I forgot to phone you.

22 我的自行车是红色的

My Bike Is Red

第一部分 学习课文
Part One Texts

课文一 Kèwén yī Text One

生词 New Words and Expressions 22-1

1	黄色	huángsè	*n.*	yellow (colour)
	黄	huáng	*adj.*	yellow
2	衬衫	chènshān	*n.*	shirt
3	蓝色	lánsè	*n.*	blue (colour)
	蓝	lán	*adj.*	blue
4	上衣	shàngyī	*n.*	upper outer garment, jacket
5	条	tiáo	*m.*	*used for long and thin things*
6	黑色	hēisè	*n.*	black (colour)
	黑	hēi	*adj.*	black
7	裤子	kùzi	*n.*	trousers, pants
8	那些	nàxiē	*pron.*	those
9	尝	cháng	*v.*	taste
10	丢	diū	*v.*	lose
11	有点儿	yǒudiǎnr	*adv.*	a bit, a little, slightly
12	生气	shēng qì	*v.*	be angry

课文 Text 22-2

问题 Wèntí

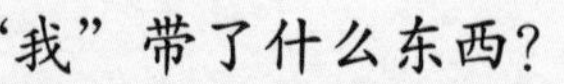

1. 妈妈给“我”带了什么东西?
2. “我”最喜欢的是什么东西?
3. “我”为什么生气?

我妈妈从法国来看我了。她给我带了

很多好吃的，还带了一些衣服。她给我买了一件黄色的衬衫、一件蓝色的上衣和一条黑色的裤子。那件蓝上衣是我最喜欢的，衬衫和裤子也是我现在需要的。那些吃的，我要带给大家尝一尝。妈妈来了，我当然很高兴。可是我的自行车丢了，我有点儿生气。

课文二 Kèwén èr Text Two

生词 New Words and Expressions 22-3

1	好看	hǎokàn	*adj.*	good-looking
2	颜色	yánsè	*n.*	colour
3	那边	nàbian	*pron.*	there, over there
4	试衣间	shìyījiān	*n.*	fitting room
5	瘦	shòu	*adj.*	tight, fitting too closely
6	短	duǎn	*adj.*	short
7	换	huàn	*v.*	change, substitute
8	肥	féi	*adj.*	loose, loose-fitting
9	正好	zhènghǎo	*adj.*	(of time, position, size, number, degree, etc.) just right
10	双	shuāng	*m.*	pair
11	鞋	xié	*n.*	shoes
12	便宜	piányi	*adj.*	cheap

课文 Text 22-4

问题 Wèntí

1. 那件上衣怎么样？
2. 林娜觉得那件上衣贵不贵？

（在商店里 In a store）

林娜：妈妈，您看，这件上衣好看吗？

妈妈：好看。

林娜：您喜欢吗？

妈妈：喜欢。

林娜：我觉得这个颜色您穿特别合适，您试试吧。

妈妈：好。

营业员：那边有试衣间。

林娜：这件有点儿瘦，还有点儿短，能不能换一件肥点儿的、长点儿的？

营业员：您再试试这件。

林娜：这件不长不短，不肥不瘦，正好。多少钱？

营业员：490块钱。

林娜：太贵了。

营业员：这么好的衣服才490块，不贵。

林娜：你看，我这双鞋又好看又舒服，才300。这件衣服当然不便宜了。

课文 三 Kèwén sān Text Three

生词 *New Words and Expressions* 22-5

1	会	huì	*aux.*	be likely to, be sure to
2	记	jì	*v.*	remember
3	错	cuò	*adj.*	wrong
4	样子	yàngzi	*n.*	appearance, look
5	红色	hóngsè	*n.*	red (colour)
	红	hóng	*adj.*	red

6	旧	jiù	*adj.*	old, used, worn
7	算了	suàn le		let it be, let it pass, forget it

课文 *Text* 22-6

问题 Wèntí

1. 林娜的自行车是什么样子的？
2. 林娜的自行车找到了吗？

（林娜的自行车不见了，同学们帮她找车。Linna's bike is missing. Her classmates are helping her look for it.）

崔浩：你把自行车放在哪儿了？

林娜：我就放在这儿了。

崔浩：你不会记错吧？

林娜：不会。

崔浩：你的自行车是什么样子的？

林娜：是红色的，比较大的那种。

马丁：这辆自行车是你的吗？

林娜：不是。我的是红的，不是黄的。

山田：这辆呢？

林娜：也不是。这辆是旧的，我的是新的。算了，咱们别找了。

综合注释 *Comprehensive Notes*

1. 她给我带了很多好吃的。

名词、代词、动词、形容词等后面加“的”构成“的”字短语。“的”字短语相当于名词。例如：

A noun, pronoun, verb or an adjective becomes a "的" phrase when the word "的" is attached to it. A "的" phrase functions as a noun. For example,

N+的	Pron+的	V / VP+的	Adj+的
外国的	我的	吃的	瘦的
老师的	你的	穿的	短的
图书馆的	他的	开车的	长的
妈妈的	我们的	跑步的	旧的
北京的	他们的	骑自行车的	新的

① 这是你的，那是我的。
② 你的车是红的还是黑的？
③ 吃的、穿的、用的我都买了。
④ 这本书是图书馆的。

2. 我有点儿生气。

"有点儿"，副词，用在形容词或者心理动词前面，表示程度不高，相当于"稍微"，一般用于不满意的事情。例如：

"有点儿", an adverb, comes before an adjective or a verb. It indicates a slight degree, meaning "a little". It is usually used for something dissatisfactory. For example,

① 今天有点儿热。
② 这条裤子有点儿短。
③ 他有点儿不太高兴。
④ 我的自行车丢了，我有点儿生气。

3. 能不能换一件肥点儿的、长点儿的？

（一）点儿（2）："Adj+（一）点儿"用在有比较意义的句子里，表示程度稍有差别。例如：

（一）点儿（2）: The structure "Adj +（一）点儿" is used in a sentence implying a comparative meaning. It indicates a slight difference in degree. For example,

① 帮我换件长一点儿的。
② 这条太瘦，能不能换一条肥点儿的？
③ 你今天好点儿了吗？

4. 这么好的衣服才490块。

"才（2）"用在数量词语前边，表示数量少、时间早、价格便宜等。例如：

"才（2）" is used before a numeral-classifier compound to indicate that the amount is little, the time is early, or the price is cheap, etc. For example,

① 我们班一共才十个人。
② 才星期二，还早呢。
③ 这双鞋才300元。

5. 算了，咱们别找了。

"算了"表示作罢，不再计较。例如：

"算了" means "give up" or "let it go". For example,

① 这么麻烦，算了，不吃了。
② 太冷了，算了，今天不去了。
③ 一点儿小东西，别找了，算了。

补充词语 *Supplementary Vocabulary*

22-7

绿色	lǜsè	*n.*	green (colour)
白色	báisè	*n.*	white (colour)
紫色	zǐsè	*n.*	purple (colour)
粉色	fěnsè	*n.*	pink (colour)
T恤	Txù	*n.*	T-shirt
裙子	qúnzi	*n.*	skirt

课堂活动 *In-Class Activity*

用"……的"说一说 ***Talk about the following topics with*** "……的".

1. 你同学衣服的颜色 The colours of the clothes your classmates wear

例如：E.g. 他的衣服是红色的。

2. 把同学的东西放在一起，说说东西是谁的 Put everyone's belongings together and then identify the ownership.

例如：E.g. 这本汉语书是我的，那本是林娜的。

3. 把大家的东西分类放，说说每类东西是做什么用的 Categorize the belongings and then talk about the use of each category.

例如：E.g. 这是喝的，那是吃的。

吃的/穿的/喝的/用的/写字的/学习的……

4. 说说你同学的特点 Talk about the differential features of each of your classmates.

例如：E.g. 穿红衣服的是林娜。

瘦一点儿的是山田。

综合练习 Comprehensive Exercises

一 熟读下面的词语 *Read the following words and phrases repeatedly.*

一条裤子	那些吃的	尝一尝
一件衬衫	有点儿生气	试衣间
蓝色上衣	肥点儿的	自行车

二 根据课文内容填空 *Fill in the blanks according to the texts.*

1. 妈妈给林娜带了一件__________、一件__________和一条__________。
2. 林娜最喜欢__________。
3. 那些吃的，林娜要带给大家__________。
4. 林娜妈妈试衣服，第一件__________，第二件__________。
5. 林娜觉得那件衣服__________，她没买。
6. 林娜的自行车是__________的，__________的，__________的。

三 模仿例子，给下面的汉字注音并组词

Write the pinyin of the following characters and make words or phrases after the example.

例如：E.g. 太（tài）__太多__

大（dà）__大家__

休（　　）________　　车（　　）________

体（　　）________　　东（　　）________

丢（　　）________　　间（　　）________

去（　　）________　　问（　　）________

四 写出下列词语的反义词 *Write the antonym of each word below.*

例如：E.g. 多——少

瘦——　　旧——　　早——　　大——

长——　　错——　　快——　　多——

五 用“……的”完成句子 *Complete the sentences with “……的”.*

1. 这些法文书都是__________。
2. 我的自行车是__________。
3. 他的裤子是__________，我的裤子是__________。
4. 这件上衣不是__________。
5. __________太贵，__________不太贵。
6. __________是法国人，__________是韩国人。

六 用“一点儿”或者“有点儿”填空 *Fill in the blanks with “一点儿” or “有点儿”.*

1. 我会说__________汉语。
2. 我__________不舒服。
3. 你能慢__________说吗？
4. 去那个地方__________远。
5. 我每天早上都喝__________茶。
6. 他今天__________不高兴。
7. 这件上衣__________大。
8. 大__________的车是我的。

七 用指定的词语完成句子 *Complete the sentences with the given words.*

1. ____________，我也想买一条。（好看）
2. 我____________，书的名字不是这个。（记错）
3. ____________，不大也不小。（正好）
4. 一点儿小东西，别找了，____________。（算了）
5. 昨天他告诉我一定来，我想今天他____________。（会）
6. 我的自行车丢了，我想____________。（新）
7. 这是新鲜的水果，你____________。（尝）

八 根据实际情况进行问答练习 *Do the question-and-answer drills according to the actual situation.*

1. 你的上衣是什么颜色的？
2. 你的裤子是什么颜色的？
3. 你的词典是英语的还是汉语的？
4. 坐在你前边的是谁？
5. 穿红衣服/黑衣服的是谁？
6. 这支笔是谁的？
7. 那件蓝色的/黑色的衣服是谁的？

第二部分 学写汉字
Part Two Writing Chinese Characters

汉字知识 *About Chinese Characters*

汉字偏旁（14） *Radicals (14)*

灬 sìdiǎndǐ 黑

衣衤 yīzìpáng 袋 裤

汉字组合（14） ***Combinations (14)***

偏旁 Radicals	部件组合 Combinations	例字 Examples	结构图示 Illustrations
灬	然 + 灬	然	
	占 + 灬	点	
	执 + 灬	热	
	罒 + 灬	黑	
	昭 + 灬	照	
衣 衤	衣	衣	
	代 + 衣	袋	
	衤 + 寸	衬	
	衤 + 彡	衫	
	衤 + 库	裤	

写汉字 *Character Writing*

请在汉字练习本上书写下列汉字 

Write the following Chinese characters in the workbook.

日常用语 *Daily Expressions*

1. 谢谢你的礼物，我很喜欢。 Thanks for your gift. I like it very much.
   Xièxie nǐ de lǐwù, wǒ hěn xǐhuan.
2. 谢谢您的邀请，我一定去。 Thanks for your invitation. I will go for sure.
   Xièxie nín de yāoqǐng, wǒ yídìng qù.

23 今年冬天变冷了

The Winter Is Getting Colder This Year

第一部分　学习课文
Part One　Texts

课文一　Kèwén yī　Text One

生词　New Words and Expressions　23-1

1	特别	tèbié	*adj.*	special, uncommon
2	北方	běifāng	*n.*	north, northern part of the country
3	南方	nánfāng	*n.*	south, southern part of the country
4	下雪	xià xuě		snow
	雪	xuě	*n.*	snow
5	场	cháng	*m.*	*used to indicate a process*
6	气温	qìwēn	*n.*	temperature
7	低	dī	*adj.*	low
8	零下	líng xià		below zero
9	度	dù	*m.*	degree as a unit of measure for temperature
10	左右	zuǒyòu	*n.*	around, about, or so
11	差不多	chàbuduō	*adv.*	almost, nearly
12	老人	lǎorén	*n.*	old people
13	年	nián	*n.*	year
14	寒冷	hánlěng	*adj.*	cold, frigid
15	人们	rénmen	*n.*	people
16	突然	tūrán	*adj.*	sudden, unexpected
17	变	biàn	*v.*	change
18	专家	zhuānjiā	*n.*	expert, specialist

19	地球	dìqiú	*n.*	earth, globe
20	暖	nuǎn	*adj.*	warm

课文 *Text* 23-2

问题 Wèntí

1. 今年冬天最冷的时候是多少度？
2. 这样冷的冬天经常有吗？
3. 您觉得冬天是变冷了，还是变暖了？

今年冬天很特别，从北方到南方，已经下了四场大雪，气温也非常低。

在北京，冬天的最低气温一般在零下十度左右。可是今年冬天才冷呢，最冷的一天差不多有零下十七度。老人们都说，这是最近四十年最寒冷的冬天。

人们觉得冬天突然变冷了，可是有的专家说地球变暖了。你们说，地球是变冷了，还是变暖了呢？

课文二 Kèwén èr Text Two

生词 *New Words and Expressions* 23-3

1	注意	zhùyì	*v.*	pay attention to, be careful about
2	气候	qìhòu	*n.*	climate
3	爱	ài	*v.*	be liable to, be apt to, be in the habit of
4	锻炼	duànliàn	*v.*	do physical training, take exercise
5	出门	chū mén		go out

课文 *Text* 23-4

问题 Wèntí 

1. 阿明习惯北京的气候了吗？
2. 阿明现在身体怎么样？
3. 林娜现在还爱感冒吗？

（下课时，李老师和学生们聊天儿。Mr. Li is chatting with the students during the break.）

李一民：现在天气冷了，大家要注意身体，别感冒了。

林娜：老师，阿明又感冒了，我觉得他还没习惯北京的气候。

李一民：他现在怎么样了？

林娜：他现在好点儿了。

李一民：你们怎么样？

学生们：还可以。

林娜：以前我爱感冒。现在常常锻炼，不爱感冒了。

李一民：出门的时候多穿点儿衣服，平时多吃水果，多喝水。

学生们：谢谢老师！

课文 三 Kèwén sān Text Three

生词 New Words and Expressions 23-5

1	季节	jìjié	*n.*	season
2	下雨	xià yǔ		rain
	雨	yǔ	*n.*	rain
3	正常	zhèngcháng	*adj.*	normal, regular

课文 Text 23-6

问题 Wèntí

1. 今年冬天泰国气候怎么样？
2. 今年泰国的气候跟以前一样吗？

山田：阿明，最近泰国天气怎么样？

阿明：一般这个季节我们那儿不常下雨，

可是最近也下了两场大雨。

山田：冷吗？

阿明：听妈妈说，今年很冷，很多人都穿棉衣了。

山田：是吗？以前也是这样吗？

阿明：不是这样，以前这个季节不冷也不热，是最舒服的时候，今年很不正常。

综合注释 Comprehensive Notes

1. 冬天的最低气温一般在零下十度左右。

概数（2）：“数量词语+左右”，指比这一数量稍多或稍少。例如：

Approximate numbers (2): “Numeral-classifier compound + 左右” means “a little more than or less than the said amount”. For example,

① 这件衣服三百块钱左右。
② 我们十点左右到学校。
③ 今天二十度左右。

2. 可是今年冬天才冷呢。

“才（3）”表示强调。例如：

“才（3）” is used to emphasize. For example,

① 这本书才有意思呢。
② 我的汉语一般，他的汉语才好呢。
③ 那是我同学，这才是我们老师呢。

3.（今年）最冷的一天差不多有零下十七度。

“差不多”，副词，表示相差很少、几乎、接近。例如：

“差不多”, an adverb, means “almost, nearly or approximately”. For example,

① 这两条裤子差不多长。
② 我差不多等了两个小时。
③ A：这两件衣服一样吗？
B：差不多。

4. 人们觉得冬天突然变冷了。

"了（3）"，语气助词，用在句尾，表示事态的变化。例如：

"了（3）" is a modal particle used at the end of a sentence to indicate the change of a state. For example,

① 已经十点了。
② 下雨了。
③ 今年冬天突然变冷了。
④ 他现在好点儿了。

5. 还可以。

"还可以"表示不是最好，也不是最差。例如：

"还可以" means "neither the best nor the worst". For example,

① 今天天气还可以。
② 这儿的菜还可以。
③ 我身体还可以。

补充词语 Supplementary Vocabulary

23-7

天气预报	tiānqì yùbào		weather forecast
刮风	guā fēng		(of wind) blow
风力	fēnglì	n.	wind-force
级	jí	n.	level, grade, rank
多云	duōyún	n.	cloudy
晴	qíng	adj.	sunny
阴	yīn	adj.	overcast
转	zhuǎn	v.	change, turn

课堂活动 *In-Class Activity*

观察下面的图片，看看有什么变化，请你说一说

Study the following pictures and then talk about the differences.

1

3

2

4

综合练习 *Comprehensive Exercises*

一 熟读下面的词语，并写出拼音

Read the following words and phrases repeatedly and write down their pinyin syllables.

下雨 ________　　零下 ________　　地球 ________

突然 ________　　气候 ________　　季节 ________

老人 ________　　锻炼 ________　　差不多 ________

二 模仿例子组词 ***Make phrases after the example.***

例如：E.g. 过：过生日、过假期

下：______、______　　换：______、______　　收：______、______

打：______、______　　放：______、______　　戴：______、______

发：______、______　　交：______、______　　开：______、______

三 选择合适的量词填空 *Choose the proper measure words to fill in the blanks.*

场 度 条 件 份 次 遍 趟 瓶 束 套 辆 双

1. 我昨天喝了两______啤酒。
2. 我想给他买一______生日礼物。
3. 我想租一______房子。
4. 我有三______蓝色的裤子。
5. 今天最低气温是十八______。
6. 那儿我已经去了两______了。
7. 我给她买了一______花。
8. 这______汽车是新的。
9. 这本书我已经学了两______了。
10. 今天又下了一______雨。
11. 我这______鞋好看吗？

四 用所给的词语完成对话 *Complete the dialogues with the given words or phrases.*

1. A：他身体怎么样了？
   B：______________________________。（了）
2. A：今天（气温）有多少度？
   B：______________________________。（差不多）
3. A：你等我等了多长时间？
   B：______________________________。（差不多）
4. A：你每天学习多长时间汉语？
   B：______________________________。（左右）
5. A：泰国最近天气怎么样？
   B：______________________________。（……那儿）
6. A：你的英语怎么样？
   B：______________________________。（还可以）
7. A：天气这么冷，人________________________。（容易）
   B：没错儿，我们得多穿点儿衣服。

五 用下面的词语造句 *Make sentences with the following words.*

1. 突然

2. 锻炼

3. 特别

4. 变

5. 正常

六 说一说，写一写 *Talk and write*

1. 最近你们国家的天气变化（biànhuà，change）

提示 Clues:

（1）最近你们国家天气怎么样？

（2）用“了”说说有什么变化，比如：天气变冷了。

2. 你的家人或者朋友的变化

提示 Clues:

（1）你的家人或者朋友有变化吗？

（2）用“了”说说他们有什么变化，比如：奶奶老了。

七 阅读短文 *Read the passage.*

（一）巴黎（Bālí，Paris）天气预报

6月26日星期六

多云

最高气温：26℃

最低气温：14℃

风力1～2级

6月27日星期日

小雨

最高气温：26℃

最低气温：14℃

风力2~3级

回答问题 Answer the questions.

1. 6月26日巴黎天气怎么样？最高气温是多少度？

2. 6月27日巴黎天气怎么样？最低气温是多少度？

（二）北京天气预报

12月10日：
白天（báitiān，daytime）多云转阴，夜间（yèjiān，night）有小雪，南风二三级，最高气温3℃，最低气温-1℃。

12月11日：
多云转晴，北风二三级转四五级，最高气温6℃，最低气温-5℃。

回答问题 Answer the questions.

1. 12月10日北京白天有雪吗？最高气温是多少度？

2. 12月11日北京天气怎么样？最低气温是多少度？

八 根据所给的偏旁写出汉字 *Write characters with the given radicals.*

辶：________、________、________、________、________、________

冫：________、________、________、________、________、________

宀：________、________、________、________、________、________

第二部分 学写汉字
Part Two Writing Chinese Characters

汉字知识 *About Chinese Characters*

汉字偏旁（15） *Radicals (15)*

雨	yǔzìtóu	雪
土	títǔpáng	地

汉字组合（15）*Combinations (15)*

偏旁 Radicals	部件组合 Combinations	例字 Examples	结构图示 Illustrations
雨	雨 + 而	需	
	雨 + ⺕	雪	
	雨 + 令	零	
土	土 + 成	城	
	土 + 也	地	
	土 + 昜	场	
	土 + 不	坏	
	土 + 人 + 人	坐	

写汉字 *Character Writing*

请在汉字练习本上书写下列汉字 

Write the following Chinese characters in the workbook.

日常用语 *Daily Expressions* 

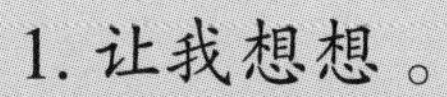

1. 让我想想。 Let me think.
   Ràng wǒ xiǎngxiang.
2. 我该怎么办？ What shall I do?
   Wǒ gāi zěnme bàn?

24 妈妈给我寄来了礼物
My Mom Has Sent Me a Gift

第一部分　学习课文
Part One　Texts

课文一　Kèwén yī　Text One

生词　*New Words and Expressions*　24-1

1	亲爱	qīn'ài	*adj.*	dear, beloved
2	为了	wèile	*prep.*	for, in order to
3	庆祝	qìngzhù	*v.*	celebrate
4	大使馆	dàshǐguǎn	*n.*	embassy
5	层	céng	*m.*	storey, floor
6	举行	jǔxíng	*v.*	hold (a meeting, contest, ceremony, etc.)
7	晚会	wǎnhuì	*n.*	evening party
8	地址	dìzhǐ	*n.*	address
9	联系	liánxì	*v.*	contact, connect, link
10	如果	rúguǒ	*conj.*	if, in case
11	活动	huódòng	*n.*	activity
12	就	jiù	*adv.*	*indicating a natural result under certain conditions or circumstances*
13	短信	duǎnxìn	*n.*	short message

专名　*Proper Names*

1	平安大街	Píng'ān Dàjiē	Ping'an Street
2	感恩节	Gǎn'ēn Jié	Thanksgiving Day

课文 Text 24-2

> **问题 Wèntí**
> 1. 下星期四美国大使馆有什么活动？
> 2. 活动在哪儿举行？

（马丁给同学们发邮件，请大家参加他们的晚会。Martin e-mailed his classmates to invite them to an evening party.）

亲爱的朋友：

下个星期四是美国的感恩节。为了庆祝这个重要的节日，美国大使馆在国际大厦四层举行晚会。我们很希望您能来参加我们的晚会，也非常欢迎您带朋友一起来。

时间：11月25日 晚上18：00到23：00

联系人：马丁

地址：平安大街25号

电话：82645980

手机：15266778821

邮箱：mading1234@hotmail.com

如果您愿意参加这个活动，就给我们发个短信、打个电话或者发个电子邮件。

马丁

11月18日

课文 二 Kèwén èr Text Two

生词 New Words and Expressions 24-3

1	喂	wèi	*int.*	hello, hey
2	全	quán	*adv.*	completely, entirely, wholly
3	让	ràng	*v.*	let, allow
4	过	guò	*v.*	go through, pass, cross

专名 Proper Names

1	国际大厦	Guójì Dàshà	International Tower
2	友谊宾馆	Yǒuyì Bīnguǎn	Friendship Hotel

课文 Text 24-4

问题 Wèntí

1. 马丁的班谁去参加晚会?
2. 国际大厦在哪儿?

崔浩：喂，是马丁吗？我是崔浩。

马丁：是你呀，你看到我的邮件了吗？你知道我们班有几个人去吗？

崔浩：我们班所有的同学都去。

马丁：大家全去？

崔浩：对呀。

马丁：太好了！

崔浩：对了，你能告诉我国际大厦在哪儿吗？

马丁：友谊宾馆东边就是国际大厦。你知道友谊宾馆吧？

崔浩：不知道。

马丁：这样吧，下午四点你让大家到我宿舍来，跟我一起过去，怎么样？

崔浩：好啊！

马丁：晚上用不用我送你们回来呀？

崔浩：不用。

课文三 Kèwén sān Text Three

生词 New Words and Expressions 24-5

1	寄	jì	*v.*	send, post, mail
2	邮局	yóujú	*n.*	post office
3	深	shēn	*adj.*	(of colour) dark, deep
4	灰色	huīsè	*n.*	gray
5	后边	hòubian	*n.*	back, rear, behind
6	书店	shūdiàn	*n.*	bookstore, bookshop
7	浅	qiǎn	*adj.*	(of colour) light
8	绿色	lǜsè	*n.*	green
9	上边	shàngbian	*n.*	higher place, surface of an object
10	护照	hùzhào	*n.*	passport
11	忘不了	wàng bu liǎo		cannot forget, unforgettable

课文 Text 24-6

问题 Wèntí

1. 马丁去邮局干什么？
2. 邮局在哪儿？

马丁：我妈妈给我寄来了感恩节礼物，可是

我还不知道邮局在哪儿。你知道吗？

崔浩：知道。你看见前边那个深灰色的大楼了吗？

马丁：看见了。

崔浩：大楼后边是一个书店和一个超市，邮局就在超市东边，那个楼是浅绿色的，上边还有英文，你一看就知道了。

马丁：谢谢了！

崔浩：不客气。你快去吧，别忘了把护照带去。

马丁：忘不了。

综合注释 *Comprehensive Notes*

1. 为了庆祝这个重要的节日，美国大使馆在国际大厦四层举行晚会。

"为了"表示目的。例如：

"为了" means "for". It indicates a purpose. For example,

① 学习是为了以后更好地（de）工作。
② 为了学好汉语，我来到中国。
③ 为了练习听力，我每天都要听两个小时收音机。

2. 如果您愿意参加这个活动，就给我们发个短信、打个电话或者发个电子邮件。

"如果"表示假设，后面常与"就"配合使用。有时候"如果"可以不说。例如：

"如果" means "if". It indicates a supposition. It is often used together with "就". Sometimes "如果" can be omitted. For example,

① （如果）你想参加晚会，就给我打电话。
② （如果）天气好，我就去爬山。
③ （如果）不太贵，就可以买。
④ （如果）你不去，他怎么办？

3. 友谊宾馆东边就是国际大厦。

“是”可以表示存在。“是”can be used to mean existence.

存在句（2）:

Existential sentences (2):

Positions	是	Sb. / Sth.
大楼后边	是	书店和超市。
林娜左边	是	山田。

4. 我妈妈给我寄来了感恩节礼物。

“V+ 来/去”表示动作的方向。“来”表示动作朝说话人的方向进行，“去”表示相反的意思。

“V+ 来 / 去”indicates the direction of an action. “来”indicates the action is towards the location of the speaker, while “去”means the opposite.

	进来/去	起来	
	出来/去	回来/去	
→来←	上来/去	带来/去	←去→
	下来/去	寄来/去	
	过来/去	拿来/去	

例如：E.g.

① 你们跟我一起过去吧。

② 你什么时候回来？

③ 你下来吧。

当宾语为处所宾语时，“来/去”常放在动词和处所宾语的后边。例如：

If the object is a place, “来” or “去” is usually put after the verb and the object of place. For example,

S	P			
	V	O	来/去	
他	回	宿舍	去	了。
他	下	楼	来	了。
你们	进	教室	去	吧。

当宾语为一般名词宾语时，“来/去”常放在一般宾语的前边。例如：

If the object is a common noun, “来” or “去” is usually put before the object. For example,

S	P		
	V	来/去	O
他	带	来了	一个电子词典。
他	带	去了	一件礼物。

5. 别忘了把护照带去。

"把"字句（2）

The "把" sentences (2)

S	P					
		把	O	V	来/去	
您	可以	把	朋友	带	来。	
妈妈		把	药	寄	来	了。
马丁		把	我的词典	拿	去	了。

补充词语 *Supplementary Vocabulary*

买来/去	mǎilai / qu	拿来/去	nálai / qu
走来/去	zǒulai / qu	跑来/去	pǎolai / qu

课堂活动 *In-Class Activity*

根据示例用"来"或"去"说一说 *Use "来" or "去" after the example.*

例如：E.g. 我在宿舍外边

山田　进　→ 山田进去了。

（1）我在楼上，我看见：

① 林娜　上

② 他　下

（2）我在教室里边，我看见：

① 林娜　进

② 李老师　出

③ 他　带　很多水果

（3）我在中国：
①妈妈　寄　生日礼物
②我朋友　回　泰国

（4）我在教室，下课以后：
①我　回　宿舍
②我们　吃　饭

综合练习 *Comprehensive Exercises*

一 熟读下面的词语，并写出拼音

Read the following words and phrases repeatedly and write down their pinyin syllables.

庆祝 ____________　邮局 ____________　大楼 ____________

护照 ____________　举行 ____________　地址 ____________

愿意 ____________　如果 ____________　短信 ____________

二 根据课文内容填空 *Fill in the blanks according to the texts.*

1. 马丁请朋友们参加____________。
2. 感恩节晚会在____________举行。
3. 崔浩____________知道国际大厦在哪儿。
4. 马丁的妈妈给他寄____________了礼物。
5. 邮局在超市____________。

三 用“来”“去”做动词补语完成句子 *Complete the sentences with “来” or “去”.*

1. 我在家里，你____________吧。（过）
2. 下课以后，我____________。（回　宿舍）
3. 朋友给我____________。（买　一些水果）
4. 他在楼上，我____________找他。（上）
5. 昨天他从日本____________了。（回）

四 用“在”“是”填空 *Fill in the blanks with “在” or “是”.*

1. 中国银行北边（　　）麦当劳。
2. 留学生宿舍旁边（　　）学生食堂。
3. 词典（　　）汉语书下边。
4. 我右边（　　）林娜。
5. 国际大厦（　　）友谊宾馆东边。
6. 我家楼下就（　　）快餐店。

五 完成句子 *Complete the following sentences.*

1. 如果我有时间，____________________。
2. 如果天气好，____________________。
3. 如果你喜欢，____________________。
4. 如果____________________，我就给你打电话。
5. 如果____________________，你就问老师。
6. 如果____________________，我可以帮你。

六 选择适当的词语填空 *Choose the proper words to fill in the blanks.*

把　让　举行　寄　参加　发　为了　庆祝

1. （　　　）学好汉语，他每天听收音机。
2. 感恩节我们要（　　　）一个晚会。
3. 明天是你的生日，咱们是不是（　　　）一下？
4. 我希望你能（　　　）比赛。
5. 他给我（　　　）了三条短信。
6. 下午我去邮局（　　　）东西。
7. 我明天（　　　）茶带来，给大家尝一尝。
8. 老师（　　　）他去办公室拿书。

七 说一说，写一写 *Talk and write*

介绍感恩节　About Thanksgiving

提示 Clues:

（1）感恩节是从什么时候开始的？
（2）哪些国家过感恩节？
（3）感恩节是哪一天？
（4）过感恩节的时候有什么活动？

八 阅读短文，并在括号内填上合适的汉字

Read the passage and then fill in the blanks with proper Chinese characters.

我的朋友上星期从美国回（　　）了，他看（　　）我非常高（　　）。我们今（　　）一起去参（　　）了他哥哥的婚礼。

第二部分　学写汉字
Part Two　Writing Chinese Characters

汉字知识　*About Chinese Characters*

汉字偏旁（16）***Radicals (16)***

走　zǒuzìpáng　超

忄　shùxīnpáng　忙

汉字组合（16）***Combinations (16)***

偏旁 Radicals	部件组合 Combinations	例字 Examples	结构图示 Illustrations
走	走＋召	超	
	走＋取	趣	
	走＋己	起	
	走＋尚	趟	
忄	忄＋亡	忙	
	忄＋夬	快	
	忄＋曼	慢	
	忄＋贯	惯	
	忄＋青	情	

写汉字　*Character Writing*

请在汉字练习本上书写下列汉字 

Write the following Chinese characters in the workbook.

日常用语 *Daily Expressions* 

1. 请稍等一下。 Please wait a moment.
   Qǐng shāo děng yíxià.

2. 我该走了，再见。 I've got to go. Bye.
   Wǒ gāi zǒu le, zàijiàn.

我听不懂他们说的话
I Don't Understand What They Said

第一部分　学习课文
Part One　Texts

课文一　Kèwén yī　Text One

生词　New Words and Expressions 25-1

1	懂	dǒng	*v.*	understand
2	话	huà	*n.*	word, talk
3	出租（汽）车	chūzū (qì) chē	*n.*	taxi
4	虽然	suīrán	*conj.*	although, even though
5	司机	sījī	*n.*	driver, chauffeur
6	住院	zhù yuàn		be in hospital, be hospitalized
7	担心	dān xīn	*v.*	worry, be anxious about
8	护士	hùshi	*n.*	nurse
9	机会	jīhuì	*n.*	opportunity, chance
10	感觉	gǎnjué	*v.*	feel, perceive

问题　Wèntí

1. "我"能听懂一般中国人说的话吗？为什么？
2. "我"在医院的时候，能不能听懂医生和护士的话？

上课的时候，我能听懂老师说的话。可是到了大街上，很多中国人说的话我常常听不懂。坐出租车的时候，虽然我很喜欢跟司机聊天儿，但是他们说话太快，我常常听不懂。

我生病住院的时候，也担心听不懂医生和护士说的话。可是他们知道我是外国人，跟我说话很慢，我差不多都能听懂。还有，很多中国人也喜欢跟我聊天儿。我每天能有机会跟这么多中国人练习汉语，感觉很不错。

课文二 Kèwén èr Text Two

生词 New Words and Expressions 25-3

1	早	zǎo	*adj.*	early
2	出院	chū yuàn		leave hospital
3	好好儿	hǎohāor	*adv.*	all out, to one's heart's content
4	饿	è	*adj.*	hungry
5	光盘	guāngpán	*n.*	CD
6	关心	guānxīn	*v.*	have sb. or sth. on one's mind, be concerned with

课文 Text 25-4

问题 Wèntí

1. 崔浩身体现在怎么样了？
2. 崔浩的同学和老师给他带来了什么东西？

（崔浩生病住院了，大家来医院看他。Cui Hao is ill and hospitalized. His friends go to visit him.）

李一民：你现在感觉怎么样了？

崔浩：好点儿了。我真想早点儿出院，回学校去。

李一民：别着急，你应该好好儿休息休息。这是我包的饺子，你吃点儿吧。

崔浩：我真饿了。您做的饺子真好吃！

林娜：你看，这是你要的书和音乐光盘。有时间你可以听听音乐，看看书。

马丁：这是你喜欢的水果。

崔浩：谢谢你们的关心！

课文三 Kèwén sān Text Three

生词 New Words and Expressions 25-5

1	部分	bùfen	*n.*	part, section
2	谈	tán	*v.*	talk, converse, chat
3	些	xiē	*m.*	some, a few
4	经济	jīngjì	*n.*	economy
5	发展	fāzhǎn	*n.*	development
6	变化	biànhuà	*n.*	change
7	生活	shēnghuó	*n.*	life
8	比如	bǐrú	*v.*	for example, for instance, such as
9	留学	liú xué	*v.*	study abroad
10	普通	pǔtōng	*adj.*	common, general, ordinary
11	像	xiàng	*v.*	be like
12	那样	nàyàng	*pron.*	like that, such, so
13	方法	fāngfǎ	*n.*	method, way, means

课文 Text 25-6

问题 Wèntí

1. 崔浩和中国人一起聊天儿都聊什么？
2. 中国人问崔浩什么？

马丁：你和中国人一起聊天儿，能听懂他们说的话吗？

崔浩：大部分能听懂，只有一小部分听不懂。

马丁：你们都谈些什么呢？

崔浩：谈中国的经济发展，中国的变化，中国人的生活。当然也谈韩国的事情。

马丁：他们对什么事情感兴趣？

崔浩：比如，来中国留学的韩国人为什么那么多？普通韩国人的生活真的像电视上那样吗？

马丁：这些问题很有意思。虽然你学汉语的时间不长，但是你学到的东西很多。

崔浩：是啊，多听、多说是练习汉语最好的方法。

综合注释 *Comprehensive Notes*

1. 我能听懂老师说的话。

定语（2）：动词、动词短语、主谓短语做定语时，定语和中心语之间用“的”。

Attributives (2): When the attributive is a verb, verbal phrase or subject-predicate phrase, there is a “的” between the attributive and the qualified word.

V/VP	的	N
喜欢吃	的	水果
学到	的	东西
练习汉语	的	方法

SP	的	N
我做	的	饺子
你喜欢	的	水果
他们说	的	话

例如：E.g.

① 超市里吃的东西真多。

② 我买的苹果很不错。

③ 这是你要的书和音乐光盘。

2. 很多中国人说的话我常常听不懂。

“听不懂”意思是不能听懂，是“听得（de）懂”的否定形式。

“听不懂” means “do not understand”. It is the negative form of “听得（de）懂”.

3. 虽然我很喜欢跟司机聊天儿，但是他们说话太快，我常常听不懂。

“虽然” 用在前一分句，表示承认某一事实，后一分句常与“但是、可是、还是”等词配合使用。例如：

“虽然” is used in the former clause of a sentence, indicating the acceptance of some fact. In the latter clause, “但是”, “可是” or “还是” is often used. For example,

① 我虽然喜欢喝咖啡，可是不常喝。

② 虽然已经冬天了，天气还是很暖和。

4. 你应该好好儿休息休息。

“好好儿”，副词，用在动词前做状语，意思是尽心尽力地、尽最大限度地。例如：

The adverb “ 好 好 儿 ” is used as an adverbial before the verb, meaning “whole-heartedly” or “to the greatest degree”. For example,

① 我一定要好好儿学习。

② 我们想好好儿玩儿两天。

③ 这件事我要好好儿想想。

补充词语 *Supplementary Vocabulary*

普通话	pǔtōnghuà	Mandarin
方言	fāngyán	dialect
广东话	Guǎngdōnghuà	Cantonese
制造	zhìzào	make, manufacture

课堂活动 *In-Class Activity*

把词扩展成句子，看谁说的句子最长

Sentence expansion game: Use as many words as possible to make sentences as long as possible.

例如：E.g. 裤子
我的裤子
我买的裤子
我上星期买的裤子
我上星期在那个商店买的裤子
我上星期在那个商店买的那条裤子
我上星期在那个商店买的那条蓝裤子
我上星期在那个商店买的那条蓝裤子很贵。

（1）词典　　（4）普通话

（2）苹果　　（5）电影

（3）电脑　　（6）汽车

综合练习 *Comprehensive Exercises*

一 熟读下面的词语，并写出拼音

Read the following words and phrases repeatedly and write down their pinyin syllables.

关心 ____________　机会 ____________　感觉 ____________
司机 ____________　出院 ____________　好好儿 ____________
担心 ____________　出租 ____________　普通 ____________

二 根据课文内容填空 *Fill in the blanks according to the texts.*

1. 我能听懂老师（　　　）的话。
2. 很多中国人说的话，我听（　　　）。
3. 崔浩在医院里每天跟（　　　）聊天儿。
4. 多（　　　）、多（　　　）是（　　　）最好的方法。

三 给多音字组词 *Make words with the polyphonic characters.*

好：hǎo ＿＿＿＿＿　　教：jiāo ＿＿＿＿＿
　　hào ＿＿＿＿＿　　　　jiào ＿＿＿＿＿

空：kōng ＿＿＿＿＿　　觉：jué ＿＿＿＿＿
　　kòng ＿＿＿＿＿　　　　jiào ＿＿＿＿＿

四 选择适当的副词填空 *Choose the proper adverbs to fill in the blanks.*

还　也　都　别　不　没　很　非常　太　最　更　真　只
一块儿　先　才　就　总是　经常　常常　差不多　有点儿
一定　当然　已经　特别　再　又　一起　只好

1. 他二十分钟（　　　）做完了。
2. 他最近（　　　）忙。
3. 他今天（　　　）不高兴。
4. 他到的时候（　　　）三点了。
5. 他（　　　）喝绿茶。
6. 他（　　　）来参加我们的聚会（jùhuì, party）。
7. 你做的菜（　　　）好吃！
8. 我（　　　）去你那儿，然后去图书馆。
9. 我现在（　　　）没有吃饭呢。
10. 我去找他，他（　　　）在家。
11. 我（　　　）有一台电脑。
12. 他们都不去了，我（　　　）自己去。
13. 买这些东西（　　　）需要600块钱。
14. 他的词典丢了，昨天他（　　　）买了一本。
15. 他十点（　　　）起床。

五 用指定的词语完成句子 *Complete the sentences with the given words.*

1. ＿＿＿＿＿＿＿＿老师是中国人。（教　的）
2. 我今天＿＿＿＿＿＿＿＿很新鲜。（买　的）
3. ＿＿＿＿＿＿＿＿人是我朋友。（穿　的）
4. 这是＿＿＿＿＿＿＿＿花。（送　的）
5. 多听、多说是＿＿＿＿＿＿＿＿好方法。（练习　的）

六 把下面的词语整理成句子 *Rearrange the following words and phrases to make sentences.*

1. 很大　这个　变化　城市

2. 关心　他们　很　我

3. 好机会　练习汉语　是　这　的

4. 妈妈　很　我的身体　担心

5. 这　我　做的菜　是

6. 像　他　很　他妈妈

7. 虽然　但是　身体不好　每天工作　他　还

8. 我　是　普通人　一个

七 根据实际情况进行问答练习 *Do the question-and-answer drills according to the actual situation.*

1. 老师问，学生回答　Answer the teacher's questions.

（1）你能听懂中国人说的话吗？为什么？
（2）你们老师说的汉语你能听懂吗？
（3）你最喜欢的运动是什么？
（4）你最喜欢的地方是哪儿？
（5）你喜欢做的事情是什么？
（6）坐在你后边/前边的人是谁？

2. 学生问，老师回答　Ask the teacher questions.

（1）问：________________________？
　　答：我最喜欢的茶是绿茶。
（2）问：________________________？
　　答：我也听不懂广东话。

（3）问：________________？

答：我最喜欢的运动是足球。

……

八 说一说，写一写 *Talk and write*

1. 介绍一位同学或者一位朋友 Introduce one of your classmates or friends.

提示 Clues:

（1）他/她特殊的地方是什么？

比如：穿红色上衣的人是林娜。

说法语的那个女孩儿是林娜。

（2）……的（那个）人是……

2. 介绍你的一件衣服、一本词典、一部手机……

Describe one of your belongings, such as a garment, dictionary or cell phone, etc.

提示 Clues:

（1）这种东西是什么样子的？（比如颜色、大小）

（2）这种东西是你买的还是别人送给你的？是买的还是做的？谁买的/做的？在哪儿买的/做的？

（3）这是……的衣服/手机

这件……的衣服是……

比如：这是我在中国买的衣服。

这件白色的衣服是妈妈送给我的礼物。

第二部分 学写汉字
Part Two Writing Chinese Characters

汉字知识 *About Chinese Characters*

汉字偏旁（17）*Radicals (17)*

攵	fǎnwénpáng	教
饣	shízìpáng	饭

汉字组合（17）*Combinations (17)*

偏旁 Radicals	部件组合 Combinations	例字 Examples	结构图示 Illustrations
攵	孝 + 攵	教	
	丩 + 攵	收	
	娄 + 攵	数	
	方 + 攵	放	
饣	饣 + 官	馆	
	饣 + 反	饭	
	饣 + 交	饺	
	饣 + 并	饼	
	饣 + 我	饿	

写汉字 *Character Writing*

请在汉字练习本上书写下列汉字 

Write the following Chinese characters in the workbook.

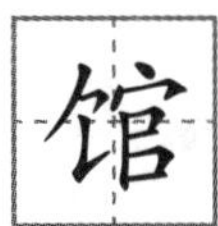

日常用语 *Daily Expressions*

1. 我喜欢吃烤鸭。 I like roast ducks.
   Wǒ xǐhuan chī kǎoyā.

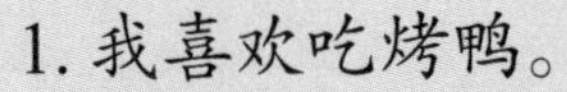

2. 我不喜欢饺子。 I don't like Chinese dumplings.
   Wǒ bù xǐhuan jiǎozi.

语言点小结（三）
Summary of Language Points (III)

助动词　Auxiliaries

1. 要、想、愿意：表示主观上的愿望、希望等。

   “要”, “想” and “愿意” are used to talk about one’s wish or hope, etc.

   我要去中国南方旅行。
   假期我想去旅游。
   我愿意上王老师的课。

2. 会、能、可以：表示具有某种能力和技能。

   “会”, “能” and “可以” are used to indicate one’s ability or skill.

   我会包饺子。
   我能说一点儿广东话。
   我可以当翻译（fānyì，translator, interpreter）。

3. 可以、能：表示客观上允许或禁止。

   “可以” and “能” are used to give or refuse permission.

   大学生可以打工。
   房间里能上网。
   这儿不能抽烟。

4. 可以、能：表示征求别人的意见。

   “可以” and “能” are used to ask for permission.

   可以问您一个问题吗？
   我能用用洗手间吗？

5. 会：表示具有某种可能性。

   “会” is used to talk about a certain kind of possibility.

   他一定会来的。
   今天不会下雨。

6. 要：表示事实上需要。

   “要” is used to state an actual need.

   我每天要工作八个小时。
   从北京到上海坐飞机（fēijī，airplane）要两个小时。

7. 应该、要、得（děi）：表示情理上必须（做什么）。

"应该", "要" and "得（děi）" are used to express that one has to or must do something as is required.

我应该向你道歉（dàoqiàn，apologize）。

做什么事都要认真。

我得好好儿准备一下。

8. 可以：表示提出一种可能的选择。

"可以" indicates a possible choice.

你可以找我，也可以找马丁。

你可以给我打电话，也可以发邮件。

圣诞节快到了
Christmas Is About to Come

第一部分　学习课文
Part One　Texts

课文一　Kèwén yī　Text One

生词　New Words and Expressions　26-1

1	快要	kuàiyào	*adv.*	about to, soon
	要	yào	*aux.*	be about to
	快	kuài	*adv.*	soon, before long
2	许多	xǔduō	*adj.*	many, a lot of, much
3	没想到	méi xiǎngdào		be unexpected
4	丰富	fēngfù	*adj.*	plentiful, abundant, rich
5	不同	bùtóng	*adj.*	different, not the same
6	利用	lìyòng	*v.*	make use of, take advantage of
7	饭店	fàndiàn	*n.*	hotel, restaurant

课文　Text　26-2

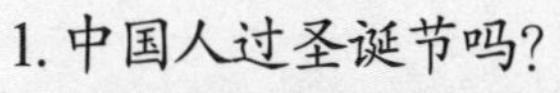

1. 中国人过圣诞节吗?
2. 为什么现在有很多中国人喜欢过圣诞节?

圣诞节快要到了，许多商店都开始卖圣诞节用的东西。

有一天，马丁去一家商店买圣诞礼物，没想到商店里圣诞节用的东西那么丰富，买的人也不少。他问营业员："中国也过圣诞节吗？"营业员说："以前中国人不过圣诞节。但是现在不同了，很多人喜欢过圣诞节，特别是年轻人，他们想利用这个机会玩儿一玩儿，商店、饭店也利用这个机会挣钱。"

课文二 Kèwén èr Text Two

生词 New Words and Expressions 26-3

1	迎接	yíngjiē	*v.*	meet, welcome
2	各种	gè zhǒng		all kinds of, various
3	市场	shìchǎng	*n.*	market
4	到处	dàochù	*adv.*	all about, at all places, everywhere
5	教堂	jiàotáng	*n.*	church
6	全	quán	*adj.*	whole, total
7	唱歌	chàng gē		sing (a song)
	唱	chàng	*v.*	sing
	歌	gē	*n.*	song
8	跳舞	tiào wǔ	*v.*	dance
	跳	tiào	*v.*	jump, leap
9	孩子	háizi	*n.*	child
10	家人	jiārén	*n.*	family member

课文 Text 26-4

问题 Wèntí

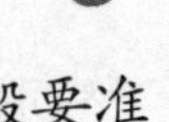

1. 圣诞节以前，法国人一般要准备什么？
2. 法国人怎么过圣诞节？

朱云：要过圣诞节了。你们那儿圣诞节以前做什么呢？

林娜：为了迎接圣诞节，我们在圣诞节以前四个星期就开始准备了。我们要准备圣诞礼物、酒，还有各种好吃的。商店里、圣诞市场里，到处都是买东西的人，非常热闹。

朱云：12月24日晚上你们做什么呢？

林娜：我们一般先去教堂参加活动，然后全家一起吃晚饭。我们唱歌、跳舞，聊天儿、喝酒，非常快乐。

朱云：听说你们会收到很多圣诞礼物。

林娜：没错儿。最高兴的是孩子们，他们会收到许许多多的礼物。

朱云：要过圣诞节了，你给家人买礼物了吗？

林娜：当然买了。我已经给他们寄去了，他们也给我寄来了礼物。

课文三 Kèwén sān Text Three

生词 New Words and Expressions 26-5

1	打算	dǎsuan	*v.*	plan, intend
2	外地	wàidì	*n.*	other places
3	附近	fùjìn	*n.*	nearby
4	考试	kǎo shì	*v.*	take an examination
5	认真	rènzhēn	*adj.*	conscientious, serious, earnest
6	要是	yàoshi	*conj.*	if, suppose
7	没意思	méi yìsi		boring, uninteresting

课文 Text 26-6

> **问题 Wèntí**
> 1. 圣诞节的时候，马丁打算做什么？
> 2. 崔浩和山田打算做什么？

崔浩：听说圣诞节要放五天假，你们想怎么过啊？

马丁：我父母下个星期就要来北京了，我打算和他们一起到外地去旅游。你呢？

崔浩：我想在附近玩儿一玩儿。

山田：圣诞节以后我们就要考试了，我想在家学习。

马丁：放假也不休息啊？你学习也太认真了。

崔浩：要是不放假呢？

马丁：要是不放假，我就不能去旅游了。不放假就太没意思了。

综合注释 Comprehensive Notes

1. 圣诞节快要到了。

"快要……了""要……了""快……了""就要……了"表示动作或事件即将发生。例如：

These four expressions are used to talk about something that is happening soon. For example,

S	P		
	要/快/就要/快要	V（+O）	了
	要	过圣诞节	了。
	快	考试	了。
天	快要	下雨	了。
我父母	就要	来北京	了。

"就要……了"前面可以用时间状语。例如：

An adverbial of time can be placed before the expression "就要……了". For example,

S	P			
	Time	就要	V（+O）	了
我父母	下个星期	就要	来北京	了。
他	明天	就要	回国	了。
我们	星期五	就要	考试	了。

2. 特别是年轻人，……

"特别是"表示从同类事物中提出某一事物加以强调说明。前面列举同类事物，后面是要强调的事物。例如：

"特别是" means "especially". It's a phrase used to emphasize something when it is compared with things of the same kind, category, etc. First, things of the same kind will be listed, and then the one to be emphasized will be mentioned afterwards. For example,

① 他非常喜欢吃水果，特别是苹果。
② 老师们都喜欢他，特别是口语老师，更喜欢他。
③ 他每天都很忙，特别是周末，更忙。

3. 听说圣诞节要放五天假，……

"放假、考试、见面、洗澡、睡觉（shuìjiào, sleep）、聊天儿、帮忙、排队、请客、生气、旅游"这样的词，既可以作为一个词单独使用，又可以分开，在中间加上其他词语，我们把这类词叫做离合词。例如：

In words like "放假，考试，见面，洗澡，睡觉（shuìjiào, sleep），聊天儿，帮忙，排队，请客，生气，旅游", the two characters that form the word are normally combined together to express an integrated meaning. However, sometimes the word can be separated by inserting some other characters between the two characters. Words of this kind are called separable words. For example,

AB	A……B
放假	放五天假
考试	考三天试/考过试
见面	见个面/见过面
洗澡	洗个澡/洗一个小时澡
睡觉	睡个觉/睡一天觉
聊天儿	聊一会儿天儿

续表

AB	A……B
帮忙	帮个忙/帮很多忙
请客	请他的客/请过客
排队	排一个小时队
生气	生我的气

4. 要是不放假，我就不能去旅游了。

“要是”表示假设，相当于“如果”，常用在口语中，也可以说“要是……的话”。例如：

“要是” indicates a supposition. It is an equivalent to “如果”. It is often used in spoken Chinese. Sometimes we use “要是……的话” instead. For example,

① 要是你有时间（的话），就来我家玩儿。

② 要是没有时间，我就不能去旅游了。

③ 他要是知道我现在的情况，一定会很高兴。

补充词语 *Supplementary Vocabulary*

26-7

春节	Chūn Jié	Spring Festival
中秋节	Zhōngqiū Jié	Mid-Autumn Festival
端午节	Duānwǔ Jié	Dragon Boat Festival
清明节	Qīngmíng Jié	Pure Brightness Festival/Tomb-Sweeping Day
复活节	Fùhuó Jié	Easter
狂欢节	Kuánghuān Jié	Carnival

课堂练习 *In-Class Activity*

请你说一说 *Speaking practice*

（1）

圣诞节 新年 春节 假期 ……	要/快到了，我打算	去旅游 回国 去商店买东西 去看朋友 ……

（2）

	放假 过年 过圣诞节 考试 ……		去打工 买新年礼物 准备吃的东西 好好儿准备 ……
快要/就要		了，我要	

（3）

我妈妈 他 孩子 我同屋 ……	就要/快要/要/快	来北京 结婚 过生日 回来 ……	了

综合练习 *Comprehensive Exercises*

一 熟读下面的词语，并写出拼音

Read the following words and phrases repeatedly and write down their pinyin syllables.

丰富________ 食物________ 到处________ 没意思________
许多________ 打算________ 跳舞________ 没想到________
比如________ 考试________ 认真________ 全家人________

二 模仿例子，用合适的词语填空 *Fill in the blanks with proper words or phrases after the example.*

例如：E.g. 跳__舞__

寄________ 收到________ 迎接________ 举行________
过________ 参加________ 准备________ 练习________

三 用“要……了”“快……了”“就要……了”“快要……了”改写句子

Rewrite the sentences with “要……了”，“快……了”，“就要……了” ***and*** “快要……了”.

1. 他的生日是下个星期一。

2. 现在十一点，十一点半下课。

3. 他的朋友明天去南京。

4. 我们下个月5号放假。

5. 我们五分钟以后吃饭。

6. 我们下星期考试。

四 完成句子 *Complete the following sentences.*

1. 要是周末天气好，____________________。
2. 要是你有时间，____________________。
3. 要是你不喜欢中国菜，____________________。
4. 要是____________________，咱们一起去旅游吧。
5. 要是____________________，就到我们学校来。

五 用指定的词语完成句子 *Complete the following sentences with the given words or phrases.*

1. 新年要到了，______________________________。（许多）
2. 超市里______________________________。（丰富）
3. 来中国以后，______________________________。（没想到）
4. 今年假期______________________________。（打算）
5. 市场里______________________________。（到处）
6. 我______________________________去旅游。（利用）
7. 我喜欢很多运动，______________________________。（特别是）
8. 我喜欢看美国电影，______________________________。（比如）
9. 圣诞节______________________________。（放假 一个星期）
10. 一个人吃饭______________________________。（没意思）
11. 他学习______________________________。（认真）

六 说一说，写一写 *Talk and write*

1. 你们国家有什么传统（chuántǒng，traditional）节日？你们怎么过节？

   What traditional festivals do you have in your country? How do you celebrate them?

   提示 Clues:

   （1）有什么节日？汉语怎么说？

   （2）节日是在什么时候？

（3）节日的时候一般做什么？

2. 假期要到了，你打算怎么过？ The vacation is coming. Do you have any plans for it?

提示 Clues:

（1）假期有多长时间？

（2）假期你有什么安排？

七 根据所给的偏旁写出汉字 *Write Chinese characters with the given radicals.*

口：________、________、________、________、________

阝：________、________、________、________、________

讠：________、________、________、________、________

第二部分　学写汉字
Part Two　Writing Chinese Characters

汉字知识 *About Chinese Characters*

汉字偏旁（18） ***Radicals (18)***

禾　hémùpáng　和

门　ménzìkuàng　问

疒　bìngzìpáng　病

汉字组合（18） ***Combinations (18)***

偏旁 Radicals	部件组合 Combinations	例字 Examples	结构图示 Illustrations
禾	禾＋口	和	⿰
	禾＋中	种	⿰
	禾＋且	租	⿰
	禾＋子	季	⿱

续表

偏旁 Radicals	部件组合 Combinations	例字 Examples	结构图示 Illustrations
门	门 ＋ 口	问	
	门 ＋ 耳	闻	
	门 ＋ 日	间	
	门 ＋ 市	闹	
疒	疒 ＋ 丙	病	
	疒 ＋ 叟	瘦	

写汉字 *Character Writing*

请在汉字练习本上书写下列汉字 

Write the following Chinese characters in the workbook.

日常用语 *Daily Expressions*

1. 我对文化感兴趣。　I'm interested in culture.
   Wǒ duì wénhuà gǎn xìngqù.

2. 我对足球不感兴趣。　I'm not interested in football (soccer).
   Wǒ duì zúqiú bù gǎn xìngqù.

27 我正在看电视呢

I'm Watching TV

第一部分　学习课文
Part One　Texts

课文一　Kèwén yī　Text One

生词 *New Words and Expressions* 27-1

1	习惯	xíguàn	*n.*	habit, custom
2	了解	liǎojiě	*v.*	look into, find out, acquaint oneself with
3	点钟	diǎnzhōng	*m.*	o'clock
4	路上	lùshang	*n.*	on the road, on the way
5	正在	zhèngzài	*adv.*	in the process of
	正	zhèng	*adv.*	(of an action) just happening
	在	zài	*adv.*	*indicating an action in progress*
6	一边	yìbiān	*conj.*	*indicating two actions taking place at the same time*
7	散步	sàn bù		go for a walk or stroll
8	下边	xiàbian	*n.*	below, under, underneath
9	打（太极拳）	dǎ (tàijíquán)	*v.*	practice (*tai chi*)
10	湖	hú	*n.*	lake
11	椅子	yǐzi	*n.*	chair

问题　Wèntí

1. 很多中国人有什么习惯？
2. "我"到公园以后，看见人们都在做什么？

很多中国人有早起的习惯，我很想了解一下他们早上都做些什么。今天是星期六，我五点半就起床了，我想到学校附近的公园里去看看。

我到公园的时候才六点钟，那里人已经很多了。路上有的人正在跑步，有的人一边散步，一边听收音机；大树下边有许多人在打太极拳，也有一些人在跳舞；湖边还有人正坐在椅子上看书……

课文二 Kèwén èr Text Two

生词 New Words and Expressions 27-3

1	接	jiē	*v.*	receive, take
2	忙	máng	*v.*	be busy
3	听见	tīng jiàn	*v.*	hear
4	草地	cǎodì	*n.*	lawn, meadow

课文 Text 27-4

问题 Wèntí

1. 马丁给阿明打电话的时候，阿明在做什么？
2. 马丁找阿明有什么事？

马丁：阿明，我给你打了两个电话，你都没接，你在忙什么呢？

阿明：对不起，我没听见。我正在看电视呢。

马丁：看什么呢？

阿明：看足球比赛呢。你找我有什么事？

马丁：明天早上六点，你跟我们一起练习太极拳，别忘了。

阿明：六点，太早了！

马丁：不早，你要是去晚了，我们就练习完了。

阿明：在哪儿？

马丁：草地旁边。

课文三 Kèwén sān Text Three

生词 New Words and Expressions 27-5

1	刚	gāng	*adv.*	only a short while ago, just
2	午饭	wǔfàn	*n.*	lunch
3	作业	zuòyè	*n.*	homework, school assignment
4	睡觉	shuì jiào	*v.*	sleep, go to bed, go to sleep
	睡	shuì	*v.*	sleep
5	马上	mǎshàng	*adv.*	at once, immediately, right away
6	旅行	lǚxíng	*v.*	travel, journey, tour
7	愉快	yúkuài	*adj.*	happy, joyful, cheerful
8	晚安	wǎn'ān	*v.*	good night

课文 Text 27-6

问题 Wèntí 

1. 林娜妈妈打电话的时候，林娜在做什么？
2. 林娜为什么要早睡？
3. 林娜妈妈打电话有什么事？

（晚上十点，林娜接到妈妈的电话。Linna gets a phone call from her mom at 10 o'clock in the evening.）

妈妈：林娜，我是妈妈。

林娜：妈妈，您好！您现在做什么呢？

妈妈：我刚吃完午饭，现在正和朋友一起买东西呢。你在做什么？

林娜：我刚写完作业，正准备睡觉呢。

妈妈：你们那儿几点了？

林娜：我们这儿十点。

妈妈：怎么这么早就睡觉？

林娜：书上说“早睡早起身体好”，我以前总是习惯晚睡，现在我喜欢早睡了。

妈妈：我想告诉你，我马上就要去旅行了，两个星期以后回来。

林娜：妈妈，祝您旅行愉快！

妈妈：谢谢！晚安！

综合注释 Comprehensive Notes

1. 有的人一边散步，一边听收音机。

“一边……，一边……”表示两个动作同时进行。例如：

“一边……，一边……” means that two actions are in progress at the same time. For example,

① 我经常一边喝茶，一边看电视。
② 我喜欢一边做饭，一边听音乐。
③ 我们一边吃饭，一边聊天儿。

2. 我正在看电视呢。

“正在……（呢）”“在……（呢）”“正……（呢）”“……呢”表示动作的进行。“……呢”常用在口语中。例如：

“正在……（呢）”, “在……（呢）”, “正……（呢）” and “……呢” are used to suggest that an action is in progress at a certain time. “……呢” is often used in spoken language. For example,

S	P		
	正在/在	V（+O）	呢
许多人	正在	跑步	（呢）。
一些人	在	打太极拳	（呢）。
我	正	准备睡觉	（呢）。
你		忙什么	呢？
我		打球	呢。

否定形式是"没（有）……"。例如：

"没（有）……" is the negative form. For example,

A：你在看电视吗？

B：我没看电视。

3. 你们那儿几点了？
   我们这儿十点。

"这儿""那儿"可以和人称代词或者名词结合起来表示处所。例如：

"这儿" or "那儿" can be used together with a pronoun or noun to indicate a place or position. For example,

① 我们那儿不常下雪。

② 我的自行车在朋友那儿。

③ 你这儿真漂亮啊！

补充词语 *Supplementary Vocabulary*

27-7

逛街	guàng jiē	go shopping
打扫	dǎsǎo	sweep, clean
表演	biǎoyǎn	perform

课堂活动 *In-Class Activity*

说说他们都在做什么 ***What are they doing?***

（正在……呢、在……呢 、……呢）

1

2

3

4

5

6

综合练习 *Comprehensive Exercises*

一 熟读下面的词语，并写出拼音

Read the following words repeatedly and write down their pinyin syllables.

睡觉__________ 跳舞__________ 草地__________

散步__________ 午饭__________ 了解__________

作业__________ 椅子__________ 旅行__________

正在__________ 马上__________ 愉快__________

二 根据课文内容填空 ***Fill in the blanks according to the texts.***

1. 我想__________一下中国人早上都做什么。
2. 很多中国人有__________的习惯。
3. 公园里边，有的人在__________，有的人在__________，有的人在__________，有的人在__________。
4. 马丁给阿明打电话的时候，阿明正在__________。
5. 妈妈给林娜打电话的时候，妈妈正__________，林娜正__________。

三 模仿例子，用合适的词语填空 *Fill in the blanks with proper words or phrases after the example.*

例如：E.g. 说：＿说话＿、＿说汉语＿、＿说英语＿

看：＿＿＿＿、＿＿＿＿、＿＿＿＿
打：＿＿＿＿、＿＿＿＿、＿＿＿＿
听：＿＿＿＿、＿＿＿＿、＿＿＿＿
开：＿＿＿＿、＿＿＿＿、＿＿＿＿
下：＿＿＿＿、＿＿＿＿、＿＿＿＿
上：＿＿＿＿、＿＿＿＿、＿＿＿＿

四 选择适当的词语填空 *Choose the proper words to fill in the blanks.*

这儿　那儿　刚　了解　习惯　些　听见　马上　这么　怎么

1. 我们＿＿＿＿冬天不太冷。
2. 书在他＿＿＿＿。
3. 他＿＿＿＿吃早饭。
4. 你＿＿＿＿我说的话了吗？
5. 你＿＿＿＿九点就睡觉？
6. 你等我一下，我＿＿＿＿就来。
7. 我不＿＿＿＿早睡早起。
8. 我认识他，但是不太＿＿＿＿他。
9. 今天天气＿＿＿＿好，我们去外边散步吧。
10. 有＿＿＿＿年轻人喜欢晚睡晚起。

五 用“一边……，一边……”造句 *Make sentences with “一边……，一边……”.*

1. 喝茶　看书
2. 说　写
3. 吃饭　听音乐
4. 看电视　唱歌
5. 走路　打电话
6. 散步　听收音机

六 完成对话 *Complete the following dialogues.*

1. A：你现在在做什么呢？
   B：我在________________呢。
2. A：昨天晚上十点你在做什么？
   B：我在________________。
3. A：上午九点你在做什么？
   B：我在________________。
4. A：你在看电视吗？
   B：我没________________。
5. A：是________________吗？
   B：是我。
   A：你最近在忙什么呢？
   B：我在________________。

七 根据实际情况进行问答练习 *Do the question-and-answer drills according to the actual situation.*

1. 早上七点的时候，你在做什么呢？
2. 昨天晚上八点钟，你在做什么呢？
3. 你最近在忙什么？
4. 你习惯早睡早起，还是晚睡晚起？

八 阅读短文 *Read the passage.*

张先生和王女士（nǚshì，madam）为了庆祝结婚25周年（zhōunián，anniversary），在家里举行了一个很大的晚会。他们请了所有的亲戚朋友来参加，还请了一位摄影师（shèyǐngshī）给他们照相。

一个星期之后，照片送来了。王女士一看照片就非常生气，她去照相馆找摄影师。一进门，她就大声（dàshēng，aloud）说："我不打算为你拍（pāi，take a picture）的照片付钱。"

摄影师忙问："怎么了？"

"你看看，你把我爱人拍得太难看（nánkàn，ugly）了！"王女士生气地说。

"哦，是这样啊。"摄影师说："这件事不能怪（guài，blame）我，应该怪你的丈夫。"

回答问题 Answer the questions.

1. 张先生和王女士为什么举行晚会？
2. "摄影师"是什么意思？
3. 王女士看到照片为什么生气了？

第二部分　学写汉字
Part Two　Writing Chinese Characters

汉字知识 *About Chinese Characters*

汉字偏旁（19）*Radicals (19)*

冂　tóngzìkuàng　同
车　chēzìpáng　辆

汉字组合（19）*Combinations (19)*

偏旁 Radicals	部件组合 Combinations	例字 Examples	结构图示 Illustrations
冂	冂＋㐅㐅	网	
	冂＋一＋口	同	
	冂＋人	内	
车	车＋两	辆	
	车＋圣	轻	
	车＋交	较	
	车＋甫	辅	

写汉字 *Character Writing*

请在汉字练习本上书写下列汉字 

Write the following Chinese characters in the workbook.

日常用语 *Daily Expressions*

1. 我希望明天不下雨。 I hope it won't rain tomorrow.
   Wǒ xīwàng míngtiān bú xià yǔ.

2. 我不愿意和别人一起住。 I don't like sharing one room with others.
   Wǒ bú yuànyì hé biéren yìqǐ zhù.

长城有八千八百五十多公里

The Great Wall Is More Than 8,850 Kilometres Long

第一部分　学习课文
Part One　Texts

课文一　Kèwén yī　Text One

生词　New Words and Expressions 28-1

1	西北部	xīběi bù		northwest
2	市区	shìqū	*n.*	urban district, downtown area
3	大概	dàgài	*adv.*	approximately, probably
4	公里	gōnglǐ	*m.*	kilometre
5	火车	huǒchē	*n.*	train
6	公共汽车	gōnggòng qìchē		bus
7	多	duō	*num.*	more, over
8	车票	chēpiào	*n.*	bus ticket, train ticket
	票	piào	*n.*	ticket
9	几	jǐ	*num.*	a few, several, some
10	到达	dàodá	*v.*	arrive, get to, reach
11	元	yuán	*m.*	*yuan,* Chinese monetary unit
12	快车	kuàichē	*n.*	express train, express bus
13	公交卡	gōngjiāokǎ	*n.*	bus pass
14	公交车	gōngjiāochē	*n.*	public bus, trolleybus, etc.

专名　Proper Names

1	八达岭	Bādálǐng	Badaling, a section of the Great Wall
2	长城	Chángchéng	Great Wall

课文 Text 28-2

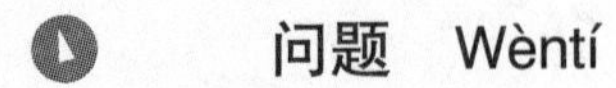

问题 Wèntí

1. 八达岭长城在哪儿？
2. 怎么去八达岭？
3. 从市区到八达岭长城坐火车要多长时间？

八达岭长城在北京的西北部，离市区大概有八十公里。从市区去八达岭长城可以坐火车，也可以坐公共汽车，还可以坐旅游车。火车早上八点半左右出发，坐两个多小时就到了，车票十几块钱。坐旅游车四十多分钟可以到达，每天早上六点半到上午十点有车，车票五十元。坐公共汽车最便宜，普通车车票七元，快车车票十二元。如果有公交卡，坐公交车更便宜。

课文二 Kèwén èr Text Two

生词 New Words and Expressions 28-3

1	通过	tōngguò	*prep.*	through, by, by means of
2	它	tā	*pron.*	it
3	万	wàn	*num.*	ten thousand
4	里	lǐ	*m.*	*li,* Chinese traditional unit of length (=0.5 kilometre)
5	所以	suǒyǐ	*conj.*	so, therefore, as a result
6	原来	yuánlái	*adv.*	so, as it turns out to be

专名 Proper Name

万里长城	Wànlǐ Chángchéng	Great Wall

课文 Text 28-4

问题 Wèntí

1. 长城有多长？
2. 长城为什么也叫“万里长城”？

马丁：你了解长城吗？

山田：不能说了解，通过看书知道一些。

马丁：我想问你一个问题。

山田：你说吧。

马丁：长城有多长？

山田：长城有八千八百五十多公里。

马丁：为什么人们叫它“万里长城”呢？

山田：中国人习惯用“里”，一公里是二里，八千八百五十多公里是一万七千七百多里，所以长城也叫“万里长城”。

马丁：原来是这样啊。

课文三 Kèwén sān Text Three

生词 New Words and Expressions 28-5

1	张	zhāng	*m.*	*used for paper, paintings, tickets, etc.*
2	信用卡	xìnyòngkǎ	*n.*	credit card

3	存（钱）	cún (qián)	*v.*	save, deposit
4	取（钱）	qǔ (qián)	*v.*	withdraw, take, get
5	住	zhù	*v.*	live, reside
6	刷卡	shuā kǎ		swipe a magnetic card
7	学生证	xuéshēngzhèng	*n.*	student ID card

课文 Text 28-6

问题 Wèntí

1. 办信用卡方便还是办银行卡方便？
2. 办银行卡要多长时间？

韩国学生：你知道在哪儿可以办公交卡吗？

崔浩：我家旁边有一个地方就可以办，我带你去。

韩国学生：多长时间可以办好？

崔浩：五六分钟就可以办好。

韩国学生：我还想办一张信用卡，你知道怎么办吗？

崔浩：学生办信用卡很麻烦。在中国，用银行卡很方便，可以存钱、取钱，买东西、住宾馆也可以刷卡。

韩国学生：怎么办银行卡呢？

崔浩：很简单，准备好你的护照和学生证，再带一些钱去银行就行了。

韩国学生：好，那我就办银行卡吧。

综合注释 Comprehensive Notes

1. 车票十几块钱。
长城有八千八百五十多公里。

概数（3）：“多”“几”表示大概的数目。

Approximate numbers (3)：“多” and “几” are used to refer to approximate numbers.

（1）用“多（1）”表示概数。

Approximate numbers indicated by “多（1）”：

1）“多”用在“十、百、千、万”等整数的后面。例如：

“多” follows integers like “十,百,千,万”. For example,

二十多斤水果　　五百多个人

一千多公里　　一万多块钱

2）有个位数时，“多”用在量词后边。例如：

When the numeral has a single digit, “多” is placed after the measure word. For example,

一斤多　　五块多

两个多小时　　一个多月

（2）用“几”表示概数。例如：

“几” is used to indicate approximate numbers. For example,

几个人　　十几斤

几百公里　　五十几块钱

2. 通过看书知道一些。

“通过”，介词，表示用人或事物作为媒介或手段而达到某种目的。例如：

“通过” is a preposition meaning using someone or something as the medium or means to achieve a goal or purpose. For example,

① 我通过看电视学习汉语。

② 通过朱云的介绍（jièshào，introduction），我认识了他。

③ 通过半年的学习，我进步很大。

3. 长城有多长？

“多”，疑问代词，用在疑问句里，用来询问程度、数量。例如：

“多” is an interrogative pronoun used in interrogative sentences to ask about degree, amount, etc. For example,

① 你每天学习多长时间？

② 这个孩子多大了？

③ 从北京到上海多远？

4. 原来是这样啊。

"原来"，副词，表示发现了从前不知道的真实情况或者有所醒悟。例如：

"原来" is an adverb. It is used to introduce a formerly unknown fact that has been discovered or to indicate that someone comes to realize something. For example,

① 他三天没来上课，原来是生病了。
② 我以前不知道，原来是这样啊。
③ 我以为是崔浩，原来是你呀！
④ 他原来没有回国，在这儿工作呢。

补充词语 Supplementary Vocabulary

多大	duō dà	how old
多远	duō yuǎn	how far
多高	duō gāo	how tall/high
岁	suì	year of age
米	mǐ	meter

课堂活动 In-Class Activity

猜一猜，说一说 ***Guess and talk***

（1）现在几点了？
① 左右
② 多

（2）他的衣服多少钱？
① 左右
② 多
③ 二三百

（3）这本词典多少钱？
① 多
② 几
③ 二三十

（4）他/她今年有多大？
① 左右
② 多
③ 几

（5）从宿舍到这儿有多远？
① 左右
② 多
③ 几

（6）他多高？
① 左右
② 多

综合练习 *Comprehensive Exercises*

一 熟读下面的词语，并写出拼音

Read the following words and phrases repeatedly and write down their pinyin syllables.

公里__________ 大概__________ 信用卡__________
简单__________ 到达__________ 公交车__________
火车__________ 所以__________ 学生证__________

二 模仿例子组词 *Make words or phrases after the example.*

例如：E.g. 公 里

______车 ______票 ______卡 ______子
______车 ______票 ______卡 ______子

______馆 ______日 ______衣 ______酒
______馆 ______日 ______衣 ______酒

三 选择适当的词语填空 *Choose the proper words to fill in the blanks.*

多 大概 路 张 公里

1. 这条裤子（ ）长？
2. 我家离这儿有二十（ ）。
3. 这些东西（ ）有五公斤。
4. 坐360（ ）公共汽车可以到我家。
5. 我去买一（ ）票。

四 用概数改写下面的句子 *Rewrite the following sentences with the approximate numbers given.*

1. 这些水果六十四块五毛。（多）

2. 一共有十三个人参加比赛。（左右）

3. 从北京到法国要十二个小时。（几）

4. 这儿离长城有93公里。（左右）

5. 我今天上了两个小时二十分钟网。（多）

五 用所给的词语完成句子或对话 *Complete the sentences or dialogues with the given words.*

1. 今天我有事，________________________________。（所以）
2. 我以为他是你弟弟，________________________________。（原来）
3. 我________________________________。（住）
4. A：________________________________？（为什么）
   B：我身体不太好。
5. A：你怎么练习汉语？
   B：________________________________。（通过）
6. A：你怎么买了这么多衣服？
   B：现在________________________________。（便宜）
7. A：请问，________________________________？（刷卡）
   B：没问题。

六 根据实际情况用所给的词语进行问答练习

Do the question-and-answer drills according to the actual situation.

1. 你每天大概学习多长时间？（小时　多）
2. 你一般几点睡觉？（点　多）
3. 你每天大概睡多长时间觉？（小时　左右）
4. 从这儿坐飞机（fēijī，airplane）到你们国家要多长时间？（小时　大概）
5. 这儿离你住的地方有多远？（公里　米　左右）
6. 你们国家有多少人口？（万　大概　多）

七 说一说，写一写 *Talk and write*

介绍一个地方　Introduce a place.

提示 Clues:

（1）这个地方在哪儿？
（2）怎么去这个地方？
（3）去这个地方要多长时间？
（4）去这个地方需要多少钱？

八 阅读短文 *Read the passage.*

古（gǔ，ancient）时候，宋国有位老人叫狙公（Jūgōng，a name）。他非常喜欢养

（yǎng，raise）猴子（hóuzi，monkey），他对猴子的性情（xìngqíng，temperament）、习惯都非常了解。他说的话，猴子也能听懂。有一天，狙公给猴子分橡子（xiàngzi，oak nut）。他对猴子说："我每天早上给你们三颗（kē，*a measure word*）橡子，晚上给四颗。"猴子一听早上只给三颗，都非常生气。狙公看见猴子生气了，马上改口（gǎi kǒu）说："那就早上四颗，晚上三颗。"猴子们一听早上多了一颗，都非常高兴。

回答问题 Answer the questions.

1. 猴子为什么生气？
2. 猴子后来为什么又高兴了？
3. 狙公每天给猴子多少颗橡子？
4. "改口"是什么意思？

九 选择正确的汉字 *Choose the correct character.*

1. 我昨天买了一（　　）毛衣。
   A. 件　　B. 仵
2. 大多数人都用（　　）手写字。
   A. 左　　B. 右
3. 不用您陪我，我自（　　）可以去。
   A. 己　　B. 已
4. 我们的老师很年（　　）。
   A. 经　　B. 轻
5. 从这儿去学校很方（　　）。
   A. 便　　B. 使
6. 我每天大（　　）工作八个小时。
   A. 概　　B. 慨

第二部分　学写汉字
Part Two　Writing Chinese Characters

汉字知识 *About Chinese Characters*

汉字偏旁（20）***Radicals (20)***

冫	liǎngdiǎnshuǐ	冷
彳	shuāngrénpáng	行
穴	xuébǎogài	空

汉字组合（20） *Combinations (20)*

偏旁 Radicals	部件组合 Combinations	例字 Examples	结构图示 Illustrations
冫	冫＋令	冷	
	冫＋隹	准	
	冫＋欠	次	
彳	彳＋亍	行	
	彳＋旱	得	
	彳＋聿	律	
	彳＋艮	很	
穴	穴＋工	空	
	穴＋犬	突	
	穴＋牙	穿	

写汉字 *Character Writing*

请在汉字练习本上书写下列汉字 

Write the following Chinese characters in the workbook.

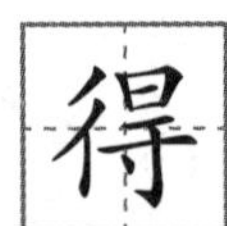

日常用语 *Daily Expressions* 

1. 你怎么能这样？ How could you do this?
   Nǐ zěnme néng zhèyàng?

2. 太不像话了！ This is bad. / What a shame!
   Tài bú xiànghuà le!

晚会开得非常成功
The Party Is a Real Success

第一部分　学习课文
Part One　Texts

课文一　Kèwén yī　Text One

生词　New Words and Expressions　29-1

1	结束	jiéshù	*v.*	end, finish
2	开	kāi	*v.*	hold (a meeting, an exhibition, etc.)
3	轻松	qīngsōng	*adj.*	relaxed
4	得	de	*part.*	*used after a verb or an adjective to introduce a complement of result or degree*
5	成功	chénggōng	*adj.*	successful
6	男	nán	*adj.*	male, man
7	饮料	yǐnliào	*n.*	beverage, drink
8	女	nǚ	*adj.*	female, woman
9	痛快	tòngkuai	*adj.*	to one's heart's content, to one's great satisfaction
10	表演	biǎoyǎn	*v.*	perform, act, play
11	讲	jiǎng	*v.*	speak, say, tell, talk
12	故事	gùshi	*n.*	story, tale

课文　Text　29-2

问题　Wèntí

1. 晚会开得怎么样？
2. 大家玩儿得怎么样？

这个学期就要结束了。老师说，大家学习都很累，开个晚会轻松一下吧。

昨天晚上，我们开了一个晚会，晚会开得非常成功。男同学准备了水果和饮料，女同学做了很多好吃的。大家吃得很高兴，玩儿得也很痛快。很多同学表演了节目，有的唱歌，有的跳舞，有的讲故事，大家一直玩儿到十一点多才结束。

课文 二　Kèwén èr　Text Two

生词　New Words and Expressions　29-3

1	哪里	nǎli	*pron.*	(*used when responding politely to a compliment*) not at all
2	游泳	yóu yǒng	*v.*	swim
	游	yóu	*v.*	swim
3	俩	liǎ	*q.*	two
4	比	bǐ	*v.*	compete, contest
5	水平	shuǐpíng	*n.*	standard, level
6	高	gāo	*adj.*	high, tall
7	知识	zhīshi	*n.*	knowledge
8	表扬	biǎoyáng	*v.*	praise, commend
9	文章	wénzhāng	*n.*	article, essay

课文　Text　29-4

问题　Wèntí 

1. 谁唱歌唱得好？
2. 马丁跳舞跳得怎么样？

马丁：阿明，我只知道你跑得快，没想到歌也唱得那么好。

阿明：哪里，哪里。你昨天晚上跳舞也跳得不错啊。

马丁：我喜欢跳舞，但是跳得不太好。

崔浩：林娜，听说你游泳游得不错，什么时候咱们俩比一比？

林娜：行啊。

崔浩：对了，你中国画学得怎么样了？

林娜：我刚学一年，水平不高，画得不好。

崔浩：山田，你有什么爱好？

山田：我呀，爱睡觉，每天睡得早，起得晚。

崔浩：不对。你爱学习，知识丰富，老师经常表扬你文章写得好。

山田：哪里，你们的汉语也都很好。

课文 三 Kèwén sān Text Three

生词 New Words and Expressions 29-5

1	花	huā	*v.*	spend, expend
2	包括	bāokuò	*v.*	include, consist of
3	电	diàn	*n.*	electricity
4	交通	jiāotōng	*n.*	traffic, transportation
5	加上	jiāshang	*v.*	add
6	零花钱	línghuāqián	*n.*	pocket money
7	够	gòu	*adj.*	enough, sufficient
8	可能	kěnéng	*adv.*	perhaps, probably
9	这里	zhèli	*pron.*	here

课文 Text 29-6

问题 Wèntí

1. 崔浩为什么来得那么晚?
2. 崔浩每个月大概花多少钱?

山田：你今天怎么来得这么晚？是不是昨天晚上玩儿得太累了？

崔浩：不是。我这个月的生活费花得太快，又没钱了，我去取钱了。

山田：你每个月要花多少钱？

崔浩：大概五六千吧。包括房租、水费、电费、电话费、交通费、吃饭，再加上一些零花钱。

山田：我也差不多花五六千，有时候五六千还不够。

崔浩：可能别的城市生活费便宜一些。

山田：可是我已经习惯这里了。

崔浩：我也一样。

综合注释 *Comprehensive Notes*

1. 晚会开得非常成功。

情态补语表示对动作、状态的描写或评价。它所描写或评价的动作和状态应该是常见的、已经发生的或者正在进行的。常用格式是：

A complement of state describes or evaluates an action or the state of an affair. The action or state it modifies should be common, have happened already or be in progress. The common pattern is:

S	P		
	V	得	Adj/AP
他	跑	得	很快。
我们	玩儿	得	很高兴。
你	说	得	太对了！

如果动词有宾语，要重复动词。第一个动词经常可以省略。例如：

The verb will be repeated if it is followed by an object. However, the first verb is often omitted. For example,

S	P			
	（V+）O	V′	得	Adj/AP
他	（唱）歌	唱	得	很好。
山田	（写）汉字	写	得	很好。
他	（说）汉语	说	得	很好。

否定形式是在形容词前面加“不”。例如：

The negative form is made by adding a “不” before the adjective. For example,

S	（V+）O	V′	得	不+Adj
我	（唱）歌	唱	得	不好。
她	（说）汉语	说	得	不快。
他		跑	得	不快。

正反疑问形式是：

The affirmative-negative question is formed as follows:

S	P			
	（V+）O	V′	得	Adj+不+Adj
他	歌	唱	得	好不好？
他		跑	得	快不快？
你们		玩	得	好不好？

2. 我呀，爱睡觉，……

“爱”，喜欢的意思。例如：

“爱” means “like” or “love”. For example,

① 我爱喝茶。
② 林娜爱游泳。
③ 山田爱打球。

3. 可能别的城市生活费便宜一些。

“可能”表示估计。例如：

“可能” expresses an estimation or assumption about someone or something. For example,

① 他可能知道这件事。
② 可能要下雨了。
③ 可能现在他们还在学校呢。

补充词语 *Supplementary Vocabulary*

流利	liúlì	fluent
干净	gānjìng	clean
精彩	jīngcǎi	excellent, wonderful
生动	shēngdòng	lively

课堂活动 *In-Class Activity*

问答练习 *Question-and-answer drills*

例如：E.g. 写 汉字 快

→ 你（写）汉字写得快不快？/ 你（写）汉字写得怎么样？
→ 我汉字写得不快。
→ 我汉字写得很快。

（1）写文章 好
（2）跑 快
（3）说汉语 流利
（4）唱歌 好
（5）游泳 快

（6）玩儿 高兴
（7）踢足球 好
（8）开车 好
（9）做饭 好
（10）跳舞 不错

综合练习 Comprehensive Exercises

一 熟读下面的词语，并写出拼音

Read the following words repeatedly and write down their pinyin syllables.

交通 ________	可能 ________	饮料 ________
轻松 ________	取钱 ________	水费 ________
知识 ________	表演 ________	唱歌 ________
结束 ________	游泳 ________	这里 ________

二 模仿例子组词 *Make words or phrases after the example.*

例如：E.g. 生：学生 生活

包：________ ________	文：________ ________
结：________ ________	事：________ ________
知：________ ________	花：________ ________
过：________ ________	费：________ ________
轻：________ ________	可：________ ________
快：________ ________	电：________ ________

三 读下面的短语，并选择填空

Read the following phrases and choose the correct ones to fill in the blanks.

玩儿得怎么样	来得早不早	起得很晚
休息得怎么样	说得对不对	唱得特别好
准备得怎么样	说得很流利	跳得不错
跳得怎么样	学得非常好	打得很好
画得不好	跑得不快	花得真不多
住得不舒服	吃得不多	睡得不好

1. 明天就要回家了，你________________了？
2. 你去泰国________________？
3. 虽然他才学习了六个月，但是他汉语________________。
4. 他篮球________________。
5. 我两点才睡觉，所以今天________________。
6. 他跳舞________________？

7. 我画画儿________________。
8. 朱云唱歌________________。
9. 每个月才花两千块钱，________________。
10. 你周末________________？

四 把所给的词语放在正确的位置上 *Place the given words at the correct positions.*

1. 那个 A 穿蓝色 B 衬衫 C 年轻人是我 D 同学。（的）
2. 他 A 昨天 B 讲 C 故事非常有意思 D。（的）
3. 我 A 想 B 跟哥哥一起 C 去泰国 D 旅游。（不）
4. 他 A 写汉字 B 写得 C 太快。（不）
5. 我 A 昨天 B 给他 C 打电话。（没）

五 用下面的词语造句 *Make sentences with the following words.*

1. 结束
2. 成功
3. 痛快
4. 包括
5. 可能
6. 加上
7. 够

六 根据实际情况进行问答练习 *Do the question-and-answer drills according to the actual situation.*

1. 昨天晚上你休息得怎么样？
2. 今天早上你起得早不早？
3. 你会游泳吗？你游得怎么样？
4. 你会唱歌吗？你唱得怎么样？
5. 你英语说得怎么样？
6. 你跑步跑得快不快？
7. 你在中国住得怎么样？
8. 你在中国吃得怎么样？

七 说一说，写一写 *Talk and write*

1. 介绍你或者你的朋友 Say something about yourself or one of your friends.

   提示 Clues:

   （1）有什么爱好？

   （2）做得怎么样？

2. 介绍一次旅游的情况 Say something about one of your travel experiences.

   提示 Clues:

   （1）去什么地方旅游了？

   （2）和谁一起去的？

   （3）玩儿得怎么样？

   （4）吃得怎么样？

   （5）住得怎么样？

八 阅读短文 *Read the passage.*

有一次，我因为有急事（jíshì，emergency）要联系老王。但是我的手机里没有存他的电话号码，我只好给他的一个同学发短信："请问，你有老王的号码吗？"

发完以后，我就耐心（nàixīn，patiently）等待（děngdài，wait）回信。五分钟以后，收到回信了。我急忙打开短信，只见上面写着"有啊"两个大字。

没有办法，我只好再发短信给这位同学："请告诉我好吗？"

又等了五分钟，收到了回信。我又急忙打开来看，短信上只有两个字："好啊！"

回答问题 Answer the questions.

1. "我"为什么要给老王的同学发短信？
2. "我"给老王的同学发了几次短信？
3. 老王的同学告诉"我"老王的电话号码了吗？

九 根据所给的偏旁写出汉字 *Write Chinese characters with the given radicals.*

艹________、________、________、________、________、________、________

日________、________、________、________、________、________、________

心________、________、________、________、________、________、________

第二部分　学写汉字
Part Two　Writing Chinese Characters

汉字知识　*About Chinese Characters*

汉字偏旁（21）　***Radicals (21)***

贝　bèizìpáng　贵

耳　ěrzìpáng　聊

欠　qiànzìpáng　歌

汉字组合（21）　***Combinations (21)***

偏旁 Radicals	部件组合 Combinations	例字 Examples	结构图示 Illustrations
贝	弗＋贝	费	
	赛＋贝	赛	
	中＋一＋贝	贵	
耳	耳＋卯	聊	
	耳＋只	职	
	耳＋又	取	
	耳＋关	联	
欠	哥＋欠	歌	
	兼＋欠	歉	
	又＋欠	欢	

写汉字　*Character Writing*

请在汉字练习本上书写下列汉字 

Write the following Chinese characters in the workbook.

费　赛　贵　聊　职　取　歌

歉　

日常用语 *Daily Expressions* 29-8

1. 我一定告诉他。 I will tell him for sure.
   Wǒ yídìng gàosu tā.

2. 你最好中午来。 You'd better come at noon.
   Nǐ zuìhǎo zhōngwǔ lái.

30 我当过英语老师

I Used to Be an English Teacher

第一部分 学习课文

Part One Text

生词 New Words and Expressions 30-1

1	毕业	bì yè	*v.*	graduate, finish school
2	其他	qítā	*pron.*	other, else
3	选择	xuǎnzé	*v.*	choose, select, pick
4	熟悉	shúxī	*adj.*	know sb. or sth. well, be familiar with
5	离开	lí kāi	*v.*	leave, depart from
6	所	suǒ	*m.*	*used for houses, schools, hospitals, buildings, etc.*
7	语言	yǔyán	*n.*	language
8	最初	zuìchū	*n.*	earliest, at the beginning
9	因为	yīnwèi	*conj.*	because
10	交流	jiāoliú	*v.*	exchange, communicate
11	困难	kùnnan	*adj.*	difficult
12	遇到	yùdào		meet, encounter
13	哭	kū	*v.*	cry, weep
14	过	guo	*part.*	*used after a verb to indicate the completion of an action*
15	坚持	jiānchí	*v.*	persist in, insist on
16	留	liú	*v.*	remain, stay
17	地	de	*part.*	*used after an adjective or a phrase to form an adverbial adjunct before the verb*
18	发现	fāxiàn	*v.*	find, discover

19	出去	chūqu		go out
20	钱包	qiánbāo	*n.*	purse, wallet
21	极	jí	*adv.*	extremely, very
22	翻译	fānyì	*n.*	translator, interpreter
23	意义	yìyì	*n.*	value, significance
24	决定	juédìng	*v.*	decide
25	农村	nóngcūn	*n.*	rural area, countryside
26	外语	wàiyǔ	*n.*	foreign language
27	穷	qióng	*adj.*	poor, impoverished
28	见	jiàn	*v.*	see, catch sight of
29	热情	rèqíng	*adj.*	enthusiastic
30	友好	yǒuhǎo	*adj.*	friendly
31	当……的时候	dāng……de shíhou		when, while
32	经验	jīngyàn	*n.*	experience
33	经历	jīnglì	*n.*	personal experience

专名 *Proper Name*

西北	Xīběi	northwest China

课文 *Text* 30-2

问题 Wèntí

1. 大学毕业以后，"我"马上工作了吗？
2. 刚开始来中国的时候，"我"过得好吗？
3. "我"的钱包找到了吗？
4. "我"做过什么工作？
5. "我"为什么离开北京去西北工作？
6. "我"现在在哪儿工作？

三年以前，我大学毕业了。和其他同学一样，我没有马上去工作，我选择了到自己不熟悉的地方去锻炼。去哪儿呢？最后我决定去中国。当然，去中国就要先学会汉语。为了学会汉语，我离开了家，离开了父母，来到了北京。

我先在一所语言学校学习。最初的几个月，因为我的汉语说得不好，跟中国人交流很困难，遇到了不少麻烦。我哭过，也想过回去，但是最后还是坚持留在了这里。慢慢地，我发现我开始喜欢这里了。

有一次，我出去玩儿。回来的时候，我把钱包忘在了出租汽车里。到家以后才发现钱包没了，我非常着急，但是也没有办法。没想到，第二天，那个司机到学校找到了我。他还我钱包的时候，我高兴极了。我问他："你怎么能找到我？"他说："是你的学生证帮了我的忙。"我很高兴遇到了一个好人。

一年以后，我开始一边学习，一边打工。我当过翻译，也当过英语老师，我还去过许多地方旅行。但是我觉得这些都不是我想要的，我应该去做更有意义的事情。后来我决定去西北农村当外语老师。

我去的是个穷地方，这里的人们没见过外国人，但是他们对我很热情，也很友好。去年，当我要离开这里回国的时候，我的学生都哭了……

现在我已经是一家大公司的职员了。公司最后选择了我，我想就是因为我有在中国的工作经验和生活经历吧。

综合注释 *Comprehensive Notes*

1. 我高兴极了。

"极"，表示最高程度，后面一般带"了"。"Adj/ V + 极了"常用于口语中。例如：

“极了”is used to show the highest degree. “Adj/ V + 极了”is often used in spoken language. For example,

①这个容易极了。

②你说得对极了。

③他对这件衣服满意极了。

2. 我当过翻译。

“V+过”表示动作或状态在过去已经发生。用来强调过去有某种经历。例如：

“V+过”means an action or a state happened already in the past. This structure is used to emphasize a past experience. For example,

S	P		
	V	过	O
我	坐	过	那种车。
我	去	过	很多地方。
我	吃	过	烤鸭（kǎoyā，roast duck）

否定形式是在动词前边加“没（有）”。

The negative form is made by adding“没（有）”before the verb.

S	P		
	没（有）+V	过	O
他们	没见	过	外国人。
我	没去	过	西北。
我	没有学	过	日语。

正反疑问形式是在句尾加“没有”。

The affirmative-negative question is formed by adding“没有” at the end of the sentence.

S	P			
	V	过	O	没有
你	当	过	翻译	没有？
你	看	过	中国电影	没有？
你	吃	过	法国菜	没有？

3. 去年，当我要离开这里回国的时候，我的学生都哭了……

“当……的时候”，表示事件发生的时间，多用在句首。例如：

“当……的时候” means “when”, indicating the time when something happened. It is often used at the beginning of a sentence. For example,

① 当我回来的时候，他已经睡了。

② 当我发现的时候，已经晚了。

补充词语 *Supplementary Vocabulary*

天安门	Tiān' ānmén	Tian'anmen
动物园	dòngwùyuán	zoo
四川菜	sìchuāncài	Sichuan Cuisine
京剧	jīngjù	Beijing Opera
小说	xiǎoshuō	novel
民歌	míngē	folk song

课堂活动 *In-Class Activity*

问答练习 *Question-and-answer drills*

例如：E.g. A：你去过上海吗？

B：我去过。/ 没去过。

（1）你去过 长城 / 故宫 / 西安 / 法国 / …… 吗？

（2）你看过 中国电影 / 中文书 / 京剧 / …… 没有？

（3）
你吃过……吗？
你喝过……吗？
你打过……吗？
你听过……吗？
你写过……吗？
你当过……吗？
你买过……吗？
……

综合练习 Comprehensive Exercises

一 熟读下面的词语，并写出拼音

Read the following words repeatedly and write down their pinyin syllables.

毕业________	熟悉________	选择________	翻译________
遇到________	离开________	语言________	发现________
意义________	农村________	坚持________	友好________

二 根据课文内容填空 *Fill in the blanks according to the texts.*

1. “我”大学毕业以后选择到中国（　　　　）。
2. “我”因为汉语不好，遇到了很多（　　　　）。
3. 最初的几个月，“我”遇到很多麻烦，后来开始（　　　　）北京了。
4. 有一次“我”在（　　　　）丢了钱包。
5. 后来司机把钱包送（　　　　）了。
6. 后来“我”到西北去（　　　　）英语。
7. 西北人对“我”很（　　　　）、很（　　　　）。
8. “我”现在在（　　　　）工作。

三 模仿例子，把下面的句子改写成疑问句和否定句

Rewrite the following statements into questions and negative sentences after the example.

例如：E.g. 我去过上海。

→你去过上海吗？/ 你去过上海没有？

→我没去过上海。

1. 我学过这本书。
2. 我当过翻译。
3. 我听过中国音乐。
4. 我打过工。
5. 我吃过饺子。

四 选择适当的词语填空 *Choose the proper words to fill in the blanks.*

选择　毕业　所　过　困难　留　见　经验　热情　其他

1. 他们对我很（　　　）。
2. 他没有上过大学，找工作很（　　　）。
3. 我现在大学还没有（　　　）。
4. 我以前听（　　　）她的歌。
5. 我在一（　　　）学校工作。
6. 很多大学生都想（　　　）在大城市工作。
7. 我在商店里（　　　）过他。
8. 他工作十几年了，很有（　　　）。
9. 因为我想学习汉语，所以我（　　　）来中国工作。
10. 放假的时候，我在打工，（　　　）同学都去旅游了。

五 用指定的词语完成句子 *Complete the following sentences with the given words or expressions.*

1. 我____________________。（发现）
2. 毕业以后，我____________________。（决定）
3. ____________________，我在工作。（当……的时候）
4. ____________________，我已经睡了。（当……的时候）
5. ____________________，所以我离开了那家公司。（因为）

六 根据实际情况进行问答练习 *Do the question-and-answer drills according to the actual situation.*

1. 你去过哪些国家？
2. 你去过中国的什么地方？
3. 你跟普通中国人说过话吗？
4. 你吃过什么中国菜？
5. 你吃过饺子没有？吃过几次？
6. 你听过中国民歌没有？听过什么歌？
7. 你看过京剧吗?你觉得京剧怎么样？
8. 你看过中国小说吗？看过什么小说？
9. 你看过中国电影吗？看过几次？看过什么电影？
10. 你喝过中国茶吗？你喝过什么茶？

七 阅读短文 *Read the passage.*

我家附近有一个很大的湖。我经常和朋友们去那里玩儿。有一次，我去游泳的时候在湖边遇到了我现在的女朋友。我以前来这里的时候没有见过她。我问："你从哪儿来？"她见我很友好，就告诉了我她来这儿的原因（yuányīn，reason）。

原来，她是外地人，她爸爸的公司搬到了这个城市，所以她们家也搬来了。她离开了以前的家、以前的朋友，心里很难过（nánguò，sad）。

从那天开始，我就成了她的朋友。

回答问题 Answer the questions.

1. "我"和朋友们经常到哪儿去玩儿？
2. "我"在哪儿遇到了现在的女朋友？
3. 女孩儿为什么很难过？

八 用下列部件组合汉字 *Make characters with the following components.*

例如：E.g. 讠 青 → 请

讠 口 周 氵 亻 木 青 扌 反 艹 交 方 先 旦 主

____

____

第二部分 学写汉字
Part Two Writing Chinese Characters

汉字知识 *About Chinese Characters*

汉字偏旁（22） *Radicals (22)*

田	tiánzìpáng	男
力	lìzìpáng	动
牛	niúzìpáng	特

汉字组合（22） *Combinations (22)*

偏旁 Radicals	部件组合 Combinations	例字 Examples	结构图示 Illustrations
田	田 + 力	男	
	田 + 糸	累	
	田 + 心	思	
	夂 + 田	备	
	𠂎 + 田	留	
力	力 + 口	加	
	云 + 力	动	
	奴 + 力	努	
牛	牛 + 勿	物	
	牛 + 寺	特	

写汉字 *Character Writing*

请在汉字练习本上书写下列汉字 

Write the following Chinese characters in the workbook.

男 累 思 备 留 加 动 

努 物 特

日常用语 *Daily Expressions*

1. 祝你好运！ Good luck!
   Zhù nǐ hǎoyùn!

2. 祝你一路顺风。 Have a nice trip!
   Zhù nǐ yílù shùnfēng.

语言点小结（四）
Summary of Language Points (IV)

补语　Complements

1. 时量补语　Complements of duration

    我学了四个月汉语。

    我们休息一会儿吧。

2. 结果补语　Complements of result

    那本词典我用完了。

    我没听懂你的话。

3. 简单趋向补语　Simple directional complements

    我上商店去。

    妈妈给我寄来了礼物。

4. 情态补语　Complements of state

    山田汉字写得不错。

    大家玩儿得很高兴。

生词总表

Vocabulary

	词语	拼音	词性	课
A	AA制	AA zhì	*n.*	(21)
	啊	a	*int.*	(8)
	爱	ài	*v.*	(23)
	爱好	àihào	*n.*	(12)
	爱人	àiren	*n.*	(17)
	安排	ānpái	*n.*	(9)
B	八	bā	*num.*	(1)
	把	bǎ	*prep.*	(21)
	爸爸	bàba	*n.*	(5)
	吧	ba	*part.*	(7)
	百	bǎi	*num.*	(6)
	班	bān	*n.*	(5)
	搬家	bān jiā		(13)
	办	bàn	*v.*	(17)
	办法	bànfǎ	*n.*	(16)
	办公室	bàngōngshì	*n.*	(15)
	半	bàn	*num.*	(9)
	帮	bāng	*v.*	(15)
	帮忙	bāng máng	*v.*	(15)
	包	bāo	*v.*	(17)
	包括	bāokuò	*v.*	(29)
	保证	bǎozhèng	*v.*	(19)
	报名	bào míng	*v.*	(12)
	抱歉	bàoqiàn	*adj.*	(19)
	杯	bēi	*m.*	(12)
	北边	běibian	*n.*	(7)
	北方	běifāng	*n.*	(23)
	本	běn	*m.*	(8)
	比	bǐ	*v.*	(29)
	比较	bǐjiào	*adv.*	(15)
	比如	bǐrú	*v.*	(25)
	比萨饼	bǐsàbǐng	*n.*	(20)
	比赛	bǐsài	*n.*	(20)
	笔	bǐ	*n.*	(8)
	毕业	bì yè	*v.*	(30)
	……边	biān	*suf.*	(7)
	变	biàn	*v.*	(23)
	变化	biànhuà	*n.*	(25)
	遍	biàn	*m.*	(19)
	表演	biǎoyǎn	*v.*	(29)
	表扬	biǎoyáng	*v.*	(29)
	别	bié	*adv.*	(17)
	别的	bié de		(20)
	宾馆	bīnguǎn	*n.*	(21)
	不	bù	*adv.*	(4)
	不常	bù cháng		(18)
	不错	búcuò	*adj.*	(13)
	不客气	bú kèqi		(6)
	不同	bùtóng	*adj.*	(26)
	不用	búyòng	*adv.*	(11)
	部	bù	*m.*	(6)
	部分	bùfen	*n.*	(25)
C	才	cái	*adv.*	(17)
	菜	cài	*n.*	(11)
	参加	cānjiā	*v.*	(16)
	餐厅	cāntīng	*n.*	(15)
	草地	cǎodì	*n.*	(27)
	层	céng	*m.*	(24)
	茶	chá	*n.*	(10)
	茶馆	cháguǎn	*n.*	(10)

查	chá	*v.*	（18）
差	chà	*v.*	（9）
差不多	chàbuduō	*adv.*	（23）
长	cháng	*adj.*	（18）
场	cháng	*m.*	（23）
尝	cháng	*v.*	（22）
常	cháng	*adv.*	（18）
常常	chángcháng	*adv.*	（9）
唱	chàng	*v.*	（26）
唱歌	chàng gē		（26）
超市	chāoshì	*n.*	（7）
车	chē	*n.*	（15）
车票	chēpiào	*n.*	（28）
衬衫	chènshān	*n.*	（22）
成	chéng	*v.*	（20）
成功	chénggōng	*adj.*	（29）
城市	chéngshì	*n.*	（10）
吃	chī	*v.*	（8）
出发	chūfā	*v.*	（10）
出门	chū mén		（23）
出去	chūqu		（30）
出院	chū yuàn		（25）
出租（汽）车	chūzū (qì) chē	*n.*	（25）
穿	chuān	*v.*	（14）
床	chuáng	*n.*	（9）
词典	cídiǎn	*n.*	（6）
次	cì	*m.*	（17）
从	cóng	*prep.*	（11）
从……到……	cóng……dào……		（11）
存（钱）	cún (qián)	*v.*	（28）
错	cuò	*adj.*	（22）
D 打	dǎ	*v.*	（12）
打（电话）	dǎ (diànhuà)	*v.*	（19）
打（太极拳）	dǎ (tàijíquán)	*v.*	（27）
打包	dǎ bāo	*v.*	（21）
打工	dǎ gōng	*v.*	（15）
打开	dǎkāi	*v.*	（19）
打算	dǎsuan	*v.*	（26）
大	dà	*adj.*	（13）
大多数	dàduōshù	*n.*	（21）
大概	dàgài	*adv.*	（28）
大家	dàjiā	*pron.*	（10）
大使馆	dàshǐguǎn	*n.*	（24）
大学	dàxué	*n.*	（15）
大学生	dàxuéshēng	*n.*	（5）
带	dài	*v.*	（16）
袋子	dàizi	*n.*	（21）
戴	dài	*v.*	（19）
担心	dānxīn	*v.*	（25）
但是	dànshì	*conj.*	（14）
当	dāng	*v.*	（15）
当……的时候	dāng……de shíhou		（30）
当然	dāngrán	*adv.*	（16）
到	dào	*v.*	（11）
到处	dàochù	*adv.*	（26）
到达	dàodá	*v.*	（28）
到时候	dào shíhòu		（16）
地	de	*part.*	（30）
的	de	*part.*	（8）
……的时候	de shíhou		（11）
得	de	*part.*	（29）
得	děi	*v.*	（18）
等	děng	*v.*	（19）
低	dī	*adj.*	（23）
地方	dìfang	*n.*	（7）
地球	dìqiú	*n.*	（23）
地址	dìzhǐ	*n.*	（24）
第	dì	*pref.*	（17）

	词语	拼音	词性	课
	第一	dì-yī	*num.*	（17）
	点	diǎn	*m.*	（9）
	点钟	diǎnzhōng	*m.*	（27）
	电	diàn	*n.*	（29）
	电话	diànhuà	*n.*	（18）
	电脑	diànnǎo	*n.*	（6）
	电视	diànshì	*n.*	（9）
	电影	diànyǐng	*n.*	（9）
	电子	diànzǐ	*n.*	（6）
	电子辞典	diànzǐ cídiǎn		（6）
	店	diàn	*n.*	（20）
	丢	diū	*v.*	（22）
	东边	dōngbian	*n.*	（7）
	东西	dōngxi	*n.*	（11）
	冬天	dōngtiān	*n.*	（14）
	懂	dǒng	*v.*	（25）
	都	dōu	*adv.*	（5,18）
	读	dú	*v.*	（19）
	度	dù	*m.*	（23）
	短	duǎn	*adj.*	（22）
	短信	duǎnxìn	*n.*	（24）
	锻炼	duànliàn	*v.*	（23）
	对	duì	*adj.*	（8）
	对	duì	*prep.*	（12）
	对不起	duìbuqǐ		（7）
	多	duō	*adj.*	（10）
	多	duō	*pron.*	（18）
	多	duō	*num.*	（28）
	多长时间	duō cháng shíjiān		（18）
	多少	duōshao	*pron.*	（5）
E	饿	è	*adj.*	（25）
	二	èr	*num.*	（1）
F	发	fā	*v.*	（18）
	发现	fāxiàn	*v.*	（30）
	发音	fāyīn	*n.*	（17）
	发展	fāzhǎn	*n.*	（25）
	翻译	fānyì	*n.*	（30）
	饭	fàn	*n.*	（8）
	饭店	fàndiàn	*n.*	（26）
	饭馆	fànguǎn	*n.*	（7）
	饭盒	fànhé	*n.*	（21）
	方便	fāngbiàn	*adj.*	（13）
	方法	fāngfǎ	*n.*	（25）
	房东	fángdōng	*n.*	（19）
	房间	fángjiān	*n.*	（11）
	房子	fángzi	*n.*	（13）
	房租	fángzū	*n.*	（13）
	放	fàng	*v.*	（21）
	放假	fàng jià	*v.*	（15）
	非常	fēicháng	*adv.*	（10）
	肥	féi	*adj.*	（22）
	费	fèi	*n.*	（18）
	分钟	fēnzhōng	*m.*	（18）
	份	fèn	*m.*	（16）
	丰富	fēngfù	*adj.*	（26）
	风景	fēngjǐng	*n.*	（10）
	服务员	fúwùyuán	*n.*	（20）
	辅导	fǔdǎo	*v.*	（15）
	父母	fùmǔ	*n.*	（13）
	付	fù	*v.*	（21）
	付钱	fù qián		（21）
	附近	fùjìn	*n.*	（26）
G	感觉	gǎnjué	*v.*	（25）
	感冒	gǎnmào	*v.*	（14）
	感谢	gǎnxiè	*v.*	（15）
	感兴趣	gǎn xìngqù		（12）
	干	gàn	*v.*	（11）
	刚	gāng	*adv.*	（27）

高	gāo	adj.	(29)
高兴	gāoxìng	adj.	(3)
告诉	gàosu	v.	(15)
哥哥	gēge	n.	(5)
歌	gē	n.	(26)
个	gè	m.	(5)
各种	gè zhǒng		(26)
给	gěi	v.	(16)
给	gěi	prep.	(18)
跟	gēn	prep.	(7)
更	gèng	adv.	(17)
工作	gōngzuò	n.	(5)
工作	gōngzuò	v.	(11)
公共汽车	gōnggòng qìchē		(28)
公交车	gōngjiāochē	n.	(28)
公交卡	gōngjiāokǎ	n.	(28)
公里	gōnglǐ	m.	(28)
公司	gōngsī	n.	(11)
公园	gōngyuán	n.	(10)
够	gòu	adj.	(29)
故事	gùshi	n.	(29)
关	guān	v.	(9)
关心	guānxīn	v.	(25)
光临	guānglín	v.	(20)
光盘	guāngpán	n.	(25)
贵	guì	adj.	(13)
贵姓	guìxìng	n.	(3)
国	guó	n.	(2)
国家	guójiā	n.	(21)
过	guò	v.	(16,24)
过去	guòqu	v.	(19)
过	guo	part.	(30)
H 还	hái	adv.	(7,14)
还是	háishi	conj.	(12)
孩子	háizi	n.	(26)
寒冷	hánlěng	adj.	(23)
好	hǎo	adj.	(1,14)
好吃	hǎochī	adj.	(16)
好的	hǎo de		(20)
好好儿	hǎohāor	adv.	(25)
好看	hǎokàn	adj.	(22)
号	hào	n.	(8)
号码	hàomǎ	n.	(11)
喝	hē	v.	(10)
合适	héshì	adj.	(15)
和	hé	conj.	(5)
黑	hēi	adj.	(22)
黑色	hēisè	n.	(22)
很	hěn	adv.	(3)
红	hóng	adj.	(22)
红茶	hóngchá	n.	(12)
红色	hóngsè	n.	(22)
后边	hòubian	n.	(24)
后来	hòulái	n.	(19)
后天	hòutiān	n.	(19)
厚	hòu	adj.	(14)
呼吸	hūxī	v.	(10)
湖	hú	n.	(27)
互相	hùxiāng	adv.	(15)
护士	hùshi	n.	(25)
护照	hùzhào	n.	(24)
花	huā	n.	(10)
花	huā	v.	(29)
画	huà	v.	(11)
画儿	huàr	n.	(11)
话	huà	n.	(25)
坏	huài	v.	(19)
欢迎	huānyíng	v.	(20)

还	huán	*v.*	（19）
换	huàn	*v.*	（22）
黄	huáng	*adj.*	（22）
黄色	huángsè	*n.*	（22）
灰色	huīsè	*n.*	（24）
回	huí	*v.*	（15）
会	huì	*v.,aux.*	（15,22）
婚礼	hūnlǐ	*n.*	（16）
活动	huódòng	*n.*	（24）
火车	huǒchē	*n.*	（28）
或者	huòzhě	*conj.*	（15）
J 机会	jīhuì	*n.*	（25）
极	jí	*adv.*	（30）
急急忙忙	jíjímángmáng	*adj.*	（18）
急忙	jímáng	*adj.*	（18）
几	jǐ	*pron., num.*	（5,28）
记	jì	*v.*	（22）
季节	jìjié	*n.*	（23）
寄	jì	*v.*	（24）
加上	jiāshang	*v.*	（29）
家	jiā	*n.*	（5）
家	jiā	*m.*	（11）
家人	jiārén	*n.*	（26）
假期	jiàqī	*n.*	（15）
坚持	jiānchí	*v.*	（30）
简单	jiǎndān	*adj.*	（16）
见	jiàn	*v.*	（30）
见面	jiàn miàn	*v.*	（9）
件	jiàn	*m.*	（14）
讲	jiǎng	*v.*	（29）
交	jiāo	*v.*	（18）
交流	jiāoliú	*v.*	（30）
交通	jiāotōng	*n*	（29）
教	jiāo	*v.*	（17）
饺子	jiǎozi	*n.*	（17）
叫	jiào	*v.*	（3）
教室	jiàoshì	*n.*	（9）
教堂	jiàotáng	*n.*	（26）
教学	jiàoxué	*n.*	（7）
教学楼	jiàoxuélóu	*n.*	（7）
接	jiē	*v.*	（27）
节目	jiémù	*n.*	（20）
节日	jiérì	*n.*	（16）
结婚	jié hūn	*v.*	（16）
结束	jiéshù	*v.*	（29）
结账	jié zhàng		（21）
斤	jīn	*m.*	（6）
今年	jīnnián	*n.*	（14）
今天	jīntiān	*n.*	（8）
进步	jìnbù	*v.,n.*	（17）
经常	jīngcháng	*adv.*	（20）
经济	jīngjì	*n.*	（25）
经历	jīnglì	*n.*	（30）
经验	jīngyàn	*n.*	（30）
九	jiǔ	*num.*	（3）
酒	jiǔ	*n.*	（16）
酒吧	jiǔbā	*n.*	（21）
旧	jiù	*adj.*	（22）
就	jiù	*adv.*	（7,14,24）
举行	jǔxíng	*v.*	（24）
决定	juédìng	*v.*	（30）
觉得	juéde	*v.*	（10）
K 咖啡	kāfēi	*n.*	（12）
卡	kǎ	*n.*	（18）
开	kāi	*v.*	（9,15,29）
开始	kāishǐ	*v.*	（9）
开账户	kāi zhànghù		（18）
看	kàn	*v.*	（7）

看病	kàn bìng		（14）
看见	kànjiàn	v.	（19）
考试	kǎo shì	v.	（26）
可乐	kělè	n.	（20）
可能	kěnéng	adv.	（29）
可是	kěshì	conj.	（12）
可以	kěyǐ	aux.	（15）
刻	kè	m.	（9）
客气	kèqi	adj.	（6）
课	kè	n.	（12）
空气	kōngqì	n.	（10）
空调	kōngtiáo	n.	（19）
空儿	kòngr	n.	（14）
口	kǒu	m.	（5）
口语	kǒuyǔ	n.	（17）
哭	kū	v.	（30）
裤子	kùzi	n.	（22）
块	kuài	m.	（6）
快	kuài	adj.	（14）
快	kuài	adv.	（26）
快餐	kuàicān	n.	（20）
快餐店	kuàicān diàn	n.	（20）
快车	kuàichē	n.	（28）
快乐	kuàilè	adj.	（8）
快要	kuàiyào	adv.	（26）
困难	kùnnan	adj.	（30）
L 来	lái	v.	（13,20）
蓝	lán	adj.	（22）
蓝色	lánsè	n.	（22）
篮球	lánqiú	n.	（12）
老人	lǎorén	n.	（23）
老师	lǎoshī	n.	（3）
了	le	part.	（7,13）
累	lèi	adj.	（10）
冷	lěng	adj.	（14）
离	lí	prep.	（13）
离开	lí kāi	v.	（30）
礼物	lǐwù	n.	（8）
里	lǐ	m.	（28）
里边	lǐbian	n.	（7）
里	li	n.	（14）
利用	lìyòng	v.	（26）
俩	liǎ	q.	（29）
联系	liánxì	v.	（24）
练习	liànxí	v.	（20）
两	liǎng	num.	（5）
辆	liàng	m.	（15）
聊	liáo	v.	（18）
聊天儿	liáo tiānr	v.	（11）
了解	liǎojiě	v.	（27）
零	líng	v.	（1）
零花钱	línghuāqián	n.	（29）
零钱	língqián	n.	（21）
零下	líng xià		（23）
另外	lìngwài	adv.	（18）
留	liú	v.	（30）
留学	liú xué	v.	（25）
留学生	liúxuéshēng	n.	（4）
六	liù	num.	（3）
楼	lóu	n.	（7）
路	lù	n.	（13,28）
路上	lùshang	n.	（27）
旅行	lǚxíng	v.	（27）
旅游	lǚyóu	v.	（15）
律师	lùshī	n.	（5）
绿茶	lǜchá	n.	（12）
绿色	lǜsè	n.	（24）
M 妈妈	māma	n.	（5）

麻烦	máfan	*adj.*	（16）
马上	mǎshàng	*adv.*	（27）
吗	ma	*part.*	（4）
买	mǎi	*v.*	（6）
卖	mài	*v.*	（20）
满	mǎn	*adj.*	（20）
满意	mǎnyì	*v.*	（13）
慢	màn	*adj.*	（21）
忙	máng	*adj.*	（10）
忙	máng	*v.*	（27）
毛	máo	*m.*	（6）
毛衣	máoyī	*n.*	（14）
帽子	màozi	*n.*	（19）
没	méi	*v.*	（11）
没（有）	méi (yǒu)	*v.*	（8）
没错儿	méi cuòr		（12）
没关系	méi guānxi		（7）
没问题	méi wèntí		（8）
没想到	méi xiǎngdào		（26）
没意思	méi yìsi	*adj.*	（26）
没有	méiyǒu	*adv.*	（13）
每	měi	*pron.*	（13）
每天	měi tiān		（9）
门	mén	*n.*	（9）
门	mén	*m.*	（12）
们	men	*suf.*	（4）
迷	mí	*n.*	（20）
棉衣	miányī	*n.*	（19）
面包	miànbāo	*n.*	（6）
面条	miàntiáo	*n.*	（20）
名字	míngzi	*n.*	（3）
明天	míngtiān	*n.*	（9）

N

拿	ná	*v.*	（21）
哪	nǎ	*pron.*	（2）
哪儿	nǎr	*pron.*	（7）
哪里	nǎli	*pron.*	（29）
那	nà	*pron.*	（13）
那边	nàbian	*pron.*	（22）
那儿	nàr	*pron.*	（7）
那里	nàli	*pron.*	（10）
那么	nàme	*pron.*	（20）
那些	nàxiē	*pron.*	（22）
那样	nàyàng	*pron.*	（25）
男	nán	*adj.*	（29）
南边	nánbian	*n.*	（7）
南方	nánfāng	*n.*	（23）
难	nán	*adj.*	（17）
呢	ne	*part.*	（2）
内容	nèiróng	*n.*	（19）
能	néng	*aux.*	（15）
你	nǐ	*pron.*	（1）
你们	nǐmen	*pron.*	（5）
年	nián	*n.*	（23）
年轻	niánqīng	*adj.*	（21）
年轻人	niánqīng rén	*n.*	（21）
您	nín	*pron.*	（1）
农村	nóngcūn	*n.*	（30）
努力	nǔlì	*adj.*	（17）
女	nǚ	*adj.*	（29）
暖	nuǎn	*adj.*	（23）
暖气	nuǎnqì	*n.*	（19）

P

爬	pá	*v.*	（10）
爬山	pá shān		（10）
排队	pái duì	*v.*	（18）
旁边	pángbiān	*n.*	（13）
跑	pǎo	*v.*	（14）
跑步	pǎo bù		（12）
陪	péi	*v.*	（15）

	词语	拼音	词性	课
	朋友	péngyou	*n.*	(9)
	啤酒	píjiǔ	*n.*	(17)
	便宜	piányi	*adj.*	(22)
	票	piào	*n.*	(28)
	漂亮	piàoliang	*adj.*	(10)
	平时	píngshí	*n.*	(11)
	苹果	píngguǒ	*n.*	(6)
	瓶	píng	*m.*	(17)
	葡萄酒	pútaojiǔ	*n.*	(17)
	普通	pǔtōng	*adj.*	(25)
Q	七	qī	*num.*	(3)
	其他	qítā	*pron.*	(30)
	骑	qí	*v.*	(12)
	起	qǐ	*v.*	(9)
	起床	qǐ chuáng		(9)
	汽车	qìchē	*n.*	(11)
	气候	qìhòu	*n.*	(23)
	气温	qìwēn	*n.*	(23)
	千	qiān	*num.*	(6)
	前边	qiánbian	*n.*	(7)
	钱	qián	*n.*	(6)
	钱包	qiánbāo	*n.*	(30)
	浅	qiǎn	*adj.*	(24)
	亲爱	qīn'ài	*adj.*	(24)
	亲戚	qīnqi	*n.*	(16)
	轻松	qīngsōng	*adj.*	(29)
	清楚	qīngchu	*adj.*	(21)
	请	qǐng	*v.*	(3,8)
	请客	qǐng kè	*v.*	(13)
	请问	qǐngwèn	*v.*	(3)
	庆祝	qìngzhù	*v.*	(24)
	穷	qióng	*adj.*	(30)
	取(钱)	qǔ (qián)	*v.*	(28)
	去	qù	*v.*	(7)

	词语	拼音	词性	课
	全	quán	*adv.*	(24)
	全	quán	*adj.*	(26)
R	然后	ránhòu	*conj.*	(9)
	让	ràng	*v.*	(24)
	热	rè	*adj.*	(20)
	热闹	rènao	*adj.*	(17)
	热情	rèqíng	*adj.*	(30)
	人	rén	*n.*	(2)
	人们	rénmen	*n.*	(23)
	认识	rènshi	*v.*	(3)
	认为	rènwéi	*v.*	(19)
	认真	rènzhēn	*adj.*	(26)
	日	rì	*n.*	(8)
	容易	róngyì	*adj.*	(19)
	如果	rúguǒ	*conj.*	(24)
S	三	sān	*num.*	(2)
	散步	sàn bù		(27)
	山	shān	*n.*	(10)
	商场	shāngchǎng	*n.*	(14)
	商店	shāngdiàn	*n.*	(7)
	上	shàng	*n.*	(13)
	上班	shàng bān		(11)
	上边	shàngbian	*n.*	(24)
	上课	shàng kè	*v.*	(4)
	上网	shàng wǎng		(9)
	上午	shàngwǔ	*n.*	(9)
	上衣	shàngyī	*n.*	(22)
	上	shang	*n.*	(18)
	少	shǎo	*adj.*	(16)
	谁	shéi (shuí)	*pron.*	(4)
	身体	shēntǐ	*n.*	(12)
	深	shēn	*adj.*	(24)
	什么	shénme	*pron.*	(3)
	生病	shēng bìng		(14)

生活	shēnghuó	*n.*	（25）
生气	shēng qì	*v.*	（22）
生日	shēngrì	*n.*	（8）
声调	shēngdiào	*n.*	（17）
十	shí	*num.*	（2）
时候	shíhou	*n.*	（11）
时间	shíjiān	*n.*	（8）
食堂	shítáng	*n.*	（11）
市场	shìchǎng	*n.*	（26）
市区	shìqū	*n.*	（28）
事	shì	*n.*	（9）
事情	shìqing	*n.*	（16）
试	shì	*v.*	（18）
试衣间	shìyījiān	*n.*	（22）
是	shì	*v.*	（2）
收	shōu	*v.*	（21）
收拾	shōushi	*v.*	（11）
收音机	shōuyīnjī	*n.*	（20）
手机	shǒujī	*n.*	（11）
手套	shǒutào	*n.*	（19）
瘦	shòu	*adj.*	（22）
书	shū	*n.*	（8）
书店	shūdiàn	*n.*	（24）
书法	shūfǎ	*n.*	（12）
舒服	shūfu	*adj.*	（20）
熟悉	shúxī	*adj.*	（30）
束	shù	*m.*	（16）
树	shù	*n.*	（10）
刷卡	shuā kǎ		（28）
双	shuāng	*m.*	（22）
水	shuǐ	*n.*	（10）
水果	shuǐguǒ	*n.*	（14）
水平	shuǐpíng	*n.*	（29）
睡	shuì	*v.*	（27）

睡觉	shuì jiào	*v.*	（27）
说	shuō	*v.*	（4）
说话	shuō huà	*v.*	（17）
司机	sījī	*n.*	（25）
四	sì	*num.*	（2）
送	sòng	*v.*	（16）
宿舍	sùshè	*n.*	（11）
算了	suàn le		（22）
虽然	suīrán	*conj.*	（25）
所	suǒ	*m.*	（30）
所以	suǒyǐ	*conj.*	（28）
所有	suǒyǒu	*adj.*	（21）
T 它	tā	*pron.*	（28）
他	tā	*pron.*	（2）
他们	tāmen	*pron.*	（4）
她	tā	*pron.*	（4）
台	tái	*m.*	（6）
太	tài	*adv.*	（7）
太极拳	tàijíquán	*n.*	（12）
谈	tán	*v.*	（25）
趟	tàng	*m.*	（14）
套	tào	*m.*	（13）
特别	tèbié	*adv.*	（14）
特别	tèbié	*adj.*	（23）
特殊	tèshū	*adj.*	（16）
踢	tī	*v.*	（12）
体育馆	tǐyùguǎn	*n.*	（7）
天	tiān	*n.*	（19）
天气	tiānqì	*n.*	（14）
条	tiáo	*m.*	（22）
跳	tiào	*v.*	（26）
跳舞	tiào wǔ	*v.*	（26）
听	tīng	*v.*	（11）
听见	tīng jiàn	*v.*	（27）

听力	tīnglì	*n.*	(17)
听说	tīngshuō	*v.*	(10)
通过	tōngguò	*prep.*	(28)
同屋	tóngwū	*n.*	(11)
同学	tóngxué	*n.*	(4)
痛快	tòngkuai	*adj.*	(29)
突然	tūrán	*adj.*	(23)
图书馆	túshūguǎn	*n.*	(7)

W

外边	wàibian	*n.*	(20)
外地	wàidì	*n.*	(26)
外国	wàiguó	*n.*	(20)
外卖	wàimài	*n.*	(20)
外面	wàimian	*n.*	(24)
外语	wàiyǔ	*n.*	(30)
完	wán	*v.*	(19)
玩儿	wánr	*v.*	(13)
晚	wǎn	*adj.*	(20)
晚安	wǎn'ān	*v.*	(27)
晚饭	wǎnfàn	*n.*	(11)
晚会	wǎnhuì	*n.*	(24)
晚上	wǎnshang	*n.*	(9)
万	wàn	*num.*	(28)
网	wǎng	*n.*	(18)
网站	wǎngzhàn	*n.*	(18)
忘	wàng	*v.*	(18)
忘不了	wàng bu liǎo		(24)
为了	wèile	*prep.*	(24)
为什么	wèi shénme	*pron.*	(18)
卫生间	wèi shēngjiān	*n.*	(7)
位	wèi	*m.*	(12)
喂	wèi	*int.*	(24)
文章	wénzhāng	*n.*	(29)
问	wèn	*v.*	(3)
问题	wèntí	*n.*	(8)
我	wǒ	*pron.*	(2)
我们	wǒmen	*pron.*	(5)
五	wǔ	*num.*	(1)
午饭	wǔfàn	*n.*	(27)

X

西北部	xīběi bù		(28)
西边	xībian	*n.*	(7)
希望	xīwàng	*v.*	(16)
习惯	xíguàn	*v.*	(21)
习惯	xíguàn	*n.*	(27)
洗	xǐ	*v.*	(9)
洗澡	xǐ zǎo	*v.*	(9)
喜欢	xǐhuan	*v.*	(11)
下	xià	*n.*	(12)
下边	xiàbian	*n.*	(27)
下课	xià kè	*v.*	(8)
下午	xiàwǔ	*n.*	(9)
下雪	xià xuě		(23)
下雨	xià yǔ		(23)
先	xiān	*adv.*	(9)
先生	xiānsheng	*n.*	(19)
现在	xiànzài	*n.*	(9)
香蕉	xiāngjiāo	*n.*	(6)
想	xiǎng	*aux.*	(6)
像	xiàng	*v.*	(25)
小	xiǎo	*adj.*	(10)
小费	xiǎofèi	*n.*	(21)
小时	xiǎoshí	*n.*	(18)
些	xiē	*m.*	(25)
鞋	xié	*n.*	(22)
写	xiě	*v.*	(17)
谢谢	xièxie	*v.*	(6)
新	xīn	*adj.*	(14)
新闻	xīnwén	*n.*	(18)
新鲜	xīnxiān	*adj.*	(10)

信用卡	xìnyòngkǎ	*n.*	（28）
星期	xīngqī	*n.*	（8）
星期二	xīngqī'èr	*n.*	（8）
星期六	xīngqīliù	*n.*	（8）
星期日（天）	xīngqīrì (tiān)	*n.*	（8）
星期三	xīngqīsān	*n.*	（8）
星期四	xīngqīsì	*n.*	（8）
星期五	xīngqīwǔ	*n.*	（8）
星期一	xīngqīyī	*n.*	（8）
行	xíng	*v.*	（13）
行	xíng	*adj.*	（14）
兴趣	xìngqù	*n.*	（12）
姓	xìng	*v.*	（3）
休息	xiūxi	*v.*	（10）
修	xiū	*v.*	（19）
需要	xūyào	*v.*	（6）
许多	xǔduō	*adj.*	（26）
选	xuǎn	*v.*	（12）
选择	xuǎnzé	*v.*	（30）
学	xué	*v.*	（17）
学期	xuéqī	*n.*	（12）
学生	xuésheng	*n.*	（5）
学生证	xuéshēngzhèng	*n.*	（28）
学习	xuéxí	*v.*	（4）
学校	xuéxiào	*n.*	（11）
雪	xuě	*n.*	（23）

Y

呀	ya	*int.*	（14）
颜色	yánsè	*n.*	（22）
样子	yàngzi	*n.*	（22）
药	yào	*n.*	（14）
要	yào	*v.*	（6,19）
要	yào	*aux.*	（15,16,26）
要是	yàoshi	*conj.*	（26）
也	yě	*adv.*	（3）
一	yī	*num.*	（1）
一般	yìbān	*adj.*	（11）
一边	yìbiān	*conj.*	（27）
一点儿	yìdiǎnr	*q.*	（10）
一定	yídìng	*adv.*	（16）
一共	yígòng	*adv.*	（6）
一会儿	yíhuìr	*n.*	（18）
一块儿	yíkuàir	*adv.*	（11）
一起	yìqǐ	*adv.*	（4）
一下	yíxià	*q.*	（10）
一些	yìxiē	*m.*	（20）
一样	yíyàng	*adj.*	（12）
一直	yìzhí	*adv.*	（18）
衣服	yīfu	*n.*	（14）
医生	yīshēng	*n.*	（5）
医院	yīyuàn	*n.*	（14）
已经	yǐjīng	*adv.*	（13）
以后	yǐhòu	*n.*	（8）
以前	yǐqián	*n.*	（19）
椅子	yǐzi	*n.*	（27）
意义	yìyì	*n.*	（30）
因为	yīnwèi	*conj.*	（30）
音乐	yīnyuè	*n.*	（11）
银行	yínháng	*n.*	（7）
饮料	yǐnliào	*n.*	（29）
应该	yīnggāi	*aux.*	（16）
迎接	yíngjiē	*v.*	（26）
营业员	yíngyèyuán	*n.*	（6）
影响	yǐngxiǎng	*v.*	（21）
用	yòng	*v.*	（11）
邮件	yóujiàn	*n.*	（18）
邮局	yóujú	*n.*	（24）
邮箱	yóuxiāng	*n.*	（18）
游	yóu	*v.*	（29）

游泳	yóu yǒng	v.	(29)
友好	yǒuhǎo	adj.	(30)
有	yǒu	v.	(5)
有的	yǒude	pron.	(21)
有点儿	yǒudiǎnr	adv.	(22)
有空儿	yǒu kòngr		(14)
有名	yǒumíng	adj.	(20)
有时候	yǒu shíhou		(9)
有意思	yǒu yìsi		(16)
又	yòu	adv.	(13)
愉快	yúkuài	adj.	(27)
羽绒服	yǔróngfú	n.	(14)
雨	yǔ	n.	(23)
语言	yǔyán	n.	(30)
遇到	yùdào		(30)
元	yuán	m.	(28)
原来	yuánlái	adv.	(28)
远	yuǎn	adj.	(13)
愿意	yuànyì	aux.	(21)
月	yuè	n.	(8)
运动	yùndòng	n.	(12)
运动场	yùndòngchǎng	n.	(7)
Z 再	zài	adv.	(6)
再见	zàijiàn	v.	(9)
在	zài	v.	(7)
在	zài	prep.	(11)
在	zài	adv.	(27)
咱们	zánmen	pron.	(21)
早	zǎo	adj.	(25)
早饭	zǎofàn	n.	(9)
早上	zǎoshang	n.	(2)
怎么	zěnme	pron.	(13,17)
怎么样	zěnmeyàng	pron.	(8)
张	zhāng	m.	(28)
账户	zhànghù	n.	(18)
着急	zháojí	adj.	(17)
找	zhǎo	v.	(10)
照片	zhàopiàn	n.	(16)
照相	zhào xiàng	v.	(16)
这	zhè	pron.	(6)
这儿	zhèr	pron.	(7)
这里	zhèli	pron.	(29)
这么	zhème	pron.	(14)
这些	zhèxiē	pron.	(21)
这样	zhèyàng	pron.	(19)
真	zhēn	adv.	(14)
正	zhèng	adv.	(27)
正常	zhèngcháng	adj.	(23)
正好	zhènghǎo	adj.	(22)
正在	zhèngzài	adv.	(27)
挣钱	zhèng qián		(15)
支	zhī	m.	(8)
知道	zhīdào	v.	(7)
知识	zhīshi	n.	(29)
职员	zhíyuán	n.	(5)
只	zhǐ	adv.	(18)
只好	zhǐhǎo	adv.	(19)
中国画	zhōngguóhuà	n.	(11)
种	zhǒng	m.	(6)
重要	zhòngyào	adj.	(16)
周末	zhōumò	n.	(11)
主意	zhǔyi	n.	(20)
住	zhù	v.	(28)
住院	zhù yuàn		(25)
注意	zhùyì	v.	(23)
祝	zhù	v.	(8)
专家	zhuānjiā	n.	(23)
准备	zhǔnbèi	v.	(8)

桌子	zhuōzi	*n.*	（21）
着急	zháojí	*adj.*	（17）
自己	zìjǐ	*pron.*	（21）
自行车	zìxíngchē	*n.*	（12）
总是	zǒngshì	*adv.*	（17）
走	zǒu	*v.*	（13,20）
租	zū	*v.*	（13）
足球	zúqiú	*n.*	（12）
最	zuì	*adv.*	（12）
最初	zuìchū	*n.*	（30）
最后	zuìhòu	*n.*	（13）
最近	zuìjìn	*n.*	（17）
最少	zuì shǎo		（18）
昨天	zuótiān	*n.*	（13）
左右	zuǒyòu	*n.*	（23）
作业	zuòyè	*n.*	（27）
坐	zuò	*v.*	（20）
做	zuò	*v.*	（5）
做法	zuòfǎ	*n.*	（21）
做饭	zuò fàn		（11）
做客	zuò kè	*v.*	（17）

专 名

A	阿明	Āmíng	（1）
B	八达岭	Bādálǐng	（28）
	北京	Běijīng	（14）
C	长城	Chángchéng	（28）
	崔浩	Cuī Hào	（2）
F	法国	Fǎguó	（4）
	法语	Fǎyǔ	（4）
G	感恩节	Gǎn'ēn Jié	（24）
	国际大厦	Guójì Dàshà	（24）
H	韩国	Hánguó	（2）
	汉思	Hànsī	（15）
	汉语	Hànyǔ	（4）
	汉字	Hànzì	（17）
L	李	Lǐ	（3）
	李一民	Lǐ Yīmín	（1）
	林娜	Línnà	（1）
M	马丁	Mǎdīng	（1）
	美国	Měiguó	（2）
P	平安大街	Píng'ān Dàjiē	（24）
R	日本	Rìběn	（2）
S	山田佑	Shāntián Yòu	（3）
	圣诞	Shèngdàn	（19）
	圣诞节	Shèngdàn Jié	（19）
T	泰国	Tàiguó	（4）
	泰语	Tàiyǔ	（15）
W	万里长城	Wànlǐ Chángchéng	（28）
X	西北	Xīběi	（30）
	西山公园	Xīshān Gōngyuán	（10）
Y	意大利	Yìdàlì	（20）
	英文	Yīngwén	（9）
	英语	Yīngyǔ	（4）
	语言学院	Yǔyán Xuéyuàn	（12）
	友谊宾馆	Yǒuyì Bīnguǎn	（24）
Z	张	Zhāng	（19）
	中国	Zhōngguó	（4）
	中国银行	Zhōngguó Yínháng	（7）
	中文	Zhōngwén	（8）
	朱云	Zhū Yún	（4）

中国地图

Map of China

政区版

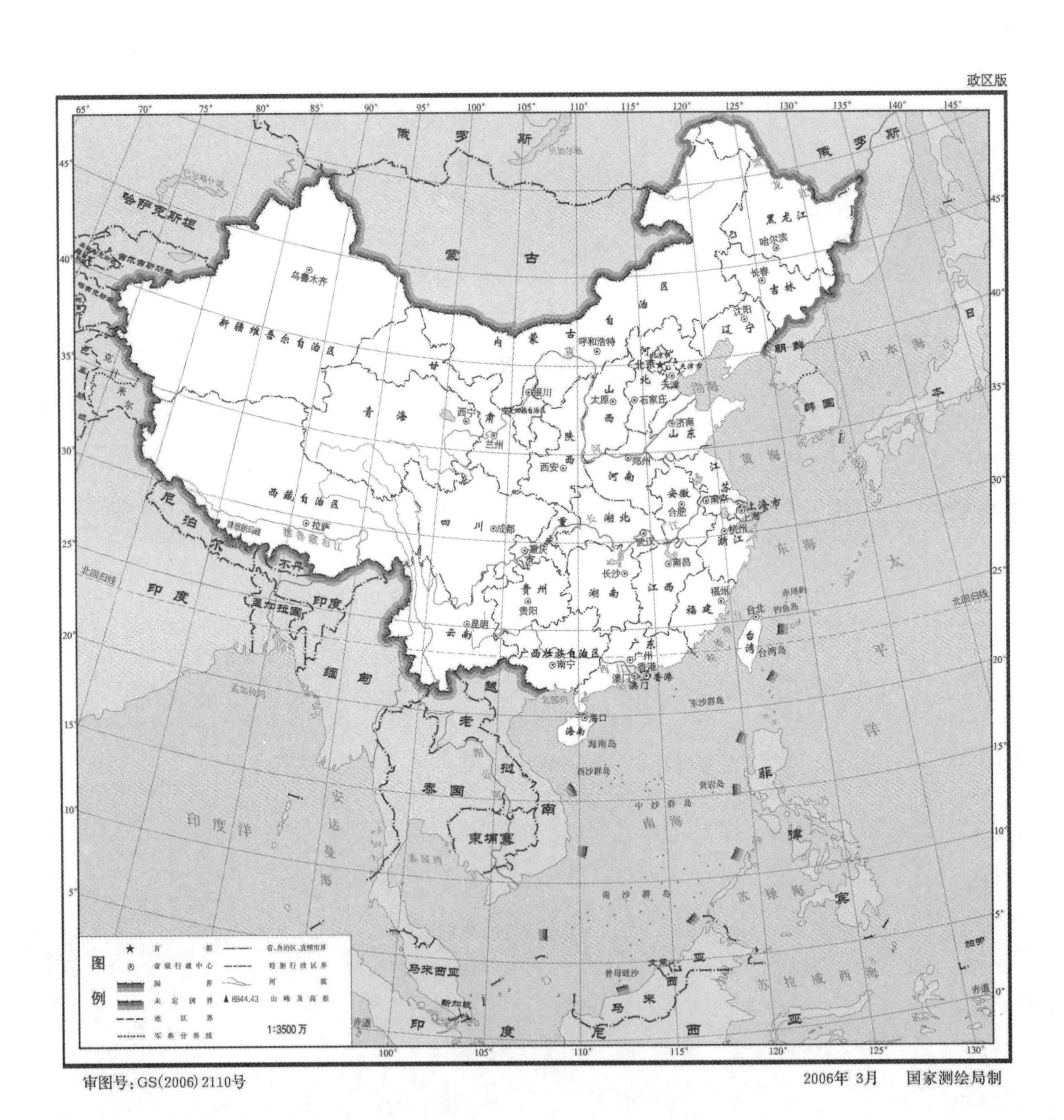

审图号：GS(2006)2110号

2006年 3月 国家测绘局制

综 合

初级综合（Ⅰ）含1MP3	ISBN 978-7-5619-3076-2	79.00元
初级综合（Ⅱ）含1MP3	ISBN 978-7-5619-3077-9	75.00元
中级综合（Ⅰ）含1MP3	ISBN 978-7-5619-3089-2	56.00元
中级综合（Ⅱ）含1MP3	ISBN 978-7-5619-3239-1	60.00元
高级综合（Ⅰ）含1MP3	ISBN 978-7-5619-3133-2	55.00元
高级综合（Ⅱ）含1MP3	ISBN 978-7-5619-3251-3	60.00元

口 语

初级口语（Ⅰ）含1MP3	ISBN 978-7-5619-3247-6	65.00元
初级口语（Ⅱ）含1MP3	ISBN 978-7-5619-3298-8	74.00元
中级口语（Ⅰ）含1MP3	ISBN 978-7-5619-3068-7	56.00元
中级口语（Ⅱ）含1MP3	ISBN 978-7-5619-3069-4	52.00元
高级口语（Ⅰ）含1MP3	ISBN 978-7-5619-3147-9	58.00元
高级口语（Ⅱ）含1MP3	ISBN 978-7-5619-3071-7	56.00元

听 力

“练习与活动”+“文本与答案”

初级听力（Ⅰ）含1MP3	ISBN 978-7-5619-3063-2	79.00元
初级听力（Ⅱ）含1MP3	ISBN 978-7-5619-3014-4	68.00元
中级听力（Ⅰ）含1MP3	ISBN 978-7-5619-3064-9	62.00元
中级听力（Ⅱ）含1MP3	ISBN 978-7-5619-2577-5	70.00元
高级听力（Ⅰ）含1MP3	ISBN 978-7-5619-3070-0	68.00元
高级听力（Ⅱ）含1MP3	ISBN 978-7-5619-3079-3	70.00元

读 写

- 初级读写（Ⅰ）含1MP3
  ISBN 978-7-5619-3360-2　32.00 元
- 初级读写（Ⅱ）含1MP3
  ISBN 978-7-5619-3461-6　32.00 元

阅 读

- 中级阅读（Ⅰ）
  ISBN 978-7-5619-3123-3　29.00 元
- 中级阅读（Ⅱ）
  ISBN 978-7-5619-3197-4　29.00 元
- 高级阅读（Ⅰ）
  ISBN 978-7-5619-3080-9　32.00 元
- 高级阅读（Ⅱ）
  ISBN 978-7-5619-3084-7　35.00 元

写 作

- 中级写作（Ⅰ）
  ISBN 978-7-5619-3286-5　35.00 元
- 中级写作（Ⅱ）
  ISBN 978-7-5619-3287-2　39.00 元
- 高级写作（Ⅰ）
  ISBN 978-7-5619-3361-9　29.00 元
- 高级写作（Ⅱ）
  ISBN 978-7-5619-3269-8　29.00 元

中国文化百题

A Kaleidoscope of Chinese Culture

纵横古今，中华文明历历在目　享誉中外，东方魅力层层绽放

Unfold the splendid and fascinating Chinese civilization

了解中国的窗口

A window to China

- 大量翔实的高清影视资料，展现中国文化的魅力。既是全面了解中国文化的影视精品，又是汉语教学的文化视听精品教材。
- 涵盖了中国最典型的200个文化点，包括中国的名胜古迹、中国各地、中国的地下宝藏、中国的名山大川、中国的民族、中国的美食、中国的节日、中国的传统美德、中国人的生活、儒家、佛教与道教、中国的风俗、中国的历史、中医中药、中国的文明与艺术、中国的著作、中国的人物、中国的故事等18个方面。
- 简洁易懂的语言，展示了每个文化点的精髓。
- 共四辑，每辑50个文化点，每个文化点3分钟。中外文解说和字幕，可灵活搭配选择。已出版英语、德语、韩语、日语、俄语五个注释文种，其他文种将陆续出版。

目　录 Contents

第一辑 Album 1

第二辑 Album 2

中国名胜古迹之二
Scenic Spots and Historical Sites in China Ⅱ

第一盘 DVD 1
■天坛 ■布达拉宫 ■孔庙、孔府、孔林 ■敦煌莫高窟
■云冈石窟 ■乐山大佛 ■长白山 ■华山 ■武夷山
■皖南古村落——西递、宏村

中国的民族
Chinese Nationalities

第二盘 DVD 2
■多民族的国家 ■汉族、满族 ■瑶族、纳西族
■侗族、朝鲜族 ■苗族、彝族 ■蒙古族、壮族
■白族、傣族 ■回族、维吾尔族、哈萨克族
■民族服饰 ■民族歌舞

中国文明与艺术之二
Chinese Civilization and Art Ⅱ

第三盘 DVD 3
■龙 ■中国的城门 ■中国的牌楼 ■中国的祭坛
■北京的胡同 ■北京四合院 ■中国的白酒
■各地小吃 ■北京烤鸭 ■中国的面食

中国文明与艺术之三
Chinese Civilization and Art Ⅲ

第四盘 DVD 4
■神奇的汉字 ■茶 ■中国功夫
■中国的玉器 ■京剧 ■中国民乐 ■风筝
■民间面塑 ■民间泥塑 ■民间皮影

中国的宗教与思想
Chinese Religions and Ideology

第五盘 DVD 5
■儒家思想 ■中国的佛教 ■道教与神仙 ■宗教建筑 ■孔子和儒家思想 ■老子和道家思想
■佛教名山——峨眉山 ■佛教名山——五台山 ■道教名山——武当山 ■道教名山——崂山

第三辑 Album 3

中国各地之二
Places in China Ⅱ

第一盘 DVD 1
■黑龙江省 ■河北省 ■江苏省 ■浙江省
■四川省 ■安徽省 ■云南省 ■福建省 ■广东省
■贵州省、海南省 ■广西壮族自治区、台湾省

中国各地之三
Places in China Ⅲ

第二盘 DVD 2
■吉林省 ■辽宁省 ■山西省 ■陕西省
■甘肃省、宁夏回族自治区 ■青海省 ■内蒙古自治区
■湖北省 ■湖南省 ■河南省 ■江西省

中国人物之一
People in China Ⅰ

第三盘 DVD 3
■黄帝 ■尧舜 ■秦始皇 ■屈原 ■司马迁
■张仲景 ■张衡 ■蔡伦 ■毕昇 ■李时珍

中国现代建筑大观
Modern Architectures in China

第四盘 DVD 4
■鸟巢 ■青藏铁路 ■国家大剧院 ■首都机场3号航站楼
■浦东新高度 ■长江三峡工程 ■杭州湾跨海大桥 ■上海外滩

中国文明与艺术之四
Chinese Civilization and Art Ⅳ

第五盘 DVD 5
■中国菜（上） ■中国菜（下） ■筷子 ■扇子 ■太极拳
■杂技 ■把脉、推拿、拔火罐、刮痧 ■中药 ■篆刻 ■《论语》

每辑：5张DVD＋5册图书＋精美书签50枚
定价：￥980.00／辑
Each album: 5 DVDs + 5 books + 50 beautiful bookmarks
Price: $269.95/album

第四辑 Album 4

中国传统节日
Chinese Traditional Festivals

第一盘 DVD 1
■春节 ■元宵节 ■清明节 ■端午节
■七夕节 ■中秋节 ■重阳节 ■二十四节气

中国人物之二
People in China Ⅱ

第二盘 DVD 2
■孙子 ■孟子 ■关羽 ■诸葛亮 ■玄奘
■李白和杜甫 ■孙中山 ■鲁迅 ■老舍 ■雷锋

中国故事
Chinese Stories

第三盘 DVD 3
■孟姜女 ■梁山伯与祝英台 ■牛郎织女
■白蛇传 ■嫦娥奔月 ■木兰从军 ■大禹治水
■鲁班的传说 ■包公与陈世美

中国文明与艺术之五
Chinese Civilization and Art Ⅴ

第四盘 DVD 4
■中国历史 ■《诗经》与《楚辞》 ■唐诗与宋词
■中国四大名著（上） ■中国四大名著（下） ■地方戏
■曲艺 ■中国民歌 ■《易经》与八卦 ■风水 ■气功

中国文明与艺术之六
Chinese Civilization and Art Ⅵ

第五盘 DVD 5
■汉族的姓名 ■中国的十二生肖 ■凤凰 ■动物（上） ■动物（下） ■植物
■颜色 ■对联 ■灯笼、锣鼓、烟花爆竹 ■中国人的生日 ■中国人的婚嫁

图书在版编目（CIP）数据

初级综合．1／荣继华编著．--2版．--北京：北京语言大学出版社，2011.7（2019.1重印）
（发展汉语）
普通高等教育“十一五”国家级规划教材
ISBN 978-7-5619-3076-2

Ⅰ．①初… Ⅱ．①荣… Ⅲ．①汉语－对外汉语教学－教材 Ⅳ．①H195.4

中国版本图书馆 CIP 数据核字（2011）第 138626 号

发展汉语（第二版）初级综合（Ⅰ）
FAZHAN HANYU(DI-ER BAN)CHUJI ZONGHE (I)

排版制作：北京创艺涵文化发展有限公司
责任印制：周 燚

出版发行：北京语言大学出版社
社　　址：北京市海淀区学院路 15 号，100083
网　　址：www.blcup.com
电子信箱：service@blcup.com
电　　话：编辑部　8610-82303647/3592/3395
国内发行　8610-82303650/3591/3648
海外发行　8610-82303365/3080/3668
北语书店　8610-82303653
网购咨询　8610-82303908
印　　刷：保定市中画美凯印刷有限公司

版　　次：2011 年 7 月第 2 版　　印　　次：2019 年 1 月第 13 次印刷
开　　本：889 毫米 × 1194 毫米　1/16
印　　张：课本 23.25 / 汉字练习本 2.25 / 彩页 1 插表 1
字　　数：499 千字
定　　价：79.00 元

PRINTED IN CHINA